LES SYMPHONIES
de
BEETHOVEN

Da Capo Press Music Reprint Series

MUSIC EDITOR

BEA FRIEDLAND

Ph.D., City University of New York

J.-G. PROD'HOMME

LES SYMPHONIES de BEETHOVEN

(1800-1827)

Préface de M. Édouard COLONNE

TROISIÈME ÉDITION

DA CAPO PRESS • NEW YORK • 1977

Library of Congress Cataloging in Publication Data

Prod'homme, Jacques Gabriel, 1871-1956.
Les symphonies de Beethoven (1800-1827).

(Da Capo Press music reprint series)
Reprint of the 1906 ed. published by C. Delagrave, Paris.
1. Beethoven, Ludwig van, 1770-1827. Symphonies.
ML410.B4P7 1977 785.1'1'0924 76-52485
ISBN 0-306-70859-0

This Da Capo Press edition of *Les Symphonies de Beethoven* is an unabridged republication of the third edition published in Paris in 1906.

Published by Da Capo Press, Inc.
A Subsidiary of Plenum Publishing Corporation
227 West 17th Street, New York, N. Y. 10011

Manufactured in the United States of America

Les

Symphonies de Beethoven

J.-G. PROD'HOMME

LES SYMPHONIES
de
BEETHOVEN

(1800-1827)

Préface de M. Édouard COLONNE

OUVRAGE COURONNÉ PAR L'ACADÉMIE FRANÇAISE
(Prix Charles-Blanc).

TROISIÈME ÉDITION

REVUE ET CORRIGÉE D'APRÈS LES TRAVAUX LES PLUS RÉCENTS, ET AUGMENTÉE D'UN TABLEAU SYNOPTIQUE DES PREMIÈRES AUDITIONS DES SYMPHONIES

PARIS
LIBRAIRIE CH. DELAGRAVE
15, RUE SOUFFLOT, 15

Published : June 1 1906.

PREFACE

En me demandant d'ajouter, sous couleur de préface, quelques lignes à son bel ouvrage, M. J.-G. Prod'homme me fait autant d'honneur qu'il me cause d'embarras. S'il suppose que mon opinion peut avoir quelque poids sur l'esprit du lecteur, j'ai, moi, le regret de lui dire que je n'en crois rien.

Quand il s'agit de porter un jugement sur les grands hommes, on ne prend guère l'avis du voisin; chacun tient à sa manière de voir, et, volontiers, la proclame excellente.

Puis, enfin, pour présenter un livre au public, faut-il au moins disposer de quelque autorité littéraire, et mon éloquence, s'il m'arrive d'en montrer parfois l'apparente image, se mesure uniquement à la docilité et à la virtuosité de mon orchestre.

Toutefois, puisque l'occasion m'en est offerte, je ne puis résister à dire la joie émue, la tendresse profonde, l'admiration sans réserve qui me courbent, humble et pieux fidèle, devant Beethoven, ce maître suprême, le plus grand peut-être, parmi les Dieux qui peuplent l'Olympe musical.

Bien jeune encore, j'ai sacrifié sur son autel, et son culte a été la religion de toute ma vie.

Mes ennemis (qui peut se flatter de n'en pas avoir?) ont bien voulu, pendant un temps, me concéder, avec un certain tempérament qu'ils qualifient de romantique, *le don d'animer l'œuvre que je dirige, de la peindre avec des couleurs brillantes, d'en exprimer avec chaleur la passion douce ou violente, de vibrer, en un mot. Mais, en me faisant cette concession pour essayer de me confiner dans un genre et limiter mon domaine, ils avaient oublié de regarder en arrière, car je ne suis arrivé à la compréhension de la musique* romantique *que par une étude approfondie de la musique* classique.

J'ai connu Beethoven avant Berlioz, la Pastorale *avant la* Fantastique. *N'allez pas en conclure que je prétends m'attribuer un brevet de supériorité, encore moins d'infaillibilité !*

D'autres ont étudié Beethoven ; ils y ont peut-être vu ce que je n'avais pas trouvé, peut-être aussi y ai-je trouvé ce qu'ils n'avaient pas vu.

Au surplus, il n'y a pas qu'une façon de dire un beau vers.

C'est le propre de la beauté que de pouvoir, sous des aspects divers, rester la beauté quand même. A ce signe certain, on reconnaît les neuf filles de Beethoven, les neuf muses qu'enfanta son génie, elles sont immortelles, et gardent, en leur qualité de déesses, le prestige merveilleux d'une jeunesse éternelle.

Voilà pourquoi un livre tel que celui de M. J.-G Prod'homme est un ouvrage utile. Cette histoire est un flambeau qui nous éclaire et nous permet de mieux comprendre Beethoven, en nous le faisant mieux connaître. — Plus on pénètre sa vie, plus on admire son œuvre.

Gloire à lui sur la terre! Les peuples prêtent l'oreille; les historiens proclament sa puissance; les interprètes répandent sa doctrine; le monde obéit à sa voix; se hausser jusqu'à lui c'est devenir plus grand.

ED. COLONNE.

AVANT-PROPOS

Lorsque Sowinski traduisit, il y a un demi-siècle, le livre de Schindler, il s'excusait d'apporter à la littérature musicale française un nouvel ouvrage sur Beethoven. La présente publication trouverait, au contraire, son excuse, dans la pénurie d'ouvrages écrits en notre langue sur le grand compositeur allemand, dont l'œuvre émeut aujourd'hui plus que jamais le public musical de tous les pays.

Si nous exceptons, en effet, le *Beethoven* de Victor Wilder, paru en 1883, et que tant de documents nouveaux permettraient de reprendre d'après une méthode historique rigoureuse, la plupart des volumes publiés en français sur Beethoven étant épuisés, ne sont possédés que par le petit nombre, qui les garde jalousement. La biographie de Mme A. Audley, celle de Schindler, traduite et abrégée par Sowinski, les notices de Wegeler et Ries, traduites par Legentil, les ouvrages de Lenz et d'Oulibicheff, sont dans ce cas. Il ne reste d'accessible au grand public, outre le livre de Wilder, que les travaux trop succincts ou trop fragmentaires de Barbadette, de Blaze de Bury, d'Ernouf, de Sauzay, de MM. Raymond Bouyer, M. Bouchor, Kufferath, L. Mesnard, de Wyzeva, etc. Je mets à part le choix de lettres *(Correspondance de Beethoven)* récemment publié par M. Jean Chantavoine, et l'admirable brochure de M. Romain Rolland *Beethoven* (à laquelle nous renvoyons pour la bibliographie et l'iconographie), deux livres qui, dans l'attente d'une étude de longue haleine digne de Beethoven et de son œuvre, peuvent faire patienter le lecteur français, auquel ils offrent avec précision les faits essentiels à connaître.

En publiant une étude sur les Symphonies, notre unique ambition a été de remédier, dans une certaine mesure, à cette lacune de notre littérature musicale. Les neuf Symphonies de Beethoven ayant été composées à partir de 1800, leur histoire se confond, pendant un quart de siècle, avec la vie d'artiste la plus admirable et la plus douloureuse qui ait jamais été vécue. On nous saura gré peut-être d'avoir essayé de retracer cette existence passionnée, marquée de chefs-d'œuvre que le recul d'un siècle nous fait apparaître parmi les plus grandioses de l'esprit moderne. Pareille tâche fut naguère tentée et menée à bien, à un point de vue plus exclusivement musical, en Angleterre, par Sir George Grove, et à un point de vue plus anecdotique, en Italie, par Alfredo Colombani, enlevé si jeune aux études musicographiques. Nous ne parlons pas de l'Allemagne, où la littérature beethovénienne s'augmente chaque année de plusieurs ouvrages de diverse importance. C'est dans cette littérature, abondante et variée à l'excès, que nous avons puisé : Schindler, le confident des dernières années du maître, Nohl, Thayer, Nottebohm, Wasielewski, d'autres encore, nous ont fourni tour à tour les éléments les plus authentiques et les plus rares. Nous n'avons jamais manqué, dans la limite du possible et des ressources souvent trop maigres des bibliothèques françaises, de contrôler les faits au moyen des journaux contemporains.

Le plan du présent ouvrage est des plus simples. Suivant l'ordre chronologique, les neuf Symphonies y sont non seulement analysées, très brièvement et sans commentaires, mais suivies dans ce qu'on peut appeler leur vie : d'une part, depuis le moment où l'on croit en saisir la première conception dans l'esprit du compositeur, jusqu'à l'instant où elles sont révélées au monde musical; d'autre part, depuis cette première audition, elles sont suivies dans les différents pays de culture musicale; et nous avons reproduit ou résumé, çà et là, un certain nombre d'impressions de la critique contemporaine des premières auditions.

Ce livre se divise donc naturellement en neuf chapitres, dont les trois subdivisions correspondent logiquement à ce plan. Un dernier chapitre est consacré aux projets d'une *Dixième Symphonie*, que la mort seule empêcha Beethoven d'écrire.

La partie musicale mise à part, ce livre forme ainsi,

à partir de 1800, une histoire de Beethoven et de ses principaux ouvrages.

Pour la France, il nous a été relativement aisé de retracer l'histoire des neuf Symphonies, au moyen des journaux de musique et des quotidiens. Nous aurions voulu contrôler certains faits ou certaines assertions à des sources inédites, puiser des dates et des renseignements dans les archives de la Société des Concerts du Conservatoire. Cette vérification nous a été refusée. A propos de la *IXe Symphonie* par exemple, Schindler dit qu'elle fut mise en répétitions par Habeneck toute une année. Il n'y avait, croyions-nous, aucune indiscrétion à nous en assurer : la mémoire de Habeneck elle-même et celle de ses vaillants compagnons n'en eussent certainement pas souffert. Il ne nous a pas été possible de vérifier l'assertion de Schindler par suite du refus qui nous a été opposé par le Comité de la Société des Concerts de prendre connaissance de ses procès-verbaux. La demande que nous avons faite pour obtenir cette communication, « bien que sympathiquement envisagée, nous écrit notre excellent confrère Seitz, secrétaire de la Société, n'a pu être accueillie, eu égard aux documents administratifs ou de caractère intime *(sic)* contenus dans ces pièces. Ce que vous auriez désiré en extraire se retrouve du reste dans l'ouvrage d'Elwart, *Histoire de la Société des Concerts*, qui nous a créé en d'autres temps des difficultés semblables à celles que nos collègues redoutent. Encore une fois, vous n'y perdez rien. »

Nous prions M. Seitz d'accepter nos remerciements pour l'empressement bienveillant et malheureux avec lequel il s'est mis, par deux fois, à notre entière disposition, et nous adressons au Comité de l'illustre Société l'expression de notre respectueuse admiration pour sa fidélité, si rare à notre époque, à de vénérables souvenirs dont aucun de ses membres, sans doute, se garde de secouer la poussière.

Par contre, nous n'avons rencontré que la plus empressée obligeance de la part de M. Petitjean, secrétaire des Concerts-Colonne, et de M. Bourgeois, secrétaire des Concerts Lamoureux-Chevillard, dont les archives, malheureusement, ne remontent pas jusqu'en 1828; de MM. F. Spiro, et Ettore Pinelli, l'illustre chef d'orchestre, à Rome ; de MM. Felippe Pedrell et Suarez Bravo, à Barcelone; de M. le Dr Findeisen, à Saint-Pétersbourg; de Mme La Mara, à Leipzig; de M. le Dr Frankenstein, à Heidelberg, de M. Etienne Fereszty, custos de la Bibliothèque nationale, et de M. Coloman d'Isoz, attaché à la direction du Musée national, à Buda-Pesth. Les uns et les autres ont bien voulu faire des recherches quelquefois très longues et nous adresser des brochures introuvables sur différentes sociétés de concerts qui, loin de cacher leurs archives, se plaisent au contraire, comme la Philharmonique de Buda-Pesth ou la Società orchestrale romana, à exposer au grand jour l'histoire de leurs débuts et de leur activité artistique.

Il nous faut encore remercier, et par-dessus tous, M. Martial Ténéo, qui nous a découvert maint document des Archives de l'Opéra, et M. Charles Malherbe, l'érudit bibliothécaire de ce théâtre dont l'inépuisable obligeance et les connaissances paléographiques musicales, bien connues de tous les chercheurs, nous ont été plus d'une fois utiles.

Tel qu'il est, nous croyons donc que cet ouvrage sera lu avec intérêt par les amateurs et par les artistes, et c'est dans l'espoir de leur être utile que nous le leur présentons.

J.-G. PROD'HOMME.

Mars 1906.

P.-S. — Depuis trois ans, un grand nombre d'ouvrages sur Beethoven ont paru, parmi lesquels il faut citer la *Correspondance* éditée par le Dr Kalischer, le *Beethoven* de M. Chantavoine, différents travaux du Dr Frimmel (qui prépare, lui aussi, une édition de la correspondance); et la brochure de Mme La Mara sur l'*Unsterbliche Geliebte*, qui confirme l'identification de celle-ci avec Thérèse de Brunswick et donne définitivement tort aux partisans de Giulietta Guicciardi, en permettant de fixer sans aucun doute à 1807 les trois fameuses « lettres d'amour » de Beethoven.

Ces publications diverses nous ont été utiles pour préparer cette troisième édition et nous nous devions de les signaler à nos lecteurs.

Juin 1909.

J.-G. P.

Les Symphonies
de
BEETHOVEN

CHAPITRE PREMIER

PREMIÈRE SYMPHONIE, en UT Majeur
op. 21 (1800).

I

Beethoven avait près de trente ans lorsque, le 2 avril 1800, il offrit au public viennois la première audition de sa première Symphonie.

A cet âge, Mozart avait écrit la plupart des siennes; Beethoven, moins précoce, n'avait encore composé que deux œuvres pour orchestre, les deux concertos de pianos, op. 15 et 19 : le premier datant de 1796 au plus tard, le second du début de l'année 1795[1]. C'est de ce temps-là qu'il faudrait, d'après Nottebohm, dater la première intention manifestée par Beethoven d'écrire une symphonie. Le jeune compositeur aurait alors projeté une symphonie en *ut mineur*. En effet, nous trouvons un grand nombre d'esquisses pour le

[1] Voir, à la fin de ce chapitre, la liste des œuvres de Beethoven antérieures à la *Ire Symphonie*.

premier mouvement de celle-ci. Evidemment, il avait en vue d'autres mouvements encore. Mais il est difficile, parmi les nombreux cahiers d'esquisses et feuillets détachés et inutilisés, de déchiffrer celles-ci avec certitude. Les esquisses du premier mouvement offrent en elles-mêmes peu d'intérêt. Le plus remarquable est que Beethoven avait repris par deux fois le thème trouvé.

Le premier mouvement commence ainsi :

« Une esquisse plus importante est intitulée : « *Zur Sinfonie* », ce qui ne laisse aucun doute sur sa destination », dit Nottebohm[1]. Mais ce qu'il faut dès maintenant signaler, c'est la ressemblance, presque

[1] G. NOTTEBOHM, *Zweite Beethoveniana* (Leipzig, 1887), p. 228-229.

l'identité, qui existe entre cette phrase et le motif (14), dans le même ton, du dernier mouvement de la symphonie. Nottebohm poursuit :

Au point de vue chronologique, il faut remarquer ceci. Les différents feuillets et cahiers qui renferment des travaux pour un mouvement de symphonie contiennent en outre : une double fugue se rapportant aux leçons d'Albrechtsberger, le commencement, écrit pour piano, du troisième mouvement du *Trio* en *sol majeur*, op. 1, n° 2 ; des esquisses de contre-danses, dont deux ont été publiées (*12 Contre-danses*, nos 3 et 4) ; une note :
« *Hausknecht abends wasser holen* » (le domestique le soir aller chercher de l'eau) indique que ces esquisses ne datent pas de l'époque de Bonn; une esquisse de rondo avec un écho se trouve dans le *Quatuor* en *la majeur*, op. 18, n° 5 ; une remarque :
« *Concerto in B dur Adagio in D dur* », permet de conclure que le concerto op. 19 n'était pas encore terminé ; çà et là, au milieu des esquisses : un fragment de lettre qui se rapporte vraisemblablement au *Quintette* en *mi bémol* op. 4 :
« j'ai l'honneur vous envoyer le Quintette, et vous m'obligerez beaucoup si vous le considérez comme un cadeau de moi sans importance, la seule condition, que je dois vous faire, est de ne jamais donner à personne... » ; des exercices écrits sous Albrechtsberger en double contre-point; des esquisses pour *Adelaïde* et une esquisse déchirée pour le second mouvement du *Trio* en *sol majeur*, op. 1, n° 2.
Des dates qui se rattachent à plusieurs de ces morceaux, il ressort que Beethoven travailla à cette symphonie en 1794 ou au commencement de 1795. Puis il abandonna cet ouvrage et composa la première Symphonie. Vraisemblablement l'une est la conséquence de l'autre[1].

Que Beethoven ait utilisé, dans sa première Sympho-

[1] G. Nottebohm, *Zweite Beethoveniana* (Leipzig, 1887), p. 228-229.

nie, en *ut majeur*, des matériaux déjà réunis en vue d'un ouvrage de forme analogue, en *ut mineur*, ou qu'il l'ait écrite sous une inspiration nouvelle, on peut dater, en tout cas, la *Ire Symphonie* de 1799-1800 au plus tard, puisque le concert à la fin duquel elle fut exécutée pour la première fois était annoncé dès le 26 mars 1800 aux lecteurs de l'*Allgemeine musikalische Zeitung*.

Dédié au baron van Swieten[1], l'ouvrage de Beethoven fut publié en parties chez Hoffmeister et Kühnel, au Bureau de Musique (depuis Peters), à Leipzig, à la fin de 1801[2], sous ce titre (en français) : « Grande Sinfonie pour deux violons, viole, violon-

[1] Le baron Gottfried van Swieten, dilettante fort distingué, d'origine flamande, naquit en 1734 ; destiné à la diplomatie, son goût pour la musique l'en détourna de bonne heure. Il collabora avec Favart (couplets pour *la Rosière de Salency*, 1769) ; traduisit pour Haydn *la Création* et *les Saisons*.

Ses maîtres préférés étaient Bach, Hasse, Haendel; il fit ajouter un accompagnement, par Mozart, à plusieurs oratorios de ce dernier *(Acis et Galathée, le Messie, Sainte Cécile, la Fête d'Alexandre)*, et par Starzer *(Judas Macchabée)* ; lui-même arrangea *Athalia* et *le Choix d'Hercule*. A Vienne, van Swieten fut, avec le prince Lichnowski, l'un des premiers protecteurs de Beethoven ; il fut l'un des fondateurs de la *Musikalische Gesellschaft*, composée de vingt-cinq membres de l'aristocratie viennoise.

[2] Beethoven l'offrit à Hofmeister, pour la somme de 20 ducats (environ 250 fr.), en même temps que le septuor op. 30, le concerto pour piano op. 19, la sonate pour piano op. 22 ; le tout pour 70 ducats (Lettres de « Vienne, le 15 décembre 1800 » et de « Vienne, le 15 (ou quelque chose comme cela) janvier 1800 »). Dans cette dernière, Beethoven écrit : « Vous vous étonnerez peut-être que je ne fasse ici aucune différence entre une sonate, un septuor, une symphonie? Mais je trouve qu'un septuor ou une symphonie ne trouvent pas autant de débit qu'une sonate, c'est pourquoi je le fais, bien qu'une symphonie doive incontestablement valoir davantage. »

celle et basse, deux flûtes, deux oboes, deux cors, deux bassons, deux clarinettes, deux trompettes, et tymbales — composée et dédiée à Son Excellence M. le baron van Swieten, conseiller intime et bibliothécaire de Sa Majesté Imp. et Roy. — Par Louis van Beethoven. Œuvre XXI. » La partition, in-8° de 108 pages, parut chez Simrock, en 1820, sous ce titre : « Ire Grande Simphonie en Ut majeur (C dur) de LOUIS van BEETHOVEN. Œuvre XXI. Partition. Prix 9 francs. Bonn et Cologne chez N. Simrock. 1953. »

II

Identique à l'orchestre de Haydn et de Mozart (bien que la clarinette ne soit pas employée dans la *Jupiter-Symphonie*, la dernière de Mozart), l'orchestre de la *Ire Symphonie* se compose de : deux timbales, (en *ut* et en *sol)*, deux trompettes, deux cors, deux flûtes, deux hautbois, deux clarinettes, deux bassons, premiers et seconds violons, altos, violoncelles et contrebasses.

La durée de l'exécution est de 27 minutes.

I. Introduction, *Adagio molto (Ut majeur*, C). — L'*adagio* débute d'une façon inattendue, par l'accord de septième dominante du ton de *fa*, frappé par le tutti, *forte*, auquel succède l'accord de *fa;* la deuxième mesure est dans le ton d'*ut*, mais la suivante, immédiatement module en *sol* (1). L'attention fortement éveil-

lée par ces sautes brusques, de quatre en quatre, après cette sorte de lutte entre trois tonalités différentes, le ton de la symphonie s'impose et l'introduction, de douze mesures en tout, amène bientôt le premier thème, impétueux, qui est exposé par les cordes (2) et (2 *bis*).

Allegro con brio (Ut majeur, C). — Il « a pour thème une phrase de six mesures (2) qui, sans avoir rien de bien caractérisé en soi, devient ensuite intéressante par l'art avec lequel elle est traitée. Une mélodie épisodique lui succède, d'un style peu distingué, et au moyen d'une demi-cadence répétée trois ou quatre fois, nous arrivons à un dessin d'instruments à vent en imitation à la quarte (3), qu'on est d'autant plus étonné de trou-

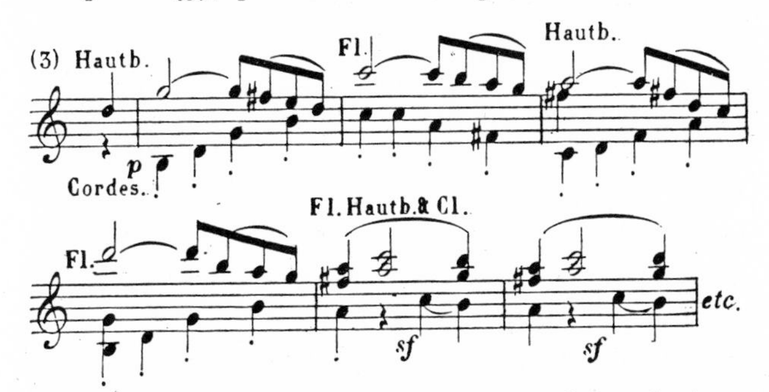

ver là, qu'il avait été employé souvent dans plusieurs ouvertures d'opéras français. » (Berlioz.)

Alternativement, les hautbois, flûtes et les cordes reprennent ce thème qui, une fois développé, ayant conduit l'orchestre jusqu'au *fortissimo*, fait place à un thème, *pianissimo*, d'allure plus tourmentée (bassons et violoncelles, puis violoncelles seuls), *sol mineur* (4), ramenant, avec le ton de *sol majeur*, des

fragments du motif (3), successivement à tous les instruments de l'orchestre ; enfin, il est varié ainsi par les violons et les flûtes (3 *bis)* et amène la conclu-

sion de la première partie du mouvement; celle-ci reprise *da capo*, le motif (2), mesures 7 et suivantes, revient aux premiers violons, en *la mineur*, en *ré mineur* et en *sol majeur*. Un long développement suit, où les différents instruments se bornent presque exclusivement à répéter ces quatre notes, *pizzicato* (5) :

Un trait de violon vient mettre un peu d'animation, et prépare la rentrée (au basson d'abord, puis aux hautbois et flûtes) du début de (2). Ces différents éléments : le premier motif (2) repris *fortissimo* par le tutti, le second (3), en *ut*, par les bois, puis par les violons ; un *fortissimo* ramène comme plus haut le thème (4), au quatuor, auquel s'enchaîne le thème (2) répété incessamment presque jusqu'à la fin, par tous les instruments; l'*allegro* se termine par une série d'accords toniques, *fortissimo.*

II. *Andante cantabile con moto (Fa majeur,* 3/8). — Un premier motif, exposé par les seconds violons (6), sert de texte à une imitation canonique qui se

déroule pendant vingt-quatre mesures. Un second thème (7), qui est comme une réponse au premier,

apparaît ensuite au quatuor. Soudain, la timbale roule *pianissimo* (8), accompagnée par les cordes

(8) Timb.

graves, les trompettes, hautbois et clarinettes, tandis que les flûtes et premiers violons l'entourent de leurs arabesques, *pizzicato*. La première partie se termine sur cet effet ; elle est reprise *da capo*. Dans la seconde, développement du début de l'*andante*, après quelques mesures d'introduction (9), le même rythme donné

(9)

par les timbales revient au quatuor et aux bassons; les timbales réapparaissent, en *ut* cette fois, dominante du ton de *fa*, le thème du début (6) revient aux seconds violons, puis aux bassons et altos, aux flûtes, etc. ; le suivant (7) est repris, en *fa* maintenant, par le quatuor et les flûtes. Les timbales s'entendent de nouveau, *pianissimo* en *ut*, pendant une accalmie de l'orchestre. Quelques notes se détachent du premier motif, sous les doubles croches des violons amenant assez rapidement la conclusion.

III. *Menuetto. Allegro molto e vivace (Ut majeur*, 3/4). — « Pour se montrer, Beethoven a attendu le menuet, le mouvement rythmique dont la métamorphose en *scherzo* de la façon de l'auteur commence aux premières sonates. » (Oulibicheff[1].) Ce menuet est,

[1] OULIBICHEFF, *Beeth., ses Critiques et ses Glossateurs* (Leipzig, 1857), p. 140.

en effet, d'un mouvement double de ceux de Haydn et de Mozart. *Allegro molto e vivace*, il débute par une gamme de *sol*, d'un rythme analogue au scherzo de la *VII*e *Symphonie* (10). Une seconde phrase, qui

module en *si bémol mineur*, suit immédiatement, amenant, après quelques mesures où les violons seuls font un accompagnement d'une modulation hardie, les basses, les bois jetant quelques notes rapides (11), une reprise de (10) au tutti.

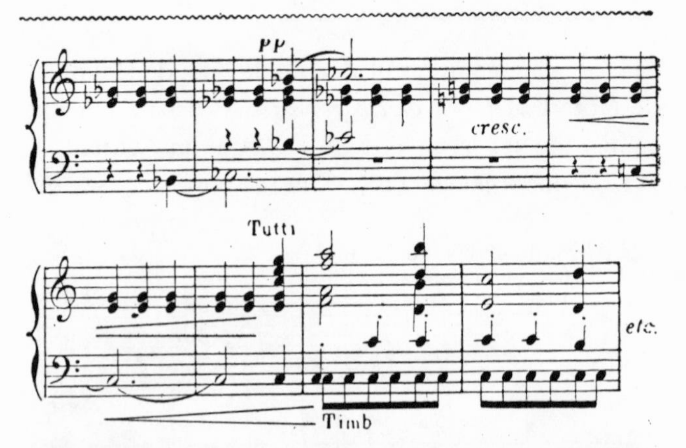

Le *Trio* qui forme la partie centrale du menuet n'est pas moins original que le début. Les instruments à vent (clarinette, hautbois et basson) donnent, à plusieurs reprises, l'accord d'*ut majeur ;* les violons répondent par des traits rapides (12); et ce dialogue

très court, très vif, pittoresque et coloré, se poursuit pendant quelques mesures; il est répété; un nouveau dialogue s'engage entre les mêmes groupes d'instruments, mais dans le ton de la dominante; cette seconde partie du trio, bissée comme la première, la première partie du menuet est reprise *da capo*, formant la conclusion.

IV. Le *Finale* débute par une introduction *adagio* à 2/4 de six mesures (13) dans laquelle l'orchestre (les

premiers violons seuls) semble essayer ses forces avant de s'élancer à l'*allegro molto e vivace* dont le premier motif (14) est reproduit presque exactement de l'es-

quisse de 1795, signalée par Nottebohm (voir plus haut). Après ce premier thème, vient un motif descendant confié au quatuor (15). En *sol*, les basses chan-

tent un nouveau motif (16), puis aux violons paraît

un motif syncopé (17) accompagné *pizzicato* par les

basses. La première partie répétée, le premier thème revient fragmenté, au développement, bémolisé, ainsi que le (14); il reparaît un moment tout entier au quatuor. Le tutti se forme peu à peu, et dans une ascension *crescendo*; qui ramasse toutes les forces de l'orchestre, un *sf* formidable résonne, s'arrête sur l'accord de septième dominante. Un point d'orgue... Puis les instruments aigus, du second violon à la flûte, reprennent la gamme du début, amenant, *forte*, le retour du premier thème (14). Lorsque celui-ci a été entièrement redit, les cors et hautbois, seuls, se font entendre (18),

comme tout à l'heure dans le scherzo ; l'orchestre entier leur répond par plusieurs répétitions des mesures préliminaires de (14), et prépare la conclusion, *fortissimo*, sur l'accord tonique (qui n'occupe pas moins de douze mesures), analogue à celle de la première partie.

III

Le 26 mars 1800, la *Wiener Zeitung* annonçait en ces termes le concert que Beethoven allait donner, huit jours plus tard, à son bénéfice :

La direction du Théâtre impérial ayant mis la salle de spectacle à la disposition de M. Ludwig van Beethoven, ce compositeur prévient l'honorable public que la date de son concert a été fixée au 2 avril.

On pourra se procurer ce jour-là et la veille des places réservées chez M. van Beethoven, Tiefen Graben N. 241, 3e étage. S'adresser également au bureau de location, où MM. les abonnés qui ne désireront pas occuper leurs places sont priés de le faire savoir en temps opportun.

Le programme de ce concert du 2 avril 1800 comprenait :

1. Symphonie de Mozart.
2. Air de *la Création.*
3. Grand Concerto pour pianoforte de Beethoven.
4. Septuor de Beethoven.
5. Duetto de *la Création.*
6. Improvisation de Beethoven sur l'Hymne à l'Empereur de Haydn.
7. Symphonie n° 1 de Beethoven.

Un document, unique peut-être, sur ce concert, est le compte rendu de l'*Allgemeine musikalische Zeitung*, de Leipzig, qui nous renseigne sur son issue.

Enfin, écrit le correspondant viennois de la célèbre *Gazette*, M. Beethoven a pu obtenir la salle du théâtre pour un concert à son bénéfice qui a été certainement un des plus intéressants que nous ayons vus depuis longtemps. Il a joué un nouveau concerto de sa composition contenant de nombreuses beautés, spécialement dans les deux premiers mouvements. Après ce morceau, nous avons entendu un Septuor écrit par lui avec beaucoup de goût et de sentiment. Il improvisa magistralement, et à la fin du concert fut exécutée une Symphonie de sa composition, où nous avons remarqué beaucoup d'art, de nouveauté et une grande richesse d'idées. Nous noterons toutefois l'usage trop fréquent des instruments à vent : il en résulte que la symphonie est plutôt une pièce d'harmonie qu'une œuvre vraiment orchestrale[1].

Ainsi, le peu d'innovations qu'apportait Beethoven à la formule consacrée par Mozart et Haydn était critiqué dès la première apparition de sa Symphonie.

[1] *Allg. musikal. Zeit.*, 15 oct. 1800, col. 49.

A Leipzig, la première audition, au Gewandhaus, eut lieu le 26 novembre 1801. D'après Rochlitz, un critique la qualifia d' « explosions confuses de la présomption effrontée d'un jeune homme »[1].

Quatre ans plus tard, le critique des concerts de la même ville, après la première audition de la *II*e *Symphonie*, écrivait : « La précédente et plus aimable Sinfonie (en *ut majeur*) de Beethoven qui fut très bien exécutée, est un morceau favori du public des concerts d'ici[2]. »

La même année, le 13 février 1805, rendant compte d'une nouvelle exécution à Vienne, chez le banquier von Würth, le même journal la représentait comme « une magistrale production. Tous les instruments y sont excellemment employés, recélant une extraordinaire richesse d'idées aimables employées avec une netteté parfaite, ordre et lucidité ». Il est vrai que, le même soir, apparaissait l'*Eroica*[3].

Lorsque le 21 juin 1810, Spohr dirigea la *I*re *Symphonie* au *Musikfest* de Frankenhausen, en Thuringe, dans la vaste enceinte de l'église, ce fut le trio du menuet qui fit le plus d'impression[4].

[1] *Allg. musikal. Zeit.*, 23 juill. 1828, col. 488, note.

[2] *Id.*, *ib.*, 2 janvier 1805, col. 215. *Musik in Leipzig (Michael bis Weinacht 1804).*

[3] *Allg. musikal Zeit.*, 13 février 1805. Lettre de Vienne, du 28 janvier. La première audition à Mannheim, vers la fin de 1806, est signalée par le même journal (28 janvier 1807, col. 273).

La *I*re *Symphonie* dut être assez fréquemment exécutée chez le prince Lichnowky, en même temps que les trois suivantes, entre autres, au mois de mars 1807, quand les quatre premières Symphonies furent jouées le même jour.

[4] *Allgemeine musikalische Zeitung*, 1810-1811, col. 751,

La *Philharmonic Society* de Londres exécuta vraisemblablement la première œuvre symphonique de Beethoven dès l'année de sa fondation (1813) : les programmes ne spécifiant pas la symphonie exécutée, il est difficile de l'affirmer; tout ce qu'on sait, c'est que, au cours de l'année de 1813, trois symphonies de Beethoven parurent sur ses programmes. Le journal *The Harmonicon*, longtemps plus tard, en 1823 et 1826, parlant de cette « brillante symphonie », la qualifiait de « grande favorite » du public[1].

A la Société des Concerts du Conservatoire, la *Ire Symphonie* ne parut qu'après la *IIe*, pendant la troisième « session », le 9 mai 1830, alors que cinq autres des neuf avaient déjà été applaudies (la *IXe* et la *VIIe* ne parurent qu'en 1831 et 1832). Mais ce n'était pas à vrai dire une première audition : loin de là. Dès le 22 février 1807, un des exercices publics des élèves du Conservatoire[2] la faisait entendre pour la première fois aux Parisiens. La *Décade philoso-*

suiv. *Nachricht von einem in Thüringen seltenen Musikfeste* (par Gerber). Cette symphonie, écrit Gerber, est « incontestablement son œuvre la plus agréable et la plus populaire. Elle fut exécutée, on ne peut mieux, avec amour, avec feu et la plus haute précision. Dans le Trio du menuet, le chœur des instruments à vent produisit une sensation rare et indiciblement agréable. L'oreille croyait percevoir les sons d'une harmonika extrêmement pure. Un long applaudissement et la joie de l'assemblée saluèrent le choix du chef-d'œuvre exécuté et les artistes réunis pour son exécution. »

1 GROVE, *Beethoven and his nine Symphonies*, p. 15. Cf. *The Harmonicon*, 1826, p. 83 ; compte rendu du *Philharmonic Concert* du lundi 27 février.

2 Ces « exercices », nombreux et réguliers, étaient de véritables concerts ; de cette institution est sortie, en 1828, la fameuse société, composée, à l'origine, d'élèves et de professeurs du Conservatoire. Il est très regrettable que ceci ait

phique disait après cette audition : « ... Celle-ci qui est de Beethoven, est d'un genre tout différent [qu'une symphonie de Haydn qu'on venait d'exécuter]. Le style en est clair, brillant et rapide. Elle fut, comme elles le sont toutes, parfaitement exécutée par l'orchestre, et elle a fait très grand plaisir[1]. »

Vers 1808, dit Fétis, « on essaya la première symphonie de Beethoven (en *ut*). Pour cette fois, il n'y eut qu'un bien petit nombre de jeunes musiciens qui osèrent se prononcer en faveur de cette *musique baroque*, comme on disait alors; et pourtant il y a loin de cette symphonie à celles que Beethoven a écrites depuis lors. Son génie n'était point encore entré franchement dans son individualité; il était encore sous l'influence de Mozart; et tout en laissant échapper des traits de lumière qui décelaient ce qu'il devait être un jour, il se modelait sur le grand homme dont il aimait passionnément les ouvrages. Cette symphonie, et la deuxième (en *ré*) du même auteur, furent les seules de Beethoven qu'on entendit en France pendant vingt ans[2] ».

Le Courrier de l'Europe et des Spectacles, parlant d'une Symphonie composée « il y a neuf ans », écrivait après le concert du 25 mars 1810 : « On y applaudira toujours ce beau trio de hautbois, clarinette et

tué cela, et que la suppression presque complète des « exercices publics » continue à laisser une lacune dans l'éducation artistique des élèves.

[1] *La Revue philosophique littéraire et politique* [Décade], 1er trim., 11 mars 1807, p. 511.

[2] *Revue musicale*, 16 avril 1831, p. 84.

basson qui est dans le dernier allegro[1]. » Il s'agit probablement du trio du menuet, — à moins qu'il ne s'agisse du trio du scherzo de la *II*e. L'habitude n'étant pas prise à cette époque, pas plus en France qu'en Angleterre, d'indiquer exactement « la symphonie » exécutée, il est assez difficile, d'après les programmes, et les comptes rendus, en général assez vagues, de spécifier les œuvres critiquées. « Des amateurs éclairés qui étaient alors à Vienne, ajoute le même journal, assurent que cette symphonie a été beaucoup mieux exécutée par les élèves du Conservatoire. Aussi cette symphonie qui est riche d'harmonie et pleine de motifs délicieux bien contrastés, bien variés et distribués de la manière la plus heureuse a excité les plus vifs applaudissemens. Voilà l'œuvre d'un grand homme, c'est le modèle présenté aux élèves d'une grande école. »

Les Tablettes de Polymnie de Cambini et Garaudé s'effrayaient, au contraire, de « l'étonnant succès des compositions de Beethoven » pourtant bien peu connues en France jusqu'alors. C'était « d'un exemple dangereux pour l'art musical. La contagion d'une harmonie tudesque semble gagner l'école moderne de composition qui se forme au Conservatoire. On croira produire de l'effet en prodiguant les dissonances les plus barbares et en employant avec fracas tous les instruments de l'orchestre. Hélas ! on ne fait que déchi-

[1] *Le Courrier de l'Europe et des Spectacles*, 27 mars 1810. Compte rendu du 5e exercice du Conservatoire.

rer bruyamment l'oreille, sans jamais parler au cœur[1]. »

Plus tard, en 1813 et 1814, l'une ou l'autre des deux premières symphonies fut reprise par deux fois; puis, certainement, la *Première*, le 29 mars 1819, et, le 2 décembre suivant, à la distribution des prix. Il devait s'écouler douze ans avant qu'elle reparût au Conservatoire, après l'audition du 9 mai 1830, dirigée par Habeneck. Elle ne figura d'ailleurs que très rarement, sur les programmes de la société, à partir du 13 janvier 1839.

Sans doute aussi fut-elle exécutée aux Concerts spirituels de l'Opéra de 1818 à 1828; mais le public de ces solennités lui préféra toujours la *Symphonie* en *ré* dans laquelle on intercalait l'*allegretto* de la *VII*^e^ en *la*.

Pasdeloup donna la *Symphonie* en *ut majeur* au 4e de ses Concerts populaires, le 23 octobre 1861; il la reprit au 11e le 5 janvier suivant. En 1873, M. Colonne en a dirigé la première audition au 5e Concert national à l'Odéon et la quatorzième le 5 novembre 1905, au Châtelet.

Aux Concerts-Lamoureux, quatre auditions seulement ont eu lieu, du 3 novembre 1901 au 4 mars 1906.

En Espagne, la *I*^re^ *Symphonie* fut entendue d'abord à Madrid, en 1864, au Salon du Conservatoire sous la direction de Jésus de Monasterio. Elle reparut en 1878, sous la direction de Vazquez, au Liceo de Bar-

[1] *Tablettes de Polymnie*, mars 1810, p. 9. Compte rendu du 4e Exercice des Elèves du Conservatoire (18 mars).

celone; en 1880, sous la direction de Buonaventura Frigola, au Lirico de la même ville, avec la *II*e et la *III*e; aux cycles beethovéniens de 1885 (Theatre du Principe Alfonso, Madrid, dirigée par Mancinelli), de 1897 et années suivantes (par Antonio Nicolau, Lirico, Novedades et Liceo de Barcelone).

En Italie, la Société orchestrale romaine l'a fait entendre trois fois en vingt-cinq ans, le 10 mars 1888, le 26 mars 1892 et le 20 décembre 1893[1].

La Société philharmonique de Buda-Pesth ne l'a donnée que trois fois également en cinquante ans : 1880, 1898 et 1903 (2).

En Russie, la première audition date du 7 décembre 1863 à Moscou.

Cette œuvre, a écrit Berlioz, « cette œuvre, par sa forme, par son style mélodique, par sa sobriété harmonique et son instrumentation se distingue tout à fait des autres compositions de Beethoven qui lui ont succédé. L'auteur, en l'écrivant, est évidemment resté sous l'empire des idées de Mozart, qu'il a agrandies quelquefois et partout ingénieusement imitées. Dans la première et la seconde partie, pourtant, on voit poindre, de temps en temps, quelques rythmes dont l'auteur de *Don Juan* a fait usage, il est vrai, mais fort rarement et d'une façon beaucoup moins saillante.

... Le *scherzo* est le premier né de cette famille de char-

1 E. Pinelli, *I venticinque anni della Società orchestrale romana 1874-1898.*
2 Coloman d'Isoz, *Hist. de la Soc. philh. hongroise, 1853-1903.*

mants badinages (*scherzi*) dont Beethoven a inventé la forme, déterminé le mouvement, et qu'il a substitués presque dans toutes ses œuvres instrumentales au menuet de Mozart et de Haydn, dont le mouvement est moins rapide du double et le caractère tout différent. Celui-ci est d'une fraîcheur, d'une agilité et d'une grâce exquises. C'est la seule véritable nouveauté de cette symphonie où l'idée poétique, si grande dans la plupart des œuvres qui ont suivi celle-ci, manque tout à fait.

Quant au rondo final, Berlioz n'y voit qu'un « véritable enfantillage musical »[1].

Parmi les nombreux jugements portés sur cette œuvre, il faut citer celui d'Oulibicheff, qui, dans son enthousiasme pour Mozart, est bien près d'être injuste pour la première œuvre symphonique de Beethoven;

Celle-ci, dit-il, serait une merveille, si d'un côté Haydn et Mozart n'avaient pas vécu, et si de l'autre elle n'eût pas été suivie de ses cadettes. Son malheur est de ne pouvoir échapper à cette double comparaison. Chacun y reconnaît une étude d'après Mozart et notamment d'après la symphonie en *ut* de Mozart. Même ton, dimensions à peu près égales, même agencement des parties intégrantes de l'œuvre, telles que le sujet, les épisodes, les ponts ou intermèdes (Zwischensätze), les rentrées, la composition du milieu (Mittelsatz), etc. ; analogie évidente dans le choix des modulations et des rythmes ; un *andante* dans le ton majeur de la quarte, un menuet et un finale dans la tonique principale. exactement encore comme chez Mozart. Malgré ces rapports de forme, l'*allegro* de Beethoven et l'*allegro* de Mozart ne se ressemblent point. Le premier est limpide, brillant, majestueux, mais assez faible d'expression et de style. Quant à l'autre, je trouve inutile de reproduire ici l'analyse que j'en ai faite dans ma biographie de Mozart. Ce que

[1] H. Berlioz, *Gazette musicale*, 1838. Cf. *A travers Chants, Beethoven*, p. 20.

les deux compositions ont de commun, c'est le goût, l'euphonie, la clarté, la pureté et l'élégance, plus le plaisir incontestable et sans mélange qu'elles procurent aux auditeurs[1].

Ce jugement du commentateur russe a presque toujours été adopté sans discussion. Seul peut-être, Colombani s'est élevé contre cette « phrase toute faite » : la première Symphonie est une pâle imitation des Symphonies de Haydn et de Mozart, ou bien : une heureuse fusion du style de Haydn avec celui de Mozart, comme dit Carpani dans sa *Haydine.* Cela « équivaut, d'après Colombani, à l'inutile constatation d'un fait que tout le monde connaît; c'est-à-dire que Beethoven est leur successeur immédiat dans l'histoire de la symphonie.

Mais si l'on veut étayer cette phrase avec des arguments, il faut pour le moins constater que :

1° La structure générale de la première Symphonie de Beethoven est régulière et rien de plus. Elle ne rappelle pas de préférence le type Haydn ou le type Mozart plutôt que celui des autres compositeurs de symphonies qui les ont précédés ou des auteurs de musique instrumentale qui furent la première source des symphonistes ;

2° Excepté dans le *minuetto,* la nature des idées mélodiques n'a rien de commun avec Haydn, très peu avec Mozart ;

3° Depuis l'accord de septième dominante sur lequel commence l'introduction, jusqu'aux quelques mesures qui précèdent le finale, nombreuses sont les innovations de détail introduites par Beethoven, si on le compare non seulement avec Haydn mais aussi avec Mozart...

Donc, de deux choses l'une : ou bien, on veut donner

[1] OULIBICHEFF, *Beethoven, ses critiques et ses glossateurs,* p. 138-139.

beaucoup de poids à ces innovations, — ce qui, pour être juste, serait une erreur, — et l'on peut arriver à considérer la première Symphonie comme une production du génie de Beethoven, indépendamment des œuvres écrites précédemment ; ou bien, on veut conserver ce rapport de relativité, et alors il ne faut pas se restreindre à Haydn ou à Mozart, mais, par-dessus tout, il faut remonter à la musique instrumentale italienne de la seconde moitié du XVIIe siècle, des *Concerti grossi* de Corelli aux Sinfonie de Sammartini.

Et l'on pourra alors arriver à un jugement exact en disant que la première Symphonie est un dérivé naturel des œuvres de ceux qui les premiers ont donné les modèles de la musique instrumentale, et que la première Symphonie composée par Beethoven semble plutôt un résumé du passé qu'une production originale de son génie. Si déjà l'on voit l'ongle qui fait présager le lion, celui-ci n'a pas encore jugé prudent de s'élancer[1].

Œuvres de Beethoven antérieures à la première Symphonie.

1780 ou 1782. (9) Variations pour le clavecin sur une Marche de Dressler, en *ut mineur* (Götz, Mannheim, vers 1783). Dédiées à la comtesse Wolf-Metternich.

1783. Fugue pour orgue, à deux sujets.

1783 (?). *Schilderung eines Mädchen*, lied, « von Herrn Ludwig van Beethoven, alt eilf Jahren » (pub. dans le *Blumenlese für Musikliebhaber*, Bossler, Spire, 1793)[2]

3 Sonates pour pianoforte (Bossler, Spire, 1783). Dédiées à l'électeur Maximilien-Frédéric, de Cologne.

Menuet pour pianoforte en *mi bémol* (Bureau des Arts et d'Industrie, Vienne, janvier 1805).

1784. Concerto pour piano en *mi bémol majeur* (inachevé).

An einen Säugling, lied de Wirth (*Neue Blumenlese für Clavierliebhaber*, Bossler, Spire, 1784).

(?). Sonatine pour mandoline et clavecin (pub. dans le *Dictionary of Music* de Grove, art. *Mandoline*).

[1] COLOMBANI, *Le nove Sinfonie di Beethoven*, p. 80-81.

[2] On sait que, par suite de la supercherie de son père, Beethoven passa longtemps pour être né en 1772 et non en 1770, il le crut lui-même fort longtemps.

Rondo pour piano et orchestre, en *si bémol*, terminé par Czerny (Diabelli, Vienne, juin 1829).

1785. 3 Quatuors pour piano, violon, alto et violoncelle (Artaria, Vienne, 1832).
Prélude pour piano, en *fa mineur* (Bureau des Arts et d'Industrie, Vienne, janvier 1805).
Trio pour piano, violon et violoncelle, en *mi bémol* (Dunst, Francfort, 1830).

1786-90 (?). Trio concertant à clavicembalo, flauto, fagotto (B. & H.)[1].

1789. 2 Préludes pour piano ou orgue, op. 39 (Hoffmeister & Kühnel, Leipzig, 1803).
24 Variations sur l'air de Righini « Vieni amore » (Traeg, Vienne, 1801).

1788-95. Concerto pour piano, en *ré* (1er mouvement) (B. & H.).
Concerto pour violon, en *ut majeur* (250 mesures) (B. & H.).

1789-90. *Punschlied*, en *sol majeur*.

1790. Cantate sur la mort de l'empereur Joseph II (B. & H.).
Die Klage (la Plainte), paroles de Hölty.
Der freie Mann (l'Homme libre), lied (Simrock, Bonn). Arrangé plus tard sur de nouvelles paroles de Breuning.

1790-91. Musique pour un Ballet chevaleresque (Rieter-Biedermann, Leipzig, 1872).
2 airs pour *Die Schöne Schusterin (la Belle Cordonnière)*, de Umlauf.
2 airs pour voix de basse : *Prüfung des Küsses (l'Epreuve du baiser)*.
Rondino pour instrument à vent, en *mi bémol*.
Cantate pour l'avènement de Léopold II (B. & H.).

1791. Grand trio pour violon, alto et violoncelle, op. 3 (Artaria, Vienne, 8 févr. 1797).

1790-92. 8 Lieder.

1792. Allegro et Menuet pour deux flûtes (pub. dans la *Biogr. de Beeth.* par Thayer, 1901).
Man strebt die Flamme zu verhehlen (Autogr. à la *Gesellschaft der Musikfreunde*, Vienne).
Ottetto pour instruments à vent, op. 103 (version originale de l'op. 4) (Artaria, Vienne, 1834).

[1] B. & H. signifie l'édition complète de Breitkopf et Härtel. à Leipzig.

12 Variations pour piano et violon sur « Si vuol ballare » (Mozart, *Figaro*) (Artaria, Vienne, juillet 1793).
(13) Variations pour piano sur « Es war einmal ein alter Mann » (Dittersdorf, *Chaperon rouge*) (Simrock, Bonn, vers 1794).
Variations pour piano à 4 mains sur un thème du comte Waldstein (Simrock, Bonn, 1794).
Lieder, op. 52 (Kunst und Industrie Comptoir, 1805).
14 Variations pour piano, violon et violoncelle, op. 44 (Hofmeister et Kühnel, 1804).

1792-94. Grand Trio pour 2 hautbois et cor anglais, transcrit pour 2 violons et alto, op. 87 (B. & H., et Artaria, Vienne, avril 1806).
Rondo pour piano et violon, en *sol majeur* (Simrock, Bonn, 1808).
3 Trios pour piano, violon et violoncelle (Artaria, Vienne, 1795). Dédiés au prince Carl von Liehnowsky.

1794. *Opferlied*, paroles de Matthison, première esquisse.

1794-95. (1er) Concerto pour piano et orchestre, op. 19 (Hoffmeister et Kühnel, Leipzig, 1795). Dédié à Charles Nickl de Nicklsberg.
Adélaïde, cantate de Matthison (Artaria, Vienne, février 1797). Dédiée à Matthison.
Säufzer eines Ungeliebten, lied.
Mouvement de Menuet en *la bémol* (Autogr. à M. Ch. Malherbe, Paris).

1795. 12 Menuets pour orchestre (B. & H. Arrangement pour piano, Artaria, décembre 1795).
12 Danses allemandes, pour orchestre (*id.*, *ib.*).
(9) Variations sur l'air « Quant 'è più bello » (Paisiello) (Traeg, Vienne, décembre 1795). Dédiées au prince C. von Lichnowsky.
3 Sonates pour clavecin ou pianoforte, op. 2 (Artaria, Vienne, 9 mars 1796). Dédiées à Joseph Haydn.
Grand Quintette pour instruments à cordes, op. 4 (Artaria, Vienne, 8 février 1797).
6 Menuets pour pianoforte (peut-être écrits pour orchestre, d'après Grove) (Artaria, Vienne, mars 1796).
(6) Variations sur le duo de Paisiello « Non cor più non mi sento » « Perdute par la — — ritrovate par L. v. B. » (Traeg, Vienne, mars 1796).
2 grandes Sonates pour piano et violoncelle, op. 5 (Artaria, Vienne, 8 février 1797). Dédiées au roi de Prusse Friedrich-Wilhelm II.
12 Variations pour piano sur le Menuet « a la Vigano » (de *Le nozze disturbate*, ballet de Haibel) (Artaria, Vienne, février 1796).

Sextuor pour instruments à vent, op. 71 (Breitkopf et Härtel, Leipzig, janvier 1810).

1795-96. Sonate facile pour piano, terminée par Ries (Dunst, Francfort, 1830). Dédiée à Eleonora von Breuning.

1796. Sonate pour piano, op. 49, nº 2 (Bureau des Arts et d'Industrie, Vienne, 19 janvier 1805).

Ah! perfido, scène et air pour soprano, op. 65 (1810). Dédié à la comtesse Clari.

Abschiedsgesang an Wien's Bürger (Chant d'adieu aux citoyens de Vienne) (Artaria, Vienne, 19 novembre 1796). Dédié à l'Obristwacht-meister von Kövesdy.

Sonate pour clavecin ou piano à 4 mains, op. 6 (Artaria, Vienne, 1797).

Grande Sonate pour piano ou clavecin, op. 7 (*Id., ib.*, 7 octobre 1797). Dédiée à la comtesse Babette von Keglevics.

Sérénade pour violon, alto et violoncelle, op. 8 (*Id., ib.*, 7 octobre 1797).

Rondo pour piano en *ut majeur*, op. 51, nº 1 (Artaria, Vienne, 1797). Dédié à la comtesse Henrietta von Lichnowsky.

12 Variations pour piano et violoncelle sur la Marche de *Judas Macchabée* (Händel) (Artaria, Vienne, 1797). Dédiées à la princesse Lichnowsky.

1796-97. 12 Variations pour piano sur une danse russe (de l'opéra *Waldmädchen*, de Paul Wranitzky (Artaria, Vienne, avril 1797). Dédiées à la comtesse de Brown.

7 ländlerische Tänze pour piano (Artaria, Vienne, 1799).

1797. *Kriegslied der Œsterreicher* (Chant de guerre des Autrichiens), paroles de Friedelber, p. solo et chœur avec acc. de piano (Artaria, Vienne, 14 avril 1797).

Trois Trios pour violon, alto et violoncelle, op. 9 (Traeg, Vienne, 21 juillet 1798). Dédiés au comte de Brown, avec préface.

Trois Sonates pour clavecin ou pianoforte, op. 10 (Eder, Vienne, 26 septembre 1798). Dédiées à la comtesse de Brown.

Grand Trio pour piano, clarinette (ou violon) et violoncelle, op. 11 (Mollo, Vienne, 3 octobre 1798). Dédié à la comtesse von Thun.

12 Variations pour piano, violon et violoncelle, sur « *Ein Mädchen oder Weibchen* » (Mozart, *Flûte enchantée)*, op. 66 (1798).

6 Variations faciles sur un air suisse, pour clavecin ou harpe (Simrock, Bonn, 1798).

Gretel's Warnung (Gœthe, *Faust*), op. 75, nº 4 (Breitkopf, Leipzig, décembre 1810). Dédié à la princesse Kinsky.

Concerto pour piano, en *ut majeur*, op. 15 (Mollo, Vienne, mars 1801). Dédié à la princesse Odescalchi, née Keglevics.

1798. *La Partenza*, lied (Metastasio) (Traeg, Vienne, juin 1803).

3 Sonates, op. 12, pour clavecin ou pianof. et violon (Artaria, Vienne, 12 janvier 1799). Dédiées à Salieri.

Grande sonate pathétique, pour clavecin ou pianof., op. 13 (Eder, Vienne, 1799). Dédiée au prince Carl von Lichnowsky.

2 Sonates pour piano, op. 14 (Mollo, Vienne, 21 décembre 1799). Dédiées à la baronne von Braun.

10 Variations sur « la Stessa stessissima » (Salieri) (Artaria, Vienne, mars 1799). Dédiées à la princesse Babette von Keglevics.

8 Variations sur l'air de Grétry « Une fièvre brûlante » (Traeg, Vienne, novembre 1798).

1798-99. 7 Variations sur le quatuor de Winter « Kind, willst du ruhig schlafen » (Mollo, Vienne, décembre 1799).

8 Variations sur le trio de Süssmayer « Tändeln und scherzen » (F. A. Hoffmeister, décembre 1799). Dédiées à la comtesse von Browne.

1799. Sonate pour piano, op. 49, nº 1 (Bureau des Arts et d'Industrie, Vienne, 19 janvier 1805).

1799-1800. Quatuors pour instruments à cordes, op. 18 (Mollo, Vienne, été 1801 et octobre 1801). Dédiés au prince von Lobkowitz.

Septuor pour violon, alto, cor, clarinette, basson, violoncelle et contre-basse, op. 2 (Hoffmeister & Kühnel, Leipzig, 1802). Dédié à l'impératrice Marie-Thérèse.

Grande Symphonie en *ut*, op. 21 (Hoffmeister & Kühnel, fin 1801). Dédiée au baron van Swieten.

CHAPITRE II

IIe SYMPHONIE, en RÉ Majeur, *op.* 36 (1802).

I

Pendant longtemps, les différents biographes de Beethoven assignèrent à la *IIe Symphonie* la date de 1800 ; cette erreur reproduite, d'après le *Catalogue thématique* de Breitkopf et Härtel, par A.-B. Marx, A. Audley et autres, est aujourd'hui rectifiée ; il est certain que la *Symphonie* en *ré*, fut exécutée pour la première fois, non pas pendant l'automne de 1800, mais bien le 5 avril 1803[1]. Sa composition remonte au plus tôt à l'année 1801, après l'exécution de la *Première*, dont le succès avait été suffisant pour encourager Beethoven, « après avoir brisé la glace, à descendre rapidement le courant », selon l'expression pittoresque de Grove[2].

Cinquante et un feuillets d'esquisses musicales à un M. Kessler, de Vienne (qui les avait achetés de 1 fl. 25 à 3 florins, à la vente de Beethoven), permet-

[1] C'est la date adoptée par Wasielewski, Wilder, Grove, etc. Colombani, cependant, qui suit parfois l'auteur anglais jusqu'à le copier servilement, l'abandonne ici et penche avec Schindler pour le début de l'année 1804, année de la publication des parties.

[2] GROVE, p. 18.

tent de s'arrêter à la date de 1802. Ces feuillets contiennent des idées musicales pour le *Concerto* pour piano en *ré* (1805) pour l'ouverture sur le nom de *Bach* (1822), pour une ouverture ou un opéra de *Macbeth* (1808) ; les esquisses pour la Symphonie sont mêlées à celles des trois Sonates pour piano et violon (op. 30), des trois Sonates pour piano (op. 31), du Trio *Tremate* (op. 116) et d'autres œuvres moins importantes ; elles paraissent dater, surtout celles du finale, de 1802. Elles occupent sept larges pages pleines, et, outre la musique et les notes, comprennent trois longs fragments de mouvements : deux pour le premier et le troisième, entièrement consacré au finale[1].

Les premières années du siècle marquent l'apparition de ces « puissances de ténèbres » (*finstere Mächte*, dit Wasielewski) qui assombrirent l'existence de Beethoven dès l'âge de vingt-huit ou trente ans. Lors de l'exécution de la *Ire Symphonie*, en 1800, Beethoven avait déjà ressenti les premières atteintes du mal qui ne devait plus le quitter, et dont aucuns soins ne purent jamais le guérir : la surdité. Peut-être même, en 1796 et en 97, l'infirmité incurable avait-elle fait

1 NOTTEBOHM, *Ein Skizzenbuch von Beethoven*, 1865. M. Shedlock a trouvé dans un carnet d'esquisses, à la Bibliothèque de Berlin, cette phrase qui, bien que le ton en reste indécis, peut se rapporter au *Larghetto* de la *IIe Symphonie* (GROVE, p. 28-29).

son apparition, à la suite d'un refroidissement[1]. Les lettres de Beethoven, assez nombreuses à cette époque, nous révèlent les premières attaques sérieuses en 1800-1801 ; ce sont des confidences très intimes faites à son ami d'enfance le docteur Wegeler et à Carl Amenda, pasteur en Courlande : à celui-ci, il écrit vers le mois de juin 1800 :

Mon cher, mon bon Amenda, mon ami de cœur, c'est avec une profonde émotion, avec un mélange de douleur et de plaisir que j'ai reçu et lu ta dernière lettre. A quoi comparer ta fidélité, ton attachement pour moi ! Oh ! cela est bien beau, que tu sois toujours resté si bon pour moi; oui, je sais que tu es un ami éprouvé, à part, tu n'es pas un ami viennois; non, tu es un ami pareil à ceux que le sol de ma patrie sait produire; combien de fois te souhaité-je auprès de moi, car ton Beethoven vit très malheureux; sache que la plus noble partie de moi-même, mon ouïe a beaucoup perdu; déjà, lorsque tu étais auprès de moi, j'en sentais des symptômes, mais je le taisais, maintenant cela n'a fait qu'empirer; une guérison est-elle possible? J'en suis encore à l'attendre; cela doit venir de l'état de mes intestins; à cet égard je suis presque entièrement rétabli, maintenant les oreilles s'amélioreront-elles aussi? Je l'espère sans doute, mais à peine; de telles maladies sont les plus incurables. Quelle triste vie est maintenant la mienne : éviter tout ce que j'aime et chéris comme... etc. Je puis dire que, de tous, Lichnowsky est pour moi le plus éprouvé. Depuis l'an dernier, il m'a constitué une rente de six cents florins : cela et le bon débit de mes œuvres me met en état de vivre sans le souci du pain quotidien; tout ce que j'écris maintenant, je peux le vendre aussitôt cinq fois

[1] La surdité de Beethoven commença en 1796 à la suite d'un refroidissement. Revenant de promenade et ayant très chaud, il se serait plongé la tête dans l'eau, ce qui aurait déterminé le mal. Il serait inexact de dire que la petite vérole qui lui avait, depuis son enfance, laissé des cicatrices sur le visage, fut une cause lointaine de sa surdité.

et en être bien payé. J'ai passablement écrit ces temps-ci; on me dit que tu as commandé des pianos chez...; je t'enverrai beaucoup de choses dans la caisse d'un de ces instruments, cela te coûtera moins cher[1].

Et à Wegeler :

Tu veux savoir quelque chose de ma situation; eh bien, elle ne serait pas trop mauvaise. Depuis l'an dernier Lichnowsky — si incroyable que cela soit, quand je te le dis, il a toujours été et est toujours resté mon ami le plus chaud (il y a bien eu de petits malentendus, même entre nous, mais n'ont-ils pas justement consolidé notre amitié?) — m'a assuré une somme de six cents florins, que je puis toucher, tant que je n'aurai pas trouvé une situation qui me convienne; mes compositions me rapportent beaucoup, et je puis dire que j'ai plus de commandes que je n'en puis satisfaire...... Seulement le démon envieux, ma mauvaise santé, m'a jeté un bâton dans les roues : mon ouïe s'est, depuis trois ans, toujours affaiblie, et la cause première de cette infirmité doit venir de mes entrailles, qui autrefois déjà, tu le sais, étaient faibles, mais qui ont empiré ici, car je suis constamment incommodé d'une diarrhée qui provoque une faiblesse extraordinaire. Frank voulait redonner du *ton* à mon corps par des médecines fortifiantes, et à mon ouïe par l'huile d'amandes, mais *prosit!* rien du tout. Mon ouïe s'affaiblissait toujours, et mes entrailles restaient dans le même état; cela dura jusqu'à l'automne de l'an dernier, où je fus parfois au désespoir. Un âne de médecin m'a conseillé alors les bains froids pour mon état général; un plus habile, les bains tièdes ordinaires du Danube; cela fit merveille; mon ventre s'améliora, mon ouïe resta stationnaire ou empira encore. Cet hiver, j'allais vraiment bien mal; j'avais de terribles coliques, et je retombai tout à fait dans mon état précédent; cela dura ainsi jusqu'à il y a environ quatre semaines où j'allai trouver Vering, pensant que mon état exigeait aussi en même temps

[1] *Corresp. de Beeth.*, trad. CHANTAVOINE, p. 16-17.

un chirurgien; et d'ailleurs, j'avais confiance en lui. Il a maintenant réussi à supprimer presque entièrement cette violente diarrhée; il m'a ordonné les bains du Danube tièdes où il me fallait encore chaque fois verser un flacon de fortifiants; il ne me donna pas la moindre médecine, excepté, depuis quatre jours environ, des pilules pour l'estomac et un thé pour l'oreille, et là-dessus je peux dire que je me sens plus fort et mieux; seulement mes oreilles continuent à bourdonner jour et nuit. Je peux dire que je passe misérablement ma vie; depuis presque deux ans j'évite toutes les réunions, parce qu'il ne m'est pas possible de dire aux gens : je suis sourd. Si j'avais n'importe quel autre métier, cela irait encore, mais dans le mien, c'est une situation terrible; et avec cela mes ennemis, dont le nombre n'est pas mince, que diraient-ils ?

Pour te donner une idée de cette étrange surdité, je te dirai qu'au théâtre je dois me pencher tout contre l'orchestre pour comprendre l'acteur. Les sons élevés des instruments, des voix, si je suis un peu loin, je ne les entends pas; dans la conversation, chose étonnante, il y a des gens qui ne l'ont jamais remarqué; comme j'avais très souvent des distractions, on croit que c'est cela. Parfois aussi, j'entends à peine si l'on parle doucement — et encore, rien que les sons, pas les mots; pourtant sitôt que quelqu'un crie, cela m'est insupportable. Qu'en adviendra-t-il ? Le ciel le sait. *Vering dit que cela ira mieux, sinon tout-à-fait bien* — j'ai souvent maudit mon existence et le Créateur; *Plutarque* m'a conduit à la résignation. Je veux si je ne puis faire autrement, braver mon destin, bien qu'il doive y avoir des moments de ma vie, où je serai la créature la plus malheureuse de Dieu[1].

Tu veux savoir comment je vais, ce dont j'ai besoin, continue-t-il six mois plus tard. Bien que je m'entretienne toujours à contre-cœur de ce sujet, c'est avec toi cependant que je le fais le plus volontiers.

Depuis plusieurs mois déjà, Vering me fait mettre sur les deux bras des vésicatoires composés, comme tu le sais, d'une

[1] *Corresp.*, p. 22-23, lettre de « Vienne, le 19 juin » [1801].

certaine écorce. C'est un traitement tout ce qu'il y a de plus désagréable, car je suis toujours privé de l'usage de mes bras pendant quelques jours (avant que l'écorce n'ait assez tiré), sans parler des souffrances : maintenant, il est vrai, je ne puis le nier, que le bourdonnement est un peu plus faible qu'auparavant, surtout à l'oreille gauche, par laquelle justement ma maladie a commencé, mais mon ouïe ne s'est certainement pas encore améliorée; je n'ose même pas décider si elle n'aurait pas plutôt empiré. Pour les intestins, ça va mieux; surtout quand j'use des bains tièdes pendant quelques jours, je me trouve assez bien pendant huit ou dix jours; une fois, de loin en loin, quelque fortifiant pour l'estomac; j'ai commencé aussi, d'après ton avis, des applications d'herbes sur le ventre, Vering ne veut pas entendre parler de douches; mais, en général, je suis très mécontent de lui; il a trop peu de soin et d'attention pour une telle maladie; si je n'allais pas chez lui (ce que je ne puis faire qu'à grand'peine) je ne le verrais jamais. Que penses-tu de Schmidt? Je ne change pas volontiers, pourtant il me semble que Vering est trop praticien pour acquérir beaucoup d'idées nouvelles par la lecture. Schmidt me paraît là-dessus être un tout autre homme, et peut-être aussi ne serait-il pas si négligent. On dit merveilles du galvanisme? Qu'en dis-tu? Un médecin me dit avoir vu un enfant sourd-muet recouvrer l'ouïe (à Berlin) et un homme resté également sourd pendant sept ans qui avait recouvré l'ouïe. Il paraît justement que ton Schmidt s'y essaye.

Je vis à présent d'une façon un peu plus agréable, car je me mêle davantage aux hommes. Tu peux à peine croire quelle vie désolée, triste, j'ai passée depuis deux ans; la faiblesse de mon ouïe m'est partout apparue comme un spectre et je fuyais les hommes; il fallait paraître misanthrope, quand je le suis si peu. Ce changement est l'œuvre d'une charmante enfant, qui m'aime et que j'aime; depuis deux ans, j'ai de nouveau quelques instants de bonheur et pour la première fois je sens que le mariage pourrait me rendre heureux; malheureusement elle n'est pas de mon rang, et maintenant je ne pourrais certainement pas me marier; pour le moment je n'ai qu'à faire bravement ma besogne. N'étaient mes oreilles, il y a longtemps que j'aurais parcouru la moitié du monde et c'est ce qu'il faut[1].

Et plus loin, il s'écrie :

Vous ne me verrez qu'aussi heureux qu'il m'est donné de l'être ici-bas; pas malheureux, non, je ne pourrais le supporter; je veux saisir le destin à la gorge; sûrement il ne m'abattra pas tout-à-fait. Oh! c'est si beau de vivre mille fois la vie! Une vie silencieuse, non, je le sens, je ne suis plus fait pour cela[2].

Beethoven passa l'été de 1802 à Heiligenstadt, localité des environs de Vienne qu'il affectionnait tout particulièrement; il avait l'espoir, sur les conseils du docteur Schmidt, que le séjour de la campagne serait favorable à son rétablissement; mais rien n'y fit. Ries, son élève, qui l'accompagnait, écrit dans sa *Notice* :

Les commencements de sa surdité étaient pour lui une peine si sensible qu'il fallait avoir bien soin de ne pas lui laisser sentir son infirmité en parlant trop haut. S'il n'avait pas compris quelque chose, il tombait ordinairement dans une distraction profonde, habitude qui d'ailleurs lui était propre à un haut degré, il vivait beaucoup à la campagne, et j'allais souvent l'y trouver pour prendre une leçon[3].

Dans les premiers jours d'octobre, et peu avant de rentrer à Vienne, Beethoven, dans la plus sombre disposition d'esprit, prêt, semble-t-il, au suicide, rédigea une longue lettre à ses frères, lettre qui ne fut retrou-

[1] *Corresp.*, p. 28-30, de « Vienne, le 16 novembre 1801 ». M. Chantavoine date ces deux lettres de 1800.
[2] *Corresp.*, p. 31.
[3] Ries, *Notice sur Beeth.*, trad. Legentil, p. 129-130.

vée qu'après sa mort, dans ses papiers, et à laquelle a été donné le nom de *Testament de Heiligenstadt;* ce document est adressé ainsi : « Pour mes frères Carl et Beethoven », le nom de son frère Karl étant, chaque fois qu'il doit revenir sous sa plume, laissé soigneusement en blanc.

Pour mes frères Carl et Beethoven.

O hommes qui me croyez ou me déclarez vindicatif, morose ou Misanthrope, comme vous me faites tort, vous ne connaissez pas le motif secret de ce qui vous semble tel. Mon cœur et mon caractère étaient dès mon enfance enclins au doux sentiment de la bienveillance. Je fus même toujours disposé à accomplir de grandes actions. Mais rappelez-vous seulement que depuis six ans, je me trouve dans un état douloureux, aggravé par des médecins incapables, déçu d'année en année de l'espoir de guérir, accablé enfin par la perspective d'une *maladie chronique* (dont la guérison demandera peut-être des années, si même elle n'est impossible). Né avec un tempérament ardent et vif et même susceptible de jouir des agréments de la société, je dus m'isoler de bonne heure et mener une vie solitaire. Je voulais bien par moments surmonter tout cela; ô combien je me sentis durement repoussé par l'expérience doublement triste de ma misérable infirmité; et cependant il ne m'était pas possible de dire aux gens : « Parlez plus fort, criez, car je suis sourd ! » Hélas ! comment pouvais-je avouer la faiblesse d'*un sens* que je devais posséder à un degré plus éminent que d'autres personnes, un sens que jadis j'avais dans la plus grande perfection, et comme certainement peu de gens de ma profession ne l'ont encore eu ! — O ! je ne le puis ! — Aussi, pardonnez-moi lorsque vous me verrez m'écarter de vous, au milieu de qui je me mêlais volontiers. Doublement m'affecte mon malheur, parce qu'il faut que je me sente méconnu. Pour moi, point de récréation dans la société humaine, point d'entretiens agréables, point d'épanchements réciproques. Presque tout seul, et autant que l'exige l'impérieuse nécessité, j'ose m'introduire dans la société. Il me faut vivre comme un proscrit. Me trouvé-je en société, une brûlante anxiété me retient, car j'ai peur de me trouver dans le cas de faire remarquer mon état. — Il en a été ainsi cette demi-année que je viens de passer à la campagne. Obligé par mon raisonnable médecin à ménager mon ouïe autant que possible, il alla presque au-devant de ma disposition actuelle, bien que, mainte fois emporté par mon désir de la société, je me sois laissé aller à transgresser ses ordres. Mais quelle humiliation lorsque quelqu'un se tenant à côté de moi, entendait le son lointain d'une flûte, et que *je* n'entendais *rien*, ou bien *entendait chanter le berger*, et que je n'entendais rien non plus ! De telles circonstances me conduisirent au désespoir et peu s'en fallut que je ne misse fin moi-même à mon existence. Lui seul, *l'Art* m'en empêcha ! Ah ! il me semblait impossible de quitter le monde avant d'avoir accompli tout ce que je me sentais imposé. Et ainsi je prolongeai cette misérable vie, si vraiment misérable que toute transition un peu brusque peut me faire passer de l'état le meilleur au pire. *Patience,* — ainsi s'appelle celle que je dois prendre désormais pour mon guide ! J'en ai. — Durable sera, je l'espère, ma résolution d'y persévérer, jusqu'à ce qu'il plaise aux Parques inflexibles d'en couper le fil. Peut-être cela vaut-il mieux, peut-être non. — Je suis prêt. — Dès dans ma vingt-huitième année[1], obligé à devenir philosophe. Ce n'est pas facile, et beaucoup plus dur pour les artistes que pour le premier venu. — Divinité, qui vois au fond de mon cœur, tu connais, tu sais que l'amour des hommes et l'inclination au bien y siègent ! O hommes, si vous lisez un jour ceci, pensez que vous m'avez fait tort, et que l'infortuné, il se console de trouver son pareil qui, malgré toutes les disgrâces de la nature, ait fait tout ce qui était en son pouvoir pour s'élever au rang des artistes et des hommes de mérite. — Vous, mes frères Carl et   , dès que je serai mort, et [si] le professeur *Schmidt* vit encore,

[1] **Beethoven avait alors 31 ans 9 mois et 20 jours, étant né le 16 décembre 1770.**

priez-le en mon nom de décrire ma maladie et de joindre la feuille présente à l'histoire de ma maladie, afin qu'au moins le monde, autant que possible, se réconcilie avec moi après ma mort. En même temps, je vous déclare ici tous deux les héritiers de mon modeste avoir (si l'on peut employer ce mot). Partagez-le raisonnablement, entendez-vous et aidez-vous les uns les autres. Les offenses que vous m'avez faites, vous le savez, ont été pardonnées depuis longtemps. Toi, frère Carl, je te remercie en particulier pour le dévouement que tu m'as témoigné en ces derniers temps. Mon vœu est que vous ayiez une vie meilleure et plus exempte de soucis que la mienne. Recommandez à vos enfants la *Vertu;* elle seule peut rendre heureux, non l'argent. Je parle d'expérience. C'est elle qui m'a exalté dans le malheur; je l'en remercie, ainsi que mon art, de n'avoir pas terminé ma vie par le suicide. — Adieu et aimez-vous! Je remercie tous mes amis, spécialement le *prince Lichnowsky* et le *professeur Schmidt.* — Les instruments du prince L., je désire qu'ils puissent être conservés chez l'un de vous deux; mais que cela ne produise pas de contestation entre vous; toutefois, si vous pouvez en faire meilleur usage, vendez-les. Combien serai-je heureux si, même dans la tombe, je puis encore vous être utile. Qu'il en soit ainsi. — Avec joie je vais au-devant de la mort. Qu'elle vienne avant que j'aie eu l'occasion de développer toutes mes facultés artistiques, cela sera encore trop tôt pour moi, malgré ma malheureuse destinée, et je la désirerais plus tardive : mais je serai content qu'elle me délivre d'un supplice incessant. — Viens quand tu voudras, je vais courageusement à ta rencontre. Adieu, et ne m'oubliez pas tout-à-fait dans la mort; j'ai mérité que vous vous souveniez de moi, car pendant ma vie, j'ai souvent pensé à vous et ai voulu vous rendre heureux; ainsi soit-il.

Heiglnstadt *(sic)* Ludwig VAN BEETHOVEN.

6 octobre 1802.

Heiglnstadt, 10 octobre 1802. Ainsi je te quitte, — bien douloureusement. — Oui, ce doux espoir qui m'avait accompagné ici, — de me voir rétablir, du moins jusqu'à un certain point, — je dois l'abandonner tout-à-fait. Comme les feuilles de l'automne se dessèchent, ainsi j'ai vu cet espoir se dessécher pour moi. A peu près comme j'étais en arrivant je m'en vais; le courage même qui m'animait souvent pendant les belles journées de l'été, s'est évanoui. O Providence, laisse un *jour pur de joie* m'éclairer encore! depuis si longtemps l'écho intime de la vraie joie m'est étranger. Quand, oh quand, ô Divinité, pourrai-je de nouveau l'éprouver dans le temple de la Nature et de l'Humanité? — Jamais? — Non, cela serait trop cruel[1]!

Tout commentaire affaiblirait la portée d'un pareil document, unique peut-être dans l'histoire de l'art.

C'est un cri de révolte et de douleur déchirante, a écrit M. Romain Rolland. On ne peut l'entendre sans être pénétré de pitié... Cela semble une plainte d'agonie; et pourtant, Beethoven vivra vingt-cinq ans encore. Sa puissante nature ne pouvait se résigner à succomber à l'épreuve[2].

A ces souffrances physiques, il faut ajouter la passion malheureuse que Beethoven avait ressentie pour Giulietta Guicciardi. Cette jeune fille appartenait à une ancienne famille noble originaire du duché de Modène, mais établie depuis longtemps dans la région lombarde. Au commencement de l'année 1800, son père, le comte Francesco-Giuseppe Guicciardi, alla s'établir à Vienne où il avait une charge dans la chancellerie du royaume de Bohême. Sa femme, la comtesse Suzanne, appartenait à la maison de Bruns-

[1] Ce curieux document, dont l'original est aujourd'hui à Hambourg, a été reproduit en fac-simile dans un *Beethoven-Heft* de la revue *Die Musik* (Berlin, 1900).

En marge du dernier alinéa, on lit : « Pour mes frères Carl et   après ma mort à lire et à accomplir. »

[2] R. Rolland, *Beethoven*, p. 21.

wick, dont Beethoven était le commensal favori. La comtesse Giulietta était née le 23 novembre 1794.

En 1801, elle avait à peine dix-sept ans. Et comme beaucoup d'Italiennes — disent les biographes — elle eut de bonne heure l'aspect et le visage d'une femme. Elle était d'une beauté rare : elle avait une démarche royale, les traits du visage admirables de pureté, des yeux grands et profonds d'un *bleu* obscur, les cheveux noirs et bouclés[1].

Sa beauté et sa grâce firent sur Beethoven une impression si profonde, qu'il en devint bientôt amoureux. La lettre à Wegeler, du 16 novembre, citée tout à l'heure, montre quelle heureuse influence cet amour allait — croyait-il — exercer sur sa destinée, comme homme et comme artiste. Beethoven se risqua jusqu'à demander la main de la jeune comtesse; « l'un des parents de celle-ci accepta; l'autre, probablement le père, objecta, au contraire, qu'il se refusait à confier le sort de sa fille à un homme sans rang, sans fortune, et sans position fixe[2]. » La même réponse lui sera faite six ans plus tard, lorsqu'il demandera la main de Thérèse de Brunswick... Beethoven sortit de cette aventure le cœur meurtri. Un jour, on ne sait trop à quelle époque, il écrivit ces mots :

Seulement de l'amour — oui lui seul pourrait te donner une vie plus heureuse! O Dieu — fais-la-moi — enfin trouver celle qui me fortifie dans la vertu — qui *permet*...

[1] Colombani, p. 89.

[2] R. Rolland, *id.*, *ib.* Les lettres d'amour qu'on a souvent cru adressées à la comtesse Guicciardi le furent, en réalité, à Thérèse de Brunswick, six ans plus tard (Voir plus loin, p. 136 et suiv. et 175-176).

Et il dédia sa Sonate en *ut mineur*, dite du *Clair de lune* (op. 27, n° 2) à Giulietta Guicciardi.

Une vingtaine d'années plus tard, Giulietta était devenue comtesse Gallenberg[1]. Le comte son mari avait la garde des archives musicales de l'Opéra impérial de Vienne. Un jour, Beethoven avait envoyé Schindler demander à celui-ci de lui prêter la partition de *Fidelio*. Lorsque Schindler revint rendre compte de sa mission, ce dialogue s'engagea entre lui et Beethoven, dont un « carnet de conversation » nous a conservé le souvenir :

SCHINDLER. — Il [Gallenberg] ne m'a pas inspiré une grande estime aujourd'hui.

BEETHOVEN. — J'ai été son bienfaiteur invisible par [pour ?] d'autres.

SCHINDLER. — Il devrait [le] savoir, afin d'avoir plus de considération pour vous qu'il n'a l'air d'en avoir.

BEETHOVEN. — Il paraît que vous n'avez pas trouvé G. bien disposé pour moi ? — ça ne me fait rien d'ailleurs. Je voudrais avoir connaissance de ses expressions.

SCHINDLER. — Il répondit qu'il croyait que vous deviez vous-même avoir la partition. Mais comme je lui assurais que vous ne l'aviez réellement pas, il dit que la faute en était à votre instabilité et [à vos] perpétuelles allées et venues.

Beethoven demande alors à Schindler s'il a vu la princesse, et la conversation se continue toujours par écrit et en français, comme par un surcroît de précautions :

BEETHOVEN. — J'étois bien aimé d'elle et plus que jamais son époux, il étoit pourtant plutôt son amant que moi, mais

[1] Depuis 1803.

par elle j'apprenois de son misère et je trouvois un homme de bien, qui me donnoit la somme de 500 Fl. pour le soulager, il étoit toujours mon ennemi, c'étoit justement la raison, que je fasse tout le bien que possible.

SCHINDLER [en allemand]. — Là-dessus il m'a dit encore : « *C'est un homme insupportable* », sans doute par reconnaissance. Mais, seigneur, pardonne-leur... [en français] : est-ce qu'il y a longtemps qu'elle est mariée avec Mons. de Gallenberg?

BEETHOVEN. — Elle [est] née Guicciardi, elle étoit l'épouse de lui avant son voyage en Italie. — Arrivée à Vienne elle cherchoit moi pleurant, mais je la méprisois.

SCHINDLER [en allemand]. — Hercule entre les deux chemins !

BEETHOVEN [*id.*]. — Et si j'avois voulu ainsi livrer les forces de ma vie avec *la Vie*, que serait-il resté pour le noble, le meilleur (ici, quelques mots effacés rendent le sens presque inintelligible).

Ce fut dans cette période (l'hiver de 1802-1803), la plus triste peut-être d'une vie qui lui réservait tant de tristesses encore, que Beethoven composa ce joyeux et « héroïque mensonge »[1] qu'est la *IIe Symphonie.*

On sent que sa volonté prend décidément le dessus. Une force irrésistible balaye les tristes pensées. Un bouillonnement de vie soulève le finale. Beethoven veut être heureux; il ne veut pas consentir à croire son infortune irrémédiable; il veut la guérison, il veut l'amour; il déborde d'espoir[2].

II

La *Seconde Symphonie*, écrit Grove, est en grand progrès sur la *Première.* D'abord, elle est plus longue : l'introduction,

[1] C. BELLAIGUE, *Etudes musicales*, p. 188.
[2] R. ROLLAND, *Beethoven*, p. 23.

comparée à celle de la *Première*, a trente-trois mesures au lieu de 12, et l'*Allegro con brio* 328 au lieu de 296; le *Larghetto* est un des mouvements lents les plus longs de Beethoven.

Le progrès est plus dans les dimensions et le style, dans le feu et la force remarquables de l'exécution, que dans quelques idées réellement neuves, de ces idées que l'auteur a créées plus tard et qui se présentent à notre esprit inséparablement liées au nom de Beethoven. Le premier mouvement donne toujours plus ou moins de *cachet* à une symphonie; ici le premier mouvement se sépare de l'ancien régime, quoique conduit *(carried)* avec un esprit, une verve, une vigueur, et à l'occasion une fantaisie que nulle part ni Mozart ni Haydn n'ont surpassés, si même ils les ont égalés.

Il n'y a rien de pareil, ni dans la grâce, la beauté et le fini extraordinaire du *Larghetto*, ni dans la *Scherzo et le Trio* qui, malgré de la force et de l'humour, sont à peine aussi originaux que le *Menuet* de la *Première;* ni dans le *Finale* grotesque comme il y en a tant; tout cela c'est le calme de l'ancien monde, jusqu'au moment où nous arrivons à la *Coda*, car celle-ci est. en effet, distincte de l'ancien régime.

... Cette Symphonie marque en un mot le point culminant de l'ancien régime, pré-révolutionnaire, de Haydn et de Mozart; c'est de ce point que part Beethoven vers des régions où personne avant lui n'avait osé se risquer, dont personne n'avait même rêvé, mais qui sont maintenant parmi nos biens les plus chers, et par lesquelles son nom est devenu immortel[1].

L'orchestre de la *IIe Symphonie* est le même que celui de la *Ire* : 2 timbales, 2 trompettes, 2 cors, 2 flûtes, 2 hautbois, 2 clarinettes, 2 bassons, et le quatuor à cordes.

La durée de l'exécution est de 36 minutes.

I. *Adagio molto (ré majeur* 3/4). — *Allegro con brio (ré majeur*, C). — L'introduction débute par un unisson sur la tonique, frappé *fortissimo* par tout

[1] GROVE, p. 23-24.

l'orchestre et se terminant *piano* sur un point d'orgue. Les hautbois et bassons font ensuite entendre une courte phrase, *piano*, reprise et variée aussitôt par le quatuor (1).

Cette phrase fait place à une sorte de lutte entre les deux groupes principaux des instruments, quatuor et bois, qui aboutit à un unisson *fortissimo* sur l'accord de *ré mineur* (2).

Cet arpège, on le retrouvera, longtemps plus tard, au début de la *IXe Symphonie.* Sur une longue pédale en *la,* l'introduction se poursuit quelques mesures encore, faisant pressentir le motif énergique par lequel débute l'*Allegro.* Ce motif (3), confié aux cordes

graves, basé sur les trois notes de l'accord tonique, *ré, fa dièze, la,* se compose essentiellement d'une mesure (une blanche pointée suivie de quatre doubles-croches), répétées à la tierce à la mesure suivante.

Les violons répliquent d'abord par un trait léger suivi de trémolos, avant de venir compléter le quatuor, avec le basson souligné par les timbales, *fortissimo*. Bientôt remplacé par un nouveau motif au quatuor, *fortissimo* (4), ce dernier cède presque immédiatement

la place à une sorte de marche, bien rythmée, commencée par les bois et terminée par le quatuor (5), dont

le caractère se rapproche du premier motif; redit une seconde fois, ce motif est suivi d'un autre sujet attaqué *sf* par les violoncelles et contre-basses entraînant après elles tout l'orchestre *fortissimo* (6) ; les principaux

éléments de la première partie de l'*Allegro* sont maintenant exposés ; un *pianissimo* soudain ramène au quatuor les quatre notes du premier motif, préparant une reprise de cette première partie. C'est ce rythme caractéristique, ces cinq notes du début qui forment pour ainsi dire l'arrière-plan du développement, tantôt au quatuor, tantôt à l'harmonie, tantôt grondant aux basses, tantôt scintillant aux flûtes suraiguës ; enfin, il revient dans sa forme originale (3), suivi du motif (4) qui, à son tour, annonce une répétition en *ré* du motif (5), aux cors et hautbois ; le motif (6) revient aussi dans un unisson de presque tout l'orchestre ; après plusieurs mesures *fortissimo*, un *pianissimo* ramène le rythme du début, au quatuor ; c'est la péroraison brillante de ce premier mouvement, qui, réunissant toutes les forces de l'orchestre, fait déjà prévoir l'héroïsme de la *III*e *Symphonie.*

II. *Larghetto (la majeur,* 3/8). — D'une « élégante, indolente beauté, en contraste absolu avec l'*Allegro* » (Grove), le *Larghetto,* écrit dans le ton de la dominante *la,* débute par une phrase de huit mesures, *piano* (7); exposée d'abord par le quatuor, elle est reprise

par la clarinette, le cor et le basson, qui lui donnent une teinte encore plus mélancolique ; les violons disent alors un second motif (8), de même longueur, repris

de même par les bois ; ceux-ci proposent alors un nouveau dialogue dont la phrase est plus courte, de deux mesures seulement (9) et qui cède bientôt la place à

un quatrième (10).

Insensiblement, le ton d'*ut majeur* apparaît, et les violoncelles avec les seconds violons chantent un nouveau motif gai, léger (11); les premiers violons se

joignent à eux, le cor répond, très doux, et comme en badinant, à ce gracieux motif; l'orchestre se repose quelques mesures sur l'accord de *mi;* les premiers violons reprennent ensuite le début du premier motif, en mineur *(7 bis);* clarinettes et bassons le continuent.

Longuement développé, repris, imité par tous les instruments, il aboutit à une modification du motif (11); le cor se fait entendre comme tout à l'heure; une dernière reprise *crescendo*, en *tutti*, du premier thème, forme la conclusion de ce *Larghetto*, où Beethoven a égalé, dès sa *IIe Symphonie*, les sublimes inspirations des œuvres qui lui succédèrent.

III. *Scherzo. Allegro (ré mineur*, 3/4). — « Aussi franchement gai dans sa capricieuse fantaisie que l'andante a été complètement heureux et calme » (Berlioz), le *Scherzo*, dans le ton général de la Symphonie, débute par une introduction de seize mesures (12) alternati-

vement *forte* et *piano*, dans lesquelles, de la basse à l'aigu, les instruments dialoguent jusqu'à la huitième mesure d'abord, les cordes répondant, comme en écho, aux cors, puis jusqu'à la seizième, où le *tutti* donne l'accord de dominante. Cette introduction bissée, le même rythme se continue en *ré mineur* pendant quatre mesures auxquelles succèdent, modulant en *si bémol*, des traits de violons qui, dès la treizième mesure, font entendre le gruppetto caractéristique du début de la *Symphonie* (2). Le motif de huit mesures reparaît; les premiers et seconds violons modulant en *ré mineur*, dialoguent un instant groupant autour d'eux tout l'orchestre qui, *crescendo*, termine la première partie du mouvement. Cette première partie est répétée.

Le *Trio*, en *ré majeur*, qui suit, en conservant la même allure rapide, légère et gaie, rappelle par son orchestration celui de la *Première Symphonie;* les hautbois et bassons disent un motif de huit mesures harmonisé à quatre parties, *piano*, renforcé à la sixième mesure, *sf ;* il est bissé (13).

Brusquement, un unisson de violon (accompagné en *pizzicato* par les altos et les violoncelles), dans un *decrescendo* qui va du *ff au pp*, arpège l'accord de *fa dièze majeur* (14). L'harmonie répond au quatuor par

un *la, fortissimo*, tenu deux mesures, à l'unisson, qui ramène aussitôt le motif (13) aux hautbois, motif accompagné par un *pizzicato* de basson sur la gamme descendante de *ré*. Les violons reprenant une dernière fois ce motif conduisent rapidement à une brève conclusion, de six mesures. Le menuet est alors recommencé *da capo*[1].

IV. *Finale (Allegro molto, ré majeur*, C barré). — Le finale, en forme de rondo, est presque en disproportion avec les trois mouvements précédents. Berlioz l'a considéré comme « un second scherzo à deux temps, dont le badinage a peut-être encore quelque chose de plus fin et de plus piquant ». *Forte*, il commence sur l'accord de septième dominante avec une impétuosité qui rappelle le début du premier mouvement. Une phrase de violons en forme le premier motif (15). Une

autre, confiée au violoncelle, sur laquelle l'orchestre

[1] Il est remarquable que Beethoven près de vingt ans plus tard, en composant le *Trio* de la *IXe Symphonie*, ait fait un retour vers cet ancien ouvrage. Une esquisse, de 1818, semble-t-il, a été transcrite par Nottebohm (Voir l'étude sur la *IXe Symph.*, exemple C).

vient se superposer graduellement en canon (16), con-

tinue l'impression de gaieté donnée par la première.

Un second sujet lui succède, en *la* (17), confié prin-

cipalement à la clarinette, repris tout de suite en mineur par le basson, le quatuor accompagnant doucement; ce motif conduit à un *fortissimo* qui laisse à découvert le basson, arpégeant l'accord de *la majeur*, tandis que les violons préparent la rentrée de l'accord et du motif initial, en majeur, puis en mineur. Le motif (17) revient en *ut mineur* (hautbois et basson). Le développement se poursuit, modulant en *ré mineur*, tandis que les basses font entendre obstinément le trille du début (15, mesure 2), et que les violons et flûtes jettent *fortissimo* les deux premières notes du même motif; une reprise développée du motif tout entier revient aux violons, suivie de la phrase des basses (16); les hautbois et bassons s'en emparent un moment : le motif de clarinette (17) réapparaît accompagné par les cordes; alors tout l'orchestre entre dans la mêlée : *fortissimo*, les basses arpègent l'accompagnement. Un silence soudain laisse comme tout à l'heure le basson à découvert, et les violons qui préparent *pianissimo* une rentrée du premier motif; les bassons varient en mineur le thème (16), seuls d'abord, puis avec les flûtes, hautbois, clarinettes et cors, amenant le tutti *fortissimo* sur l'accord de septième dominante. Un point d'orgue laisse à l'orchestre le temps de vibrer de toute sa puissance et de reprendre haleine. *Pianissimo*, sur l'accompagnement des cordes, les clarinettes, hautbois, bassons et cors, par quelques lents accords (18), sem-

blent vouloir prolonger cette impression; mais voilà que la flûte redit les deux premières notes du premier motif qu'elle repasse aux violons; ce motif cependant ne doit pas reparaître (ce n'est qu'une évocation, pour ainsi dire), même lorsque, un peu plus loin, l'orchestre reprendra le trille caractéristique. Des gammes rapides terminent ce finale, « d'une beauté indescriptible, contrée pleine de magie et de mystère, dans laquelle personne avant Beethoven n'avait jamais conduit ses auditeurs »[1].

III

Comme celui de la *Ire Symphonie*, l'autographe de la Symphonie en *ré majeur* a été perdu. Les parties séparées furent publiées en mars 1804 par le Bureau d'Art et d'Industrie, à Vienne (depuis Haslinger), sous ce titre :

[1] GROVE, p. 39.

« Grand sinfonie, composée et dédiée à Son Altesse Monseigneur le Prince Charles de Lichnowski, par Louis Beethoven, op. 36; à Vienne, au Bureau d'Arts et d'Industrie. 305, In Stimmen. »

La partition ne parut qu'en 1820; elle forme un volume in-8° de 162 pages, intitulé :

« IIe Grande Simphonie en *ré majeur* (D dur) de LOUIS VAN BEETHOVEN. Œuvre XXXVI. Partition. Prix 14 Frs. Bonn et Cologne chez N. Simrock, 1959. »

Un arrangement, fait par Beethoven lui-même, parut en septembre 1806[1].

La première audition eut lieu au théâtre an der Wien, le mardi-saint 5 avril 1803.

La répétition, raconte Ries, commença à huit heures du matin; elle se composait de morceaux nouveaux, exécutés pour la première fois avec l'oratorio[2], savoir : la deuxième symphonie, le concerto pour piano en *ut mineur*, et un nouveau morceau dont je ne me souviens pas. Ce fut une répétition terrible, qui ne fut épuisée qu'à deux heures et demie, et laissa Beethoven plus ou moins mécontent.

Le prince Charles Lichnowsky, qui assistait à la répétition

[1] « Deuxième grande Sinfonie de Louis van Beethoven, arrangée en Trio pour Pianoforte, Violon et Violoncelle par l'Auteur lui-même. A Vienne au Bureau des Arts et d'Industrie. » (Analysé dans l'*Allg. musikal. Zeit.*, du 1er octobre 1806, col. 8-11.) Thayer (*Chron. Verzeichniss*, p. 52), indique ainsi l'éditeur : « A Vienne au Magazin de J. Ried. 582 Kohlmarkt. 503. » Il signale aussi un arrangement en quintette, pour contre-basse, flûte et 2 cors *ad libitum*, par Ries (d'après la *Wiener Zeit.*, 13 juin 1807).

Un arrangement pour pianoforte, avec accompagnement de flûte, violon et violoncelle, dédié au duc de Saxe-Weimar, par Hummel, parut à Londres en 1826 (*Harmonicon*, mars 1826).

[2] *Le Christ au Mont des Oliviers.* La *Ire Symphonie* figurait également au programme. Ries se trompe en plaçant ce concert en 1800.

depuis le commencement, avait fait apporter dans de grands paniers des beurrées, de la viande froide et du vin. Il pria amicalement tout le monde d'en prendre, ce que l'on fit des deux mains; il en résulta que chacun redevint de bonne humeur.

Alors le prince demanda que l'oratorio fût encore une fois répété tout entier, afin qu'il marchât tout à fait bien le soir, et que le premier ouvrage de ce genre que Beethoven produisait fût donné au public d'une manière digne de l'auteur. La répétition recommença donc. Le concert commença à six heures, mais il fut si long que quelques morceaux ne furent pas exécutés[1].

Le compte rendu donné, le 25 mai, par l'*Allgemeine musikalische Zeitung* était très bref, et ne faisait pas même allusion à la Symphonie, ce qui semblerait donner raison aux auteurs qui ne tiennent pas pour la date de 1803. Le critique parlait en quatre lignes de l'oratorio et reprochait à Beethoven d'avoir doublé le prix des premières places et triplé ceux des fauteuils d'orchestre[2]. Mais il ne fait aucun doute que la Symphonie fut entendue ce jour-là, à Vienne; puis, elle paraissait le 29 avril 1804, à Leipzig, et motivait ce jugement singulier du critique Spazier (mort le 19 janvier 1805) dans la *Gazette du Monde élégant* :

Un monstre mal dégrossi *(crasses Ungeheuer)*, un dragon transpercé qui se débat indomptable et ne veut pas mourir et, même perdant son sang (dans le finale), rageant, frappe en vain autour de soi, de sa queue agitée.

Spazier cependant, ajoute Rochlitz qui rapporte ce

1 Ries, *Notice sur Beethoven*, trad. Legentil, p. 102-103.

2 *Allg. musik. Zeit.*, 25 may 1803, col. 590.

jugement, « était un bon esprit, un musicien instruit et érudit, un homme expérimenté et adroit »[1].

Un autre critique de Leipzig trouvait que l'œuvre de Beethoven « gagnerait sans aucun doute à l'abréviation de quelques passages, et par le sacrifice de plusieurs, bien que beaucoup trop rares, modulations. ». Un des rédacteurs de l'*Allgemeine musikalische Zeitung* écrivait à la fin de décembre 1804, après les premières auditions, à Leipzig :

« La nouvelle sinfonie de Beethoven *(ré majeur)*, fut, malgré ses grandes difficultés, exécutée deux fois, de sorte qu'on a pu en jouir *tout à fait*. Nous trouvons cependant, comme on l'a remarqué à Vienne et à Berlin, l'ensemble trop long et en quelque sorte ultra-artificiel, l'emploi exagéré de tous les instruments à vent empêche l'effet de beaucoup de beaux passages, et nous jugeons le finale, des plus bizarres, sauvage et dur; mais tout cela est tellement emporté par un puissant esprit de feu, qui souffle dans cette œuvre colossale, par la richesse d'idées nouvelles, par leur arrangement absolument original que l'on peut prédire à cette œuvre qu'elle restera et sera toujours entendue avec un nouveau plaisir, quand mille choses aujourd'hui à la mode seront depuis longtemps enterrées »[2].

[1] *Allg. musik. Zeit.*, 23 juillet 1828, col. 488, note. Rochlitz rapporte aussi qu'elle y fut considérée comme du « Haydn poussé de la bizarrerie jusqu'à la caricature ».

[2] *Allg. musik. Zeit.*, 2 janvier 1805, col. 213-214 : *Musik in Leipzig (Michael bis Weinacht 1804)*. A Berlin, la *II*e *Sym-*

Elle fut entendue plusieurs fois chez Lichnowsky, notamment à Glogau, l'automne de 1806, en présence du comte Oppersdorf auquel Beethoven dédia la *IVe Symphonie* et en mars 1807, avec la *Ie*, la *IIIe* et la *IVe*. A Vienne, elle fut exécutée, chez le baron von Würth, avec la *Première*, le jour où Beethoven y fit entendre pour la première fois l'*Héroïque*. Publiée par le Bureau des Arts et d'Industrie, en mars 1804, elle fit l'objet d'une analyse détaillée dans l'*Allgemeine musikalische Zeitung*, le 1er octobre 1806[1].

Ainsi que la *Première*, la *Seconde Symphonie* de Beethoven fut, à Paris, connue de quelques rares artistes presque dès son apparition.

Il y a bien trente-huit ans, racontait Habeneck à Schindler en 1840, que j'appris à connaître les premiers Quatuors de Beethoven et à les jouer avec mes amis Philipp et autres, sans toujours parvenir à les comprendre. Bientôt après nous reçûmes les *Première* et *Seconde Symphonies*, que nous essayâmes avec un petit orchestre. De tous les artistes qui nous ont entendus exécuter ces ouvrages, Méhul fut le seul dont elles recueillirent l'approbation; les Symphonies surtout furent l'occasion qui poussa Méhul à écrire des compositions analogues; il en fit trois, dont une mérite et a remporté beaucoup de succès[2].

Une dizaine d'années s'écoulèrent cependant avant que les élèves du Conservatoire fissent entendre dans

phonie avait été entendue dès la fin de 1803 (*Allg. musik. Zeit.*, 11 janv. 1804, lettre de Berlin du 27 décembre 1803).

A Francfort elle ne fut « enfin donnée *en entier* et magistralement exécutée » que le 13 février 1815, au concert donné au profit des veuves et des orphelins des musiciens du théâtre (*Id.*, 29 mars 1815, col. 221).

1 *Allg. musik. Zeit.*, col. 8-11, 1er octobre 1806.

2 SCHINDLER, *Beethoven in Paris*, p. 3.

les Exercices publics des fragments de la Symphonie en *ré*, et c'est probablement à ce « fragment de symphonie » exécuté au concert du 10 mars 1811 que s'adressent ces critiques de Cambini :

Un fragment de symphonie de Beethoven terminait le concert. Cet auteur, souvent bizarre et baroque, étincelle quelquefois de beautés extraordinaires. Tantôt il prend le vol majestueux de l'aigle; tantôt il rampe dans les sentiers rocailleux. Après avoir pénétré l'âme d'une douce mélancolie, il la déchire aussitôt par un amas d'accords barbares. Il me semble voir renfermer ensemble des colombes et des crocodiles[1].

Peut-être aussi est-ce au scherzo qu'il faut reporter les éloges cités à propos de la *Première*[2].

Quoi qu'il en soit, elle parut en entier aux Concerts spirituels de l'Opéra de 1821; non sans une modification qu'on lui fit subir pendant de longues années.

Il y a seize ou dix-sept ans, écrit plus tard Berlioz, qu'on fit au concert spirituel de l'Opéra, l'essai des œuvres de Beethoven, alors parfaitement inconnues en France... A la première audition des passages désignés au crayon rouge, Kreutzer s'était enfui en se bouchant les oreilles, et il eut besoin de tout son courage pour se décider aux autres répétitions à écouter *ce qui restait* de la symphonie en *ré*. C'est à ce même homme (dont nous ne contestons pas le talent), que Beethoven venait de dédier une de ses plus sublimes sonates pour piano et violon; il faut convenir que l'hommage était bien adressé...

Dès sa première audition, le célèbre *adagio* en *la mineur* de la *VII*e *symphonie* qu'on avait intercalé dans la deuxième *pour faire passer le reste*, fut donc apprécié à sa valeur par l'auditoire des concerts spirituels. Le parterre en masse le

[1] *Tablettes de Polymnie*, mars 1811, p. 310-311.
[2] Voir ci-dessus, p. 20.

redemanda à grands cris, et, à la seconde exécution, un succès presque égal accueillit le premier morceau et le *scherzo* de la symphonie en *ré* qu'on avait peu goûtés à la première épreuve. L'intérêt manifeste que le public commença dès lors à prendre à Beethoven doubla les forces de ses défenseurs, réduisit, sinon au silence, au moins à l'inaction, la majorité de ses détracteurs, et peu à peu, grâce à ces lueurs crépusculaires annonçant aux clairvoyants de quel côté le soleil allait se lever, le noyau se grossit, et l'on en vint à fonder, presque uniquement pour Beethoven, la magnifique société du Conservatoire, aujourd'hui sans rivale dans le monde[1].

Une « Symphonie » de Beethoven figurait encore à l'Opéra, le 5 avril 1822, le 20 avril 1824, les 22, 24 et 26 mars 1826.

La Symphonie de Beethoven, éprouvée par les *dilettanti* du vendredi, dit *le Courrier des Théâtres,* avait été redemandée; rien de mieux. L'*andante* en est surtout charmant; et il règne dans le reste un caprice et une originalité dont le dérèglement ne peut prévaloir contre le charme d'émotions nouvelles, quelles qu'elles puissent être[2].

Après les concerts spirituels de 1827 (13 et 15 avril), « pires que médiocres », « on avait, dit Fétis, répété une symphonie en *mi b*..... de Beethoven. On en a exécuté une en *ré majeur*,..... et on y a intercalé l'*andante (sic)* si original en *la mineur* d'une autre symphonie »[3].

[1] H. Berlioz, *Voyage musical en Allemagne et en Italie. Etudes sur Beethoven, Gluck et Weber*, II, p. 263-266, Préface à l'*Etude analytique des Symphonies de Beethoven*. Cf. *A travers Chants*.

[2] *Courrier des Théâtres*, 26-27 mars 1826 ; cf. *la Pandore* et *le Corsaire* du 28.

[3] *Revue musicale*, mai 1827, p. 259.

On a pu remarquer encore des transpositions dans les symphonies de Beethoven, disait de son côté Castil-Blaze, l' « arrangeur » de Weber; on auroit tort de s'en fâcher, puisqu'elles sont toutes à notre avantage. Il ne s'agit point ici de transpositions de ton, de changemens de diapason, et autres fantaisies qui portent quelquefois le plus grand tort à l'effet d'une composition musicale, mais de transpositions de morceaux. Ce sont tout bonnement des symphonies dans lesquelles un andante ravissant, un *minuetto* d'une piquante vivacité, d'une bizarrerie élégante, ont été substitués à d'autres morceaux de même nature, dont la couleur trop sévère, la mélodie moins gracieuse ou moins originale, n'auroient pas fait éprouver la même sensation à l'auditoire.

Les symphonies de Beethoven présentent la réunion de toutes les puissances musicales; la sévère harmonie se mêle sans efforts aux charmes de la mélodie. Les phrases de chant, conçues avec le sentiment des accords variés qu'elles doivent recevoir, acceptent sans répugnance tous les embellissemens qu'une main savante leur dispose. Ce n'est point une *cabaletta* isolée des masses de l'orchestre, un solo de flûte, de hautbois ou de clarinette, qui plane, voltige ou galope sur un immobile *pizzicato*, et se termine par l'éternel *crescendo*. C'est une conversation animée à laquelle tous les instrumens prennent une part active; la diversité des accens et des caractères, et l'artifice admirable avec lequel les contrastes sont préparés, les surprises causées par le retour d'un motif que l'on avoit perdu de vue, et qui vient se mêler à un tableau déjà bien riche, et que l'on croyait complet; la manière élégante, spirituelle, et pleine de franchise dont le discours est traité dans ses détails et son ensemble, inspirent l'intérêt le plus vif et captivent sans cesse l'attention[1].

Reprise un certain nombre de fois à l'Opéra, devant un public en général indulgent, que n'indignaient nullement les mutilations qu'on lui faisait subir, la

[1] Feuilleton du *Journal des Débats*, 1er juin 1827, signé : XXX.

IIe Symphonie parut enfin au Conservatoire les 25 avril et 30 mai 1830, au cours de la troisième « session » de la Société des Concerts. Elle y fut reprise dès lors presque chaque année, le 31 mars 1833, le 6 avril 1834, le 12 avril 1835, le 21 février 1836, le 15 janvier 1837, le 11 février 1838, le 13 janvier 1839. A l'issue de cette dernière exécution, Berlioz la déclarait un « modèle de noblesse, de grâce, d'élan héroïque, de tendresse, d'esprit et de vivacité »[1]. Cinq ans auparavant, elle lui avait inspiré cette appréciation :

Celle en *ré* de Beethoven, que nous savons tous par cœur, depuis de longues années, se rattache à la première manière de l'illustre compositeur; mais on reconnaît le style mozartique, déjà énormément agrandi, il est vrai, mais ce n'est pas encore le grand Beethoven des dernières symphonies. Son individualité n'était pas complète quand il écrivit ces délicieuses mélodies, où il se montre le plus grand musicien qui ait jamais existé, mais rien de plus. Il ne faudrait pas en conclure cependant que cet ouvrage soit du nombre de ceux dont on parle avec estime et qui ne disent rien au cœur; certes, on se tromperait étrangement. Le premier morceau, plein d'élan, d'un style noble et chevaleresque; l'adagio, cantilène simple et naïve, qui vous berce mollement et finit par produire l'attendrissement le plus profond; le scherzo, dont le motif, composé de trois notes seulement, court dans tout l'orchestre, en passant des violons aux cors et des flûtes aux bassons, en brillant et s'éteignant tour à tour comme un météore; puis le finale, où les caprices les plus piquants, les plus *imprévoyables*, aboutissent à une magnifique péroraison

[1] *Revue et Gazette musicale*, 17 janvier 1839.

DELDEVEZ, l'un des successeurs d'Habeneck, dit que celui-ci, à l'origine, pratiquait une coupure dans le finale, du premier point d'orgue, sur le *fa dièze*, au second (*De l'exécution d'ensemble*, p. 141).

qui semble annoncer déjà l'auteur du terrible scherzo de la symphonie en *ut mineur*, forment un tout admirable, qu'on ne peut entendre sans frémir de plaisir. D'ailleurs, j'ai dit que c'était Mozart agrandi ; il me semble, en conséquence, que ce n'est pas trop mal[1].

Quand bien même, disait d'Ortigue après le concert du 31 mars 1833, quand bien même Beethoven n'eût écrit que ces deux premières symphonies, celle en *ut* et celle en *ré*, on ne manquerait pas de dire : Quel pas de géant un homme a fait faire à la musique instrumentale ! Et pourtant la symphonie en *ré*, exécutée au dernier concert, ne doit être mise qu'en second ordre parmi les chefs-d'œuvre du grand compositeur. Il y a un progrès immense entre celle-ci et les suivantes, parmi lesquelles la symphonie *avec chœur* peut être regardée comme le point culminant du génie. Toutefois, malgré l'emploi de quelques formes scholastiques, avec lesquelles Beethoven a brisé définitivement dans la troisième en *si (sic) bémol*, la symphonie en *ré* étincelle de génie... Tout est suivi, tout est clair, tout est saisissable dans cette conception. Cependant si l'on excepte le finale, supérieur, selon moi, aux autres morceaux, on peut dire, je crois, que cette symphonie appartient par son caractère au type d'art déjà connu, et que l'expression de cette musique est encore un peu terrestre en comparaison des œuvres sublimes qui sont plus tard sorties de la plume de Beethoven. Et c'est aussi pour cela qu'elle excite moins d'enthousiasme[2].

En Angleterre, la Symphonie en *ré* semble avoir fait partie du répertoire de la Philharmonic dès sa fondation, en 1813, dit Grove, « mais comme les symphonies n'étaient pas alors désignées par leur ton, il est impossible d'en être tout à fait certain. En 1825, l'*Harmonicon* avec un ton de supériorité ridicule, dit

[1] *Gazette musicale*, 27 avril 1834. *Concerts du Conservatoire.*
[2] *La Quotidienne*, mardi 16 avril 1833 : *Société des Concerts. Quatrième séance.* Paganini assistait à ce concert.

qu'elle était « écrite avec la prétention d'être riche en « idées neuves, et qu'il n'y avait pas de nouveauté à « chercher dans les régions de la mélodie grotesque et « les harmonies durement combinées » (p. 111). « Le « *Larghetto* (bissé) parle un langage infiniment plus « intelligible que la majorité des compositions vo- « cales. » L'année suivante cependant, le critique était tellement enthousiasmé par cette musique qu'il récla- mait « un repos d'au moins une demi-heure après son « audition » (1826, p. 129) ». Le commentateur an- glais cite encore l'opinion d'un rédacteur du *Musical World*, « musicien, éminent même », qui, dans son désir de mieux faire connaître la *IXe Symphonie*, proposait sérieusement d'en combiner les premier et troisième mouvement avec le finale de la Symphonie en *ré*[1].

Les œuvres symphoniques mirent beaucoup plus de temps à pénétrer en Italie que dans les pays septen- trionaux de l'Europe. Cependant, en 1816, Spohr, qui voyageait alors en Italie, raconte une curieuse tenta- tive faite pour y acclimater la Symphonie en *ré* de Beethoven. Le 15 octobre, il écrivait de Venise :

Au concert d'amateurs dirigé par Contin, on me demanda de diriger la *IIe (Symphonie)* de Beethoven en *ré majeur*, ce que je ne pus refuser. Mais j'eus bien du mal, car on était habitué à de tout autres mouvements que ceux que je pris et on paraissait ne rien savoir faire autre chose que ce qui donne à la musique des nuances de force et de douceur, car tous travaillaient, râclaient de toutes leurs forces, si bien

1 Grove. p. 44

que les oreilles me tintèrent toute la nuit d'un vacarme infernal[1].

Il devait encore s'écouler près d'un demi-siècle avant que Beethoven eût définitivement acquis le droit de cité au delà des monts, et ce ne fut guère qu'en 1858, à Florence, que la Symphonie en *ré* fut entendue grâce à l'initiative et sous la direction de Sbolci, pour gagner peu à peu les grandes villes où la culture musicale allemande se rencontre aujourd'hui. A Rome, la Società orchestrale romana, dirigée par Ettore Pinelli l'inscrivit pour la première fois au programme de son 67e concert (4 février 1885, Sala Palestrina) et la reprit cinq fois jusqu'au 6 janvier 1894 (137e concert, Sala Dante)[2].

Exécutée pour la première fois au Festival bas-rhénan de 1819 (à Elberfeld, sous la direction de Schornstein), la *IIe Symphonie* n'y a jamais été reprise. Elle a paru pour la première fois à Saint-Pétersbourg le 17 mars 1834 et à Moscou le 12 avril 1863 seulement.

En Espagne enfin, d'après des notes communiquées par M. le professeur Pedrell, elle n'aurait pas été exécutée avant 1878, où le cycle des *Neuf Simphonies* fut dirigé, au Théâtre du Principe Alfonso, à Madrid, sous la direction de Mariano Vazquez. Elle fut entendue, avec la *Première* et la *Troisième*, au Teatro Lirico de Barcelone, sous la direction de Buenaventura Fri-

[1] Spohr, *Selbstbiographie*, I, p. 297.

[2] E. Pinelli, *I venticinque Anni della Società orchestrale romana (1874-1898).*

gola, en 1880. Mancinelli à Madrid (1885), Antonio Nicolau à Barcelone (1897) la firent entendre de nouveau avec le cycle beethovénien entier, que ce dernier reprit deux fois depuis lors, aux théâtres des Novedades et du Liceo.

Œuvres de Beethoven composées entre la Ire et la IIe symphonies.

1800-1801. *Christus am Œlberg,* oratorio pour soli, chœurs et orchestre, op. 85 (Breitkopf et Härtel, Leipzig, octobre 1811).

Sonate pour piano et cor ou violoncelle, op. 17 (Mollo, Vienne, mars 1801). Dédiée à la baronne von Braun.

1800. Grande Sonate pour piano, op. 22 (Hoffmeister et Kühnel, Leipzig, 1802). Dédiée au comte von Braun.

Grand Concerto pour piano et orchestre, n° 3, op. 37 (Bureau des Arts et d'Industrie, Vienne, novembre 1804).

Air avec (6) variations pour piano à quatre mains sur *Ich denke dein* (Gœthe) (Kunst und Industrie Comptoir, Vienne, janvier 1805). Dédié à la comtesse Joséphine Deyn et à la comtesse Theresa Brunswick.

6 Variations très faciles sur un thème original (Traeg, Vienne, 1801).

2 Sonates pour piano et violon, op. 23 (Mollo, Vienne, 28 octobre 1801). Dédiées au comte Moritz von Fries.

Die Geschöpfe des Prometheus, ballet, partition de piano, op. 24 (devenu plus tard l'op. 43, et remplacé comme op. 24 par l'op. 23, n° 2) (Artaria, Vienne, juin 1801).

1801. Grande Sonate pour piano, dite *Pastorale,* op. 28 (Bureau des Arts et d'Industrie, Vienne, 1801). Dédiée à Joseph Edlen von Sonnenfels.

Quintette pour deux violons, deux altos et violoncelle, op. 29 (Breitkopf et Härtel, Leipzig, 1801). Dédié au comte M. von Fries.

Sérénade pour flûte, violon et alto, op. 25 [Cappi, Vienne, 1801 (?)].

Grande Sonate pour clavecin ou piano, op. 26 (Cappi, Vienne, 3 mars 1802). Dédiée au prince C. Lichnowsky.

2 Sonates *quasi una Fantasia*, op. 27, n° 1 (Cappi, Vienne, 3 mars 1803). Dédiée à la princesse J. Lichtenstein. N° 2, dite au *Clair de la lune*. Dédiée à la comtesse Giulietta Guicciardi.

Rondo pour piano, op. 51, n° 2 (Artaria, Vienne, septembre 1802). Dédiée à la comtesse Henrietta von Lichnowsky.

Variations pour piano et violoncelle sur : *Bei Männer, welche fühlen* (Mozart) (Mollo, Vienne, 3 avril 1802). Dédiées au comte von Braun.

1802. 6 *Ländleriche Tänzer*, pour deux violons, basse ou piano seul (Artaria, Vienne, septembre 1802).

Trio vocal : *Tremate, empj, tremate*, op. 116 (Steiner et Cie, Vienne, 1826).

3 Sonates pour piano et violon, op. 30 (Bureau des Arts et d'Industrie, Vienne, 28 mai 1803). Dédiées à l'empereur de Russie Alexandre Ier.

2 Sonates pour clavecin ou piano, op. 31, nos 1 et 2 (Répertoire du Claveciniste, Nägeli, Zürich, 1803, Simrock, Bonn et Cappi, Vienne). N° 3 (Répertoire, etc., Zürich, 1804).

6 Variations pour piano sur un thème original, op. 34 (Breitkopf et Härtel, Leipzig, 1803). Dédiées à la princesse Odeschalchi, née Keglevics.

12 Contredanses pour deux violons et basse (les nos 3, 4, 6, 8 et 12 datent de 1800 environ ; les nos 2, 9 et 10 de 1802 environ ; le n° 11 est le finale de *Prométhée*) (partition d'orchestre chez Breitkopf). Les nos 4, 7, 8, 9, 10, 11, pour piano seulement (Mollo, Vienne, avril 1802).

(15) Variations avec fugue sur un thème de *Prométhée*, pour piano, op. 35 (Breitkopf & Härtel, 1803). Dédiées au comte Moritz Lichnowsky.

1782-1802. 7 Bagatelles pour piano, op. 33 (Bureau des Arts et d'Industrie, Vienne, 28 mai 1803).

Symphonie en *ré majeur*, n° 2, op. 36 (Bureau des Arts et d'Industrie, Vienne, 1804). Dédiée au prince C. Lichnowsky.

CHAPITRE III

IIIe SYMPHONIE (Eroica), en MI bémol, *op.* 55 (1804).

I

Après avoir fait exécuter, le 5 avril 1803, ses deux premières symphonies, l'oratorio du *Christ aux Oliviers* et joué le 3e *Concerto* pour piano, en *ut mineur*, Beethoven se mit aussitôt à la composition de la *Symphonie héroïque*, qu'il termina au printemps de 1804.

Il avait conscience de la révolution qu'il allait opérer, du « saut » immense que son évolution allait subir, lorsqu'il disait, dès 1802, à son professeur de violon Krumpholz, après la publication de l'op. 31 (Trois sonates pour piano) : « Je ne suis pas content jusqu'ici de mes ouvrages; à partir de maintenant, je veux prendre une nouvelle voie[1]. »

Cette « nouvelle voie », déjà des sonates de piano l'avaient fait entrevoir; mais il la trouva et l'inaugura avec la *Symphonie héroïque* qui, pour la première fois, montra les caractéristiques de son esprit dans toute leur pureté et leur élévation. Aucune mesure de cet ouvrage ne rappelle plus l'influence jusqu'alors dominante de Haydn et de Mozart. Si, dans la *IIe Symphonie*, des traces de l'influence de ces maî-

[1] Comparer le mot de Wagner : « Comme artiste et comme homme, je marche vers un *monde nouveau.* » (*Communication à mes amis*, 1851.)

tres sont encore sensibles, Beethoven dans l'*Eroica* est bien lui-même[1].

Et cependant la conception de celle-ci est certainement contemporaine de la composition de la précédente, car elle remonte au moins à l'année 1803[2].

Suivant l'ordre chronologique des événements, écrit Schindler, et en étudiant leurs causes, nous trouvons pour la première fois une circonstance particulière d'un genre abstrait puisqu'elle appartient moins au domaine de la musique qu'à celui de la politique. Il y a besoin pourtant de s'habituer à voir peu à peu notre compositeur sur ce terrain tout à fait étranger à sa sphère d'activité, mais vers lequel Beethoven se sentait attiré malgré lui.

Les idées politiques de Beethoven ont fourni un thème aux discussions de ses biographes et commentateurs. On peut, avec Wasielewski, appeler Beethoven un « politique de sentiment » *(Gefühlspolitiker)*, — en quoi, d'ailleurs, Beethoven ne différait pas de la plupart des citoyens de tous les pays, — et chercher à prouver qu'il n'était qu'un médiocre politique, il n'en est pas moins vrai que toute sa vie il montra une curiosité éveillée pour les affaires publiques. Il était déjà jeune homme lorsque la Révolution éclata, et son pays de Bonn allait bientôt devenir français, lorsqu'il partit pour Vienne en 1792. Les idées révolutionnaires et républicaines ne pouvaient qu'être bien accueillies d'un esprit pour qui la *République* de Platon était non

[1] WASIELEWSKI, *Beeth.*, I, p. 211-212.

[2] D'après RIES (*Notice sur Beeth.*, trad. Legentil, p. 104), Beethoven l'aurait composée en 1802 à Heiligenstadt ; Ries confond la *III*e *Symphonie* avec la *II*e, ou bien se trompe vraisemblablement d'une année, et il faut lire 1803 au lieu de 1802, et Oberdöbling au lieu de Heiligenstadt.

seulement la lecture favorite, mais un idéal dont il eût voulu la réalisation. Le Dr Müller écrivait en 1827 :

Les sentiments de liberté civique et l'influence des autres qui avaient rapport à ses intérêts furent cause que Beethoven exprima toujours librement ses opinions sur le gouvernement, la police, les habitudes des grands, même dans des lieux publics. La police connaissait ses critiques et ses satires, mais les tolérait comme étant celles d'un fantasque et se gardait d'inquiéter l'homme dont le génie avait une irradiation extraordinaire. L'idéal d'un bon gouvernement était à son sens celui de l'Angleterre[1].

L'Anglais Cipriani Potter, qui vécut à Vienne, en 1817, et se promenait souvent avec Beethoven, racontait au biographe américain Thayer que, le dernier jour qu'il passa avec lui, Beethoven se mit à parler politique et traita de tous les noms imaginables le gouvernement autrichien. Très désireux d'aller en Angleterre, il exprimait l'intention de visiter la Chambre des Communes. « Vous autres, en Angleterre, vous avez la tête sur les épaules[2]. » Si, selon Rochlitz, ses critiques, faites en confidence à ses amis, n'étaient que le résultat d'une exaspération momentanée, Seyfried dit, au contraire, qu' « il se prononçait volontiers, dans un cercle d'intimes, sur les événements politiques qu'il jugeait avec une rare intelligence, un coup d'œil lucide, et une manière de voir claire et nette.

[1] *Allgemeine musikalische Zeitung*, 23 mai 1827, col. 345-354.

[2] Notes de THAYER, 27 février 1861. (*Allg. Musik-Zeitung*, 12-19 mai 1899, p. 315.) Un jour, Beethoven, à l'auberge, demandait par écrit, confidentiellement, à un de ses interlocuteurs : « Où en est la fidélité et confiance en l'Autriche? Accorde-t-on la même confiance à un criminel qu'à un honnête homme? » (VOLKMANN, *Neues über Beethoven*, p. 20.)

On n'eût pas attendu mieux d'un diplomate consommé vivant dans le monde politique officiel ».

Les différentes critiques que Beethoven adressait au gouvernement de son pays d'adoption étaient :

1° Les entraves apportées à l'administration de la justice par une procédure longue et non indépendante;

2° La tendance de la police à outrepasser ses attributions;

3° Le paiement des impôts dilapidés par une bureaucratie rapace;

4° L'obstination de la noblesse à conserver ses privilèges et à s'arroger exclusivement les plus hautes fonctions de l'Etat;

5° L'impuissance du chef de l'Etat à pourvoir au bien-être des citoyens (les audiences publiques du mercredi étant inutiles en fait, par suite de l'affluence des solliciteurs).

Et Beethoven croyait qu'un gouvernement républicain pouvait échapper à toutes ces critiques... Ce qui ne l'empêchait pas, fait remarquer Wasielewski, de fréquenter les plus hauts personnages de l'empire, tels que l'archiduc Rodolphe, de dédier des ouvrages au roi de Prusse, à l'empereur de Russie.

Il se montrait simplement politique de sentiment dans ses opinions sur l'empereur Franz, en tant que cela touchait la question de son existence. Il ne réfléchissait pas que les embarras financiers de l'Autriche étaient une conséquence des campagnes de conquête et de rapine de Napoléon, et que le chef de l'Etat ne pouvait en être rendu responsable. S'il s'en fût rendu compte, il n'eût pas professé ces opinions sévères à l'égard de l'empereur Franz. Et comme celles-ci, aussitôt exprimées, étaient, sans aucun doute, colportées par ses adversaires, à leur adresse, on ne saurait s'étonner qu'il n'obtînt ni la fonction espérée, ni le titre de kapellmeister si vivement désiré[1].

De ces diverses interprétations de la conduite et des idées politiques de Beethoven, il ressort tout au moins cette impression, qu'aucun acte de sa vie ne vient démentir, qu'il était d'un libéralisme fort avancé ; et, si rien ne prouve qu'il ne fut pas un loyal sujet de son empereur, tous les témoignages s'accordent à le représenter comme un esprit foncièrement républicain. L'histoire de l'*Eroica* ne fait que les confirmer. C'était sans doute de la politique « de sentiment », mais on ne doit pas moins en tenir compte pour juger les opinions du compositeur.

Le 11 janvier 1798, le général Bernadotte fut envoyé par le Directoire en mission diplomatique près la Cour de Vienne, où il arriva le 8 février. Il dut attendre plusieurs semaines avant d'être admis à présenter ses lettres de créance à l'empereur. L'audience fut fixée au 2 mars ; elle devait avoir lieu en présence de l'impératrice, mais celle-ci ayant accouché la veille, l'ambassadeur français ne fut reçu que le 8 avril suivant en première audience. Dans l'intervalle, il quitta Vienne, en compagnie de son secrétaire, qui n'était autre, dit-on, que le compositeur violoniste Rodolphe Kreutzer[1]; celui-ci ne perdit pas l'occasion de faire la

[1] WASIELEWSKI, *Beethoven*, I, p. 118.

[2] Kreutzer, qui avait quitté la France pour faire une tournée en Italie et en Allemagne, après la paix de Campo-Formio (17 oct. 1797), voyageait, non pas en secrétaire d'ambassade, mais en artiste. Dans les papiers de son neveu Léon Kreutzer

connaissance de Beethoven pour lequel, sans doute, il s'était muni de recommandations avant de quitter Paris.

Telle est la légende.

Bernadotte, entré au service à l'âge de seize ans, était-il amateur de musique? La chose est possible[1]. Mais n'est-ce pas plutôt Kreutzer qui donna au com-

(Bibl. nat., nouv. acq. fr.), il n'est fait nulle part allusion à une position de secrétaire auprès de Bernadotte. Peut-être fréquenta-t-il, tout au plus, l'ambassade française. Cf. *Revue musicale*, 1830, tome X, p. 300.

[1] Un fait assez curieux, auquel il ne faudrait pas sans doute attacher une importance exagérée, est le suivant : Le « nommé Bernadotte, sergent au régiment Royal-Marins », eut de Catherine Lamour une fille naturelle, Olympe-Louise-Catherine Bernadotte, baptisée le 5 août 1789 à Grenoble, dont le parrain fut Louis Rolland, « maître de musique ». Ce maître de musique, ami du futur roi de Suède, eut peut-être une certaine influence sur l'éducation musicale du « nommé Bernadotte »? (Cf. Ed. MAIGNIEN, *Artistes grenoblois*, 1887.) L'ambassade de Bernadotte à Vienne fut des plus courtes et des plus mouvementées. Elle ne dura en réalité que six semaines. A la suite d'une émeute arrivée le 13 avril, Bernadotte partit le surlendemain. M. Frédéric Masson, qui a raconté ces événements dans tous leurs détails, écrit : « A Vienne même, l'hôtel de l'ambassade devenait le rendez-vous de quelques Jacobins français et des Allemands partisans de la Révolution française qui résidaient dans la capitale. Il recevait intimement Beethoven auquel, dit-on, il donna même des inspirations et qui lui dut, prétend-on, une de ses œuvres les plus importantes ; le musicien berlinois Hummel était aussi un des habitués de l'ambassade. » (*Les diplomates de la Révolution*, p. 182.) Chose curieuse, en aucun endroit de son livre si documenté, M. Masson ne parle de Kreutzer, et pourtant il nomme tous les secrétaires de Bernadotte. Mais il ressort de l'étude de l'historien napoléonien que Bernadotte s'occupait tant soit peu de musique. Le 11 avril, dans sa première entrevue avec l'impératrice, celle-ci s'entretint avec lui de « musique et de choses indifférentes » (*Id., ib.*, p. 179).

Ajoutons que Beethoven, s'adressant au roi de Suède, en 1823, en lui demandant de souscrire à un exemplaire de sa *Messe*, lui rappelait le séjour de Sa Majesté à Vienne « et l'intérêt qu'elle prit avec quelques seigneurs de sa suite à

positeur l'idée de l'*Eroica ?* Toujours est-il que Schindler, d'après les dires du comte Lichnowski et d'autres amis de Beethoven, écrit : « L'idée première de cette symphonie doit à proprement parler être venue du général Bernadotte qui engagea Beethoven à l'écrire en l'honneur de Napoléon. »

Napoléon, c'était alors le champion de la liberté, le sauveur de son pays, le restaurateur de l'ordre et de la prospérité publiques, le grand chef devant lequel s'évanouissait toute difficulté, se brisait tout obstacle. Ce n'était pas encore le tyran, le vainqueur de l'Autriche et de toute l'Europe. C'était comme le symbole du monde nouveau créé par la Révolution française. Les sympathies de Beethoven étaient tout entières pour la Révolution dont sa patrie des bords du Rhin avait depuis longtemps ressenti l'influence irrésistible. Déjà dans ses deux premières symphonies régnait un souffle libérateur, précurseur des œuvres qui suivront. Lui, l'indépendant, qui dans la capitale autrichienne se distinguait des autres musiciens par ses allures libres, par son refus d'entrer au service de la noblesse autrichienne, par son mépris de l'étiquette et son peu de respect des personnes d'un rang supérieur au sien, il devait sans doute tout cela à l'influence de la Révolution française.

mes médiocres talents... Lex exploits qui, avec tant de justesse élevèrent Votre Majesté au thrône de Suède, excitoient l'admiration générale, particulièrement de ceux qui avaient le bonheur de connoître personnellement Votre Majesté ». (Lettre en français « à Vienne le 1er mars 1823 » Frimmel, *Neue Beethoveniana*, p. 134-135). Beethoven fait peut-être allusion dans cette lettre au séjour du roi de Suède à Vienne, lors du congrès de 1814, et non à l'ambassade de 1798.

L'*Eroica*, ajoute Grove, fut évidemment sa première musique révolutionnaire. Ainsi qu'il ressort d'un carnet d'esquisses, commencé en octobre 1802 et terminé en avril 1804, la symphonie dut être commencée à Ober-Döbling, où Beethoven passa les fêtes de Pâques de 1803.

Ce carnet, de 182 pages in-4°, a été longuement analysé par G. Nottebohm, qui a publié en même temps la musique qu'il contient. Après une esquisse pour les *Variations* sur le *Rule Britannia*, qui parurent le 20 mars 1804, et dont le thème se trouve entre deux esquisses pour l'*Eroica*, celles-ci occupent d'abord huit pages (3 à 10) comprenant des motifs des premier, deuxième et quatrième mouvements. Les pages 10 à 41 sont presque exclusivement consacrées au premier, dont on trouve, pour le début, quatre versions différentes. On voit d,abord les deux premiers accords tels que Beethoven les a adoptés, deux accords de *mi bémol majeur;* une seconde version les présente transformés en accords de septième dominante, sous cette forme :

puis une troisième, sous cette nouvelle forme :

Enfin Beethoven revient définitivement à la première.

La Marche funèbre présente cinq esquisses pour le

1 GROVE, p. 52. Cf. NOTTEBOHM, *Ein Skizzenbuch von Beethoven aus dem Jahre 1803.*

début, deux pour la fugue, et jusqu'à huit pour les dernières mesures. A la page 6, on lit cette première esquisse, qui montre que l'idée première n'a guère été modifiée :

Le *Scherzo*, dont le rythme a été fort travaillé, longtemps cherché, apparaît sous ces trois formes, pour le début[1] :

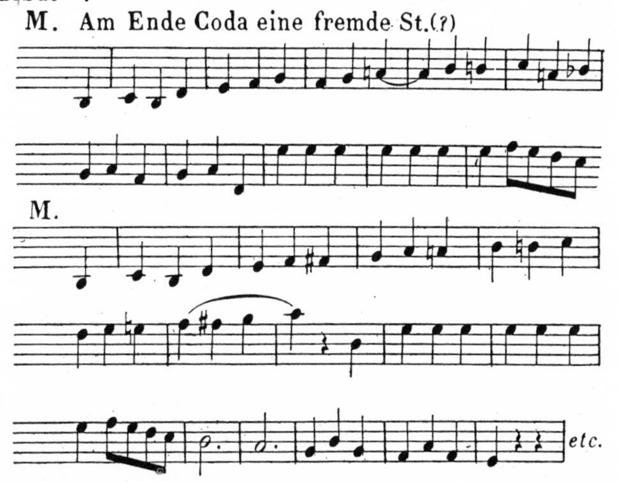

[1] NOTTEBOHM, *Ein Skizzenb.*, p. 44. *St.* peut signifier, je crois, *Stimmung*, et la note de Beethoven en entier : « Menuet A la fin Coda une impression étrange. » A.-B. MARX avait d'abord cru reconnaître dans ce motif une réminiscence d'un chant d'étudiants. Mais sur l'observation de Erck, Musikdirector à Berlin, qui date ce chant populaire des années 1810-1826, il rectifia cette opinion, dans le second volume de sa biographie de Beethoven. « Cependant, ajoute-t-il, il doit

Le *Trio* fait l'objet de quatre esquisses, et le *Finale*, de trois.

Le *Skizzenbuch* de 1803 (1), contient, en outre, entremêlés avec ceux de l'*Eroica*, un motif qui sera utilisé plus tard dans la *Danse des Paysans* de la *Pastorale*,

être plus antérieur à l'époque où M. Erck le reconnaît comme *Studentenlied*, et Beethoven l'a employé dès 1804. » Grove ajoute, par une conjecture fort risquée que peut seul expliquer son culte pour Beethoven : « Ce chant est plus probablement dérivé du *Scherzo* que le *Scherzo* du chant. » Il ne nous paraît nullement impossible que Beethoven ait emprunté une mélodie à la Muse populaire ; on le verra agir ainsi dans la *Pastorale*. Et ce n'est en rien diminuer son génie créateur que de lui attribuer ces emprunts. Il leur fait subir de telles transformations rythmiques! Il s'en fait un texte à de si riches développements!

Voici le lied cité par Marx :

(Marx, I, 202, et II, 20; Cf. Grove, p. 75).

1 Nottebohm, *Ein Skizzenbuch*, p. 37.

un « murmure des ruisseaux », qui sera utilisé dans la *Scène au bord du ruisseau ;* des mélodies, le début de la Symphonie en *ut mineur*, des exercices de piano, des motifs de *Fidelio*, de la Sonate op. 53, du *Concerto* pour piano en *sol*, etc.

Il faut encore rappeler l'emprunt que Beethoven s'est fait à lui-même en reprenant un rythme et un motif de son ballet des *Créations de Prométhée*, composé vers 1800-1801 sur un scénario de Vigano.

A son retour de la campagne, en 1803, Beethoven alla demeurer, tout en ayant un autre domicile, au théâtre an der Wien. C'est là que le peintre Mähler, son compatriote, et l'un de ses portraitistes, lui fut présenté par Breuning.

Ils trouvèrent Beethoven au travail, terminant l'*Eroica*. Selon leur désir de l'entendre, il se mit au piano et leur joua les thème, variations et fugue du finale, et lorsqu'il eut terminé, sans s'interrompre, il se mit à jouer en libre fantaisie pendant deux heures. Durant tout ce temps, raconte Mähler, qui est lui-même compositeur, pas une mesure qui fût fautive, ou qui ne sonnât avec originalité[1].

L'*Eroica* dut être terminée au plus tard vers le mois de mai 1804. La copie, conservée aujourd'hui à Vienne, par la *Gesellschaft der Musikfreunde*, n'est pas autographe ; mais elle contient de nombreuses annotations ou corrections de la main du compositeur. D'après l'opinion de Thayer[2], cette copie ne serait pas celle que Beethoven destinait au Premier Consul.

[1] D'après les notes de THAYER (*Allg. Musik-Zeit.*, 12-19 mai 1899, p. 314), 26 mai 1860.

[2] THAYER, *Chronlogisches Verzeichniss*, p. 58.

Dans cette symphonie, dit Ries, Beethoven avait eu pour sujet de sa pensée Bonaparte, alors qu'il était encore Premier Consul. Jusque-là, Beethoven l'estimait extrêmement haut et l'égalait aux plus grands consuls romains.

J'ai vu moi-même, ainsi que plusieurs de ses amis intimes, cette symphonie écrite en partition sur sa table; tout au haut de la feuille du titre était écrit ce nom : *Buonaparte*, et tout au bas : *Luigi van Beethoven*, et pas un mot de plus. Cette lacune devait-elle être remplie? Comment devait-elle l'être? Je n'en sais rien. Je fus le premier qui apportai à Beethoven la nouvelle que Bonaparte s'était déclaré empereur. Là-dessus, il entra en colère et s'écria : « Ce n'est donc rien qu'un homme ordinaire! Maintenant il va fouler aux pieds tous les droits des hommes; il ne songera plus qu'à son ambition; il voudra s'élever au-dessus de tous les autres et deviendra un tyran! » Il alla vers la table, saisit la feuille de titre, la déchira en entier et la jeta à terre. La première page fut écrite à nouveau, et alors la symphonie reçut pour la première fois son titre : *Sinfonia Eroica*[1].

La page de titre de la copie conservée aujourd'hui par la *Gesellschaft der Musikfreunde*, à Vienne, de

[1] Wegeler et Ries, *Not. sur Beeth.*, trad. Legentil, p. 105. Le baron de Trémont, dans une notice inédite, raconte que, étant à Vienne en qualité d'attaché au Conseil d'Etat chargé d'une mission près de l'empereur, en 1809, il vit souvent Beethoven, qui lui témoigna une affection particulière. Il l'avait même décidé à faire avec lui un voyage à Paris.

« La grandeur de Napoléon l'occupait beaucoup, écrit-il, et il m'en parlait souvent. Au milieu de sa mauvaise humeur, je voyais qu'il admirait son élévation d'un point de départ si inférieur ; ses idées démocratiques en étaient flattées. Il me dit un jour : « Si je vais à Paris, serai-je obligé d'aller saluer « votre empereur? » Je lui assurai que non, à moins qu'il ne soit demandé. « Et pensez-vous qu'il me demandera? — Je « n'en douterais pas, s'il savait ce que vous valez ; mais vous « avez vu par Cherubini qu'il s'entend peu à la musique. » Cette question me fit penser que, malgré ses opinions, il eût été flatté d'être distingué par Napoléon. » (Baron de Trémont, *Notices et Autographes*. Bibl. Nat., Ms. fr., 12756, f° 188.)

format oblong, porte elle aussi des traces de la colère de Beethoven contre Bonaparte. Les inscriptions qui la remplissent sont ainsi disposées :

SINFONIA GRANDE

(IN)TITOLATA BONAPARTE

26ten S.

$\overline{804}$ im August,
del Sigr.

LOUIS VAN BEETHOVEN

Geschrieben
auf Bonaparte

Sinfonia 3. Op. 55.

Les lignes 1, 2, 4 et 5 sont, d'après Nottebohm, de la main d'un copiste; Beethoven ratura la seconde et écrivit au crayon la sixième et la septième. La troisième, qui donne une date en contradiction avec le récit de Ries, est d'une main étrangère et fut écrite plus tard; la dernière enfin, d'une autre main, est encore postérieure.

D'après Grove, le titre original paraît n'être composé que des première, troisième, quatrième, cinquième et huitième lignes; tandis que, des deuxième, sixième et septième (toutes trois au crayon, ce qui est faux), ces deux dernières sans doute, et peut-être aussi la troisième, auraient été écrites de la main de Beethoven[1].

[1] Grove, p. 55.

Un examen attentif du manuscrit, ou du moins de sa photographie, confirme presque entièrement les conclusions de Nottebohm. L'inscription primitive, d'une belle écriture de copiste en lettres latines, était : *Sinfonia Grande titolata Bonaparte* (ou *Buonaparte*) *del Sigr. Louis van Beethoven*, avec une grande accolade au-dessous; vers l'angle inférieur, à droite : *Op. 55*. Cette copie n'était peut-être pas celle destinée au Premier Consul, quoique rien ne prouve le contraire; mais elle fut certainement préparée en vue de l'exécution et de l'édition des parties. Le manuscrit de Vienne porte, on le sait, de nombreuses corrections de la main de Beethoven. Sur le titre seul, celui-ci changea d'abord le mot *titolata* en in*titolata*, visible sous la rature, dont il barbouilla littéralement la dédicace de furieux coups de plume. Une main étrangère écrivit à la place et en dessous, en caractères allemands, d'une encre plus noire que le reste, la date : *804 im August*, qui doit être considérée, ainsi que nous le prouvons plus loin, comme celle de la première audition. Enfin, — peut-être longtemps plus tard, après la mort de Napoléon, — Beethoven prit un crayon et ajouta au-dessous de l'accolade : *Geschrieben auf Bonaparte*. La mention *Sinfonia 3*, d'une belle écriture latine, est d'une troisième main étrangère. Beethoven écrivit encore, lors des premières auditions, sans aucun doute, tout en haut et tout en bas de la page de titre, les indications relatives aux violons et aux cors que nous relevons plus loin; une troisième note, occupant la marge de droite, a été effacée comme la dédicace et est à peu près illisible. On lit en outre vers la première ligne du titre *26 ten S.*, peut-être une date, 26 septembre, se rapportant à l'une des premières auditions chez Loblowitz, et qui semble être de la main de Beethoven[1].

Le manuscrit complet de l'*Eroica*, non autographe, fut ainsi catalogué lors de la vente qui suivit le décès de Beethoven : « N° 144; Copie [d'une main] étrangère de la Sinfonie Eroique *(sic)*, en partition avec observations autographes. » Mise à prix 3 florins, elle fut poussée jusqu'à 3 fl. 10 seulement! Le compositeur Joseph Dessauer s'en rendit acquéreur sur cette modique enchère. Elle est devenue par la suite propriété de la *Gesellschaft der Musikfreunde.*

Le titre reproduit plus haut serait, d'après Grove, un intermédiaire entre celui du manuscrit original de Beethoven et ceux donnés lors de l'édition des parties séparées, en 1806 *(à Vienna Nel Contor delle arti e d'Industria al Hohenmarkt N° 582)*, et de la partition, parue chez Simrock, en 1820, sous ce titre :

SINFONIA EROICA *Composta per festeggiare il Sovvenire di un grand' Uomo, e dedicata A Sua Altezza Serenissima il Principe di Lobkowitz, da Luigi van Beethoven, Op. 55. No III. delle Sinfonie.* Partizione. Prix 18 Fr. Bonna e Colonia presso N. Simrock 1973[2].

[1] Je dois ici remercier M. Ch. Malherbe, dont l'indiscutable compétence en matière de paléographie musicale m'a permis de lire avec certitude cette page si fameuse dans l'histoire de la musique et qui, semble-t-il, n'avait pas encore été examinée avec tout le soin désirable.

[2] Analysée dans l'*Allgemeine musikalische Zeitung*. Le

Certaines remarques accessoires à la musique, dit encore le commentateur anglais, semblent témoigner de l'incertitude de Beethoven à l'égard de son œuvre nouvelle. Le titre développé et les deux notes préliminaires, dont on ne rencontre l'analogue dans aucune de ses autres œuvres, tout cela semble avoir une signification[1].

Outre le titre, déjà assez long, on lit d'abord cette note sur les premières éditions, tant des parties séparées que de la partition :

Questa Sinfonia essendo scritta apposta più longa delle solite, si deve eseguire più vicino al' principio ch' al fine di un Academia, e poco doppo un' Overtura, un' Aria, ed un Concerto ; accioche, sentita troppo tardi, non perda per l'auditore, già faticato dalle precedenti produzioni, il suo proprio proposto effetto.

Une autre note avertit que « la partie de troisième cor est arrangée de façon à pouvoir être jouée également par le premier ou le second cor »[2]. A la différence de ce troisième cor, l'orchestre de l'*Eroica* est le même que celui de la *Symphonie* en *ré*.

II

La durée d'exécution est de cinquante minutes.

I. *Allegro con brio (mi bémol majeur* 3/4). —

même journal signale, le 10 février 1808 (col. 320), l'apparition d'un *Grand Quartetto pour Pianoforte, Violon, Alto et Vcelle, arrangé d'après la Sinfonie héroïque, Œuvre 55, de Louis van Beethoven*, à Vienne, au Bureau des Arts et d'Industrie. (Pr. 5 Fl.). Il semble bien que cette réduction soit de Beethoven lui-même.

1 Grove, p. 54.

2 « *La parte del Corno terzo e aggiustata della sorte, che*

Après deux accords de *mi bémol majeur* frappés par tout l'orchestre, les violoncelles exposent immédiatement le premier thème de l'*allegro*, énergique et solennel, sous le trémolo des seconds violons et des altos (1)[1].

Les premiers violons font entendre quelques notes aiguës syncopées *(a)*, puis terminent par un trait les douze premières mesures; aussitôt les bassons et clarinettes reprennent le thème, qui se compose essentiellement des trois notes de l'accord majeur. Les commentateurs, obsédés par l'anecdote sur Bonaparte, ont voulu y voir le *leit-motiv* du héros; Grove et Colombani l'ont rapproché plus simplement de l'ouverture de *Bastien et Bastienne*, entendu peut-être par le jeune Beethoven à Bonn :

possa eseguirsi ugualmente sull Corno primario ossia secondario. » La même observation se lit tout au bas de la première page du manuscrit de Dessauer. (THAYER, *Chronologisches Verzeichniss*, p. 57.)

[1] En tête du manuscrit de Dessauer on lit cette note autographe : « *Die erste Violin-Stimme werden gleich die andere Instrumenten zum Theil eingetragen.* » (THAYER, *Chron. Verz.*, p. 57.) Au bas de la même page, se trouve la note relative au 3e cor.

Ils l'ont comparé aussi au scherzo de la plus héroïque des sonates (op. 106), et signalé l'analogie frappante qu'il offre avec le début de la *Symphonie* en *ré* de Brahms :

Après quelques mesures dans lesquelles l'orchestre tout entier, moins les trompettes et les timbales, semble vouloir rompre le rythme à 3/4 et le remplacer par un rythme à 2 temps, le motif revient, triomphant de cette lutte, dans un unisson formidable. Soudain, avec un *piano*, un second motif apparaît (2),

composé essentiellement de trois notes, alternativement aux hautbois, aux clarinettes, aux flûtes et aux violons, se terminant en *tutti;* il se poursuit avec calme par quelques mesures, d'une allégresse paisible, que vient bientôt animer le premier violon (3) et (4).

« Le héros a pour la première fois essayé sa force; il se retourne et regarde le chemin parcouru[1]. » C'est le second sujet (5) que l'harmonie, puis les vio-

1 NEITZEL, *Beethoven's Symphonien*, p. 23.

lons expriment par une série d'accords *pizzicato;* repris immédiatement *crescendo* par l'harmonie, il paraît lutter avec le quatuor qui l'interrompt et amène, par un *crescendo* de dix mesures parti du *pianissimo*, un *tutti* où domine le rythme du début, mais avec une accentuation sur le temps faible, qui lui donne une tout autre physionomie (6).

Cette phrase en *si bémol* introduit une suite d'accords dont les six derniers, *sf*, semblent encore une fois essayer de briser le rythme ternaire, accentuant *sf* alternativement le second et les premier et troisième temps des mesures (7).

Puis l'orchestre s'apaisant, mais sans reprendre haleine, se hâte à travers les modulations les plus hardies vers la conclusion de la première partie de l'*allegro*, qui est répétée, suivant la règle.

Alors commence ce prodigieux développement (*working-out*, disent les Anglais d'un mot beaucoup plus expressif) qui fait du premier mouvement de l'*Eroica* une des compositions les plus grandioses de Beethoven.

Quelques notes aux violons, clarinettes et bassons reprennent, déformé, le premier thème (1), puis le second, sur un accompagnement des cordes, repris par l'harmonie (2 *bis*).

Ces quatre notes « servent de thème à un passage en imitations, par lequel Beethoven fait voir qu'il est capable d'écrire une fugue, mais il montre qu'il n'est pas en humeur de pareils jeux. Plus loin, il aura le loisir de s'amuser au contrepoint, mais ici sa passion est trop impérieuse. La pensée est tout pour lui, le moyen n'est rien. Cette courte promesse de contrepoint est brusquement emportée dans une explosion de rage, qui forme le centre du mouvement tout entier, et où les plus irréconciliables dissonances de l'harmonie, les dislocations de rythme les plus obstinées forment ensemble un tableau d'opiniâtreté et de fureur, une tempête de force à briser toute autre poitrine que celle du gigantesque héros dont Beethoven veut faire le portrait, mais auquel il ressemble lui-même beaucoup plus que Bonaparte. Ce passage, long de 32 mesures, est du pur Beethoven; il n'y avait rien de pareil dans l'ancienne musique, et il était impossible que cela fût compris par les critiques du temps, lesquels ne regardaient qu'aux notes et ne jugeaient que selon les règles des sons, sans s'attacher à leur signification[1] ».

Les thèmes (1) et (4) reparaissent au violon en *ut mineur*, puis en *ut dièze mineur* (8), précédant une reprise de (3).

[1] GROVE, p. 63-64.

A peine les différents instruments : altos, seconds violons, premiers violons, bassons, hautbois, flûtes, ont-ils fait leur entrée, qu'un *fortissimo* s'établit et tout l'orchestre, comme on l'a déjà vu dans la première partie, semble vouloir faire triompher un rythme binaire (ce sont les 32 mesures dont parle Grove). Le calme rétabli, le quatuor resté seul, prépare par un *decrescendo* l'apparition d'un nouveau motif, confié d'abord aux deux hautbois et au violoncelle (9), gra-

cieux et léger, repris immédiatement en *la mineur* (flûte, violon et basson).

Cette reprise terminée, le quatuor, la clarinette et les bassons reprennent le premier thème en *ut majeur*, qui reparaît ensuite en mineur; puis une série de modulations amène le ton de *mi bémol mineur*, dans lequel la clarinette, accompagnée par le basson et violoncelle, reprend le nouveau motif, en *mi bémol mineur* (9 *bis*).

Nouvelle rentrée du premier motif, aux bassons, auxquels les autres instruments se superposent. L' « héroïque mouvement » (Grove) des basses accompagne *pizzicato*.

Puis, après 23 mesures dans lesquelles le quatuor alterne avec les bois, descendant du *fortissimo* au *pianissimo*, les violons seuls font entendre ce fameux trémolo, ce « sourire de la Chimère » (Lenz), se résolvant, *ppp*, sur un fragment de l'accord de septième dominante, sous lequel le cor, d'abord *ppp*, vient faire entendre un rappel du thème initial[1].

[1] « On conçoit, dit Berlioz, quel étrange effet cette mélodie

Un *fortissimo* de deux mesures s'établit, qui suit immédiatement une reprise des premières mesures de la Symphonie. Mais, au lieu de rester dans le ton de *mi bémol*, Beethoven module en *fa* (1 *bis*), ce qui

amène une répétition du premier motif par le premier cor, en *fa mineur*, répétition suivie immédiatement

formée des trois notes de l'accord tonique doit produire contre les deux notes dissonantes de l'accord de dominante, quoique l'écartement des parties en affaiblisse beaucoup le froissement ; mais au moment où l'oreille est sur le point de se révolter contre une semblable anomalie, un vigoureux *tutti* vient couper la parole au cor, et, se terminant *piano* sur l'accord de la tonique, laisse rentrer les violoncelles, qui disent alors le thème tout entier sous l'harmonie qui lui convient. A considérer les choses d'un peu plus haut, il est difficile de trouver une justification sérieuse à ce caprice musical. » *(A travers Chants.)* « Cela produit toujours, pour ceux qui ne connaissent pas la partition, le même effet que si le corniste avait mal compté les mesures et était tombé à contre-temps. A la première répétition de cette symphonie, répétition qui fut terrible, mais où le cor fit bien son entrée, j'étais près de Beethoven, et, croyant qu'on s'était trompé, je lui dis : « Maudit corniste, ne pouvait-il pas compter? — Cela sonne « abominablement faux! » Je crois que je fus bien près de recevoir un soufflet. — Beethoven a été longtemps à me pardonner. » (Ries, *Notice sur Beeth.*, trad. Legentil, p. 106.)

« Cette harmonie était contraire à toutes les règles de l'époque ; elle était absolument fautive — fautive comme un larcin, — et cependant qu'elle est belle, et parfaitement en

d'une troisième, en *ré bémol majeur*, par ia flûte et le premier violon.

Les autres motifs reparaissent successivement, mais fort modifiés; enfin arrive la *Coda*, longue de 140 mesures. Elle débute par une réminiscence du premier sujet qui, avec les motifs (2) (4) et (5), ne va plus quitter l'orchestre, tantôt à l'harmonie, tantôt aux seconds violons avec cet accompagnement nouveau des premiers violons; *pianissimo* (mesures 15 et suivantes) :

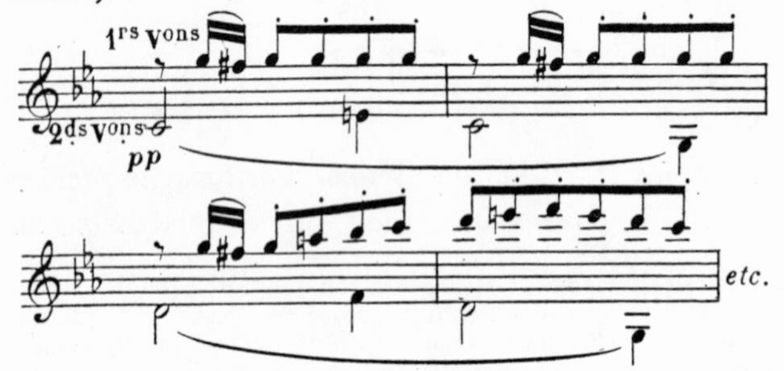

et tantôt confié aux cors en *mi bémol*, sous un accompagnement des premiers violons, dont le rythme

situation! Et poétique avec quelle intensité! Le mouvement « héroïque » des basses a cessé, nous laissant en d'étranges régions lointaines ; le tumulte du jour s'est apaisé, et peu à peu tout s'est éteint ; les cors voilés et autres instruments à vent complètent la sensation enchanteresse et partout semble tomber un crépuscule magique. Enfin tous les instruments suspendent leur bruissement mystérieux, on n'entend plus que les violons, aussi doux que possible, frissonnant et comme endormis, lorsqu'un lointain soupir de cor s'élève, semblable à quelque fragment incohérent de songe. C'est une de ces évasions de la vie réelle qui ne nous étonnent jamais quand nous dormons. Il n'en faut pas davantage cependant pour rompre le charme ; comme par miracle, tout a changé ; et nous sommes rendus à la pleine lumière du jour, à toutes

rappelle le motif (4). Les timbales n'apparaissent que vers la fin, venant renforcer de leur roulement le tumulte de l'orchestre qui, dans toute sa force, après une très courte accalmie, termine dans un *tutti* puissant cette prodigieuse lutte sonore[1].

II. *Marcia funebre. Adagio assai (ut mineur,* 2/4). — Après avoir atteint le point culminant de son art dans ce premier mouvement de la *IIIe Symphonie*, après ces combats dont le seul héros victorieux est lui-même, Beethoven compose une grandiose marche funèbre à la mémoire de son héros[2].

Un premier thème (10), de huit mesures, est exposé

nos facultés et nous nous retrouvons nous-mêmes, chez nous, dans le sujet et dans la tonalité du début. » (Grove, p. 66-67.) Au-dessous de cette page, Grove a noté que Fétis et les chefs d'orchestre italiens (de Londres probablement) transformaient les quatre notes de cor, *mi bémol, sol, mi bémol, si bémol* en : *ré, si bémol, fa*, et que Wagner et Costa, — « chose presque incroyable » — remplaçaient par un *sol* le *la bémol* du second violon! De même que l'édition anglaise des *Symphonies de Mozart et de Beethoven*, publiée avant 1820 et dédiée au prince de Galles.

[1] Dans le manuscrit de Dessauer, une note, à la fin de ce mouvement indique que « les trois cors sont arrangés à l'orchestre de façon que le premier cor se tient au milieu des deux autres ». Cette note fut effacée à plusieurs reprises (Thayer, *Chr. Verz.*, p. 57).

[2] Schindler raconte que, lorsque Beethoven apprit la mort de Napoléon à Sainte-Hélène, il dit qu'il avait écrit son oraison funèbre dix-sept ans auparavant.

pianissimo par les premiers violons accompagnés des autres instruments à cordes, et repris immédiatement par le hautbois accompagné discrètement par la clarinette, le cor, la trompette et le basson, le quatuor faisant entendre sourdement quatre notes, comme un roulement voilé de tambours.

Un second motif, en *mi majeur*, est dit par les premiers violons, et vient, à travers des alternatives de *piano* et de *forte*, se poser sur l'accord de dominante (11) et, achevé par le quatuor, amène une re-

prise du motif (10), en *fa mineur*, aux violons, et du motif (11) au hautbois, les autres motifs continuent d'être repris par l'harmonie, le quatuor répétant son roulement déjà entendu[1].

[1] « Ces matériaux, dit Grove, sont employés et développés longuement et avec l'effet le plus riche et le plus solennel,

Le ton change, de majeur en mineur : un motif (12)

accompagné par le quatuor se fait entendre *piano* aux instruments à vent (hautbois, flûtes, bassons), qui s'anime et atteint le *fortissimo* à la huitième mesure.

Pendant quatre mesures, le tutti, sur un vigoureux roulement de timbales, donne les deux notes *sol, ré*. Une rentrée des violons (13), développant ce motif

accompagné en triolets par les altos (12), ramène le

à la fin de la première partie. Le poète Coleridge, dit-on, fut empoigné un jour à l'audition de cette symphonie à la Philharmonic, et fit remarquer à un de ses amis, pendant la marche, qu'il lui semblait voir un cortège funèbre d'une couleur pourpre foncé ; et cette impression n'est pas inadéquate à cette première partie, avant que les chagrins reviennent plus frissonnants et plus développés ; mais Coleridge doit certainement avoir dit quelque chose également approprié au passage où, dans le trio de la marche, le ton module d'*ut mineur* en *ut majeur*, où, comme un repos soudain dans le ciel sombre, apparaît cette phrase » (12).

piano et, jusqu'à la fin de ce passage assez court en majeur, les différents instruments de l'harmonie (cor, hautbois, basson) font tour à tour entendre des fragments des motifs (11) et (12). Un *crescendo* s'établit dans tout l'orchestre, aboutissant à un *fortissimo* sur les notes *ut*, *sol*, *ut*, comme plus haut, qui prépare une rentrée du premier motif. Celui-ci vient s'achever en *fa mineur*. Alors les seconds violons, prenant cette note comme point de départ, exposent un thème de fugue (14) repris à la quinte supérieure par les

premiers, avec un sujet secondaire aux bassons et altos (14).

Bientôt, tout l'orchestre prend part à la mêlée sonore; les timbales, les trompettes viennent lui prêter leurs sonorités et leur rythme. Un instant de calme laisse à découvert les premiers violons répétant en *sol mineur* les deux premières mesures du premier motif (10).

Un *fortissimo*, parti des contre-basses et des violoncelles sur l'accord d'*ut mineur*, se partage huit mesures, précédant, huit mesures plus loin, une reprise du thème par les clarinettes et les hautbois, sur un accompagnement de cordes (10). Après quoi, les violons reprennent le second thème (11). Un nouveau silence prépare l'introduction par le quatuor d'un nouveau motif en *si bémol mineur* dérivé de celui des flûtes (12), qui se poursuit en syncopes, amenant bientôt pour conclure une dernière répétition du premier motif *sotto voce* aux premiers violons seuls accompagnés en *pizzicato* par les cordes graves et par des tenues *pp* des clarinettes et de deux cors. Un rude accord d'*ut mineur* et qui va s'éteindre *piano* sur un point d'orgue, termine brièvement la Marche funèbre[1].

[1] Beethoven avait déjà composé, dans sa Sonate pour piano, op. 26, parue en 1802, une *marcia funebre sulla morte d'un eroe*, « superbe et retentissante d'accords, dit M. C. Bellaigue, mais beaucoup moins développée, beaucoup moins épique que l'*adagio* de notre symphonie. Ce qui donne à la marche de l'*Héroïque* son incomparable grandeur, c'est d'abord la beauté de l'idée mélodique elle-même ; c'est aussi une particularité de rythme : à la première moitié de chaque mesure, c'est l'arrêt, la défaillance qui coupe, de stations et comme de chutes douloureuses, la route menant à l'illustre tombeau. En dépit de quelques traits descriptifs : roulemens de tambours ou décharges de mousqueterie, ici encore l'inspiration de Beethoven est avant tout morale. A cet appareil de deuil, à « ces tristes représentations », comme dit Bossuet, il mêle ce qu'y mêlait aussi le grand orateur : la pensée de notre néant et celle de notre éternité. La délicieuse phrase en majeur, cette phrase de consolation, avec son accompagnement perlé, ses pures sonorités de flûte, ouvre le ciel à l'âme du héros. Plus loin, que sort-il de la fugue éclatante, de la mêlée où retentit un dernier écho des combats? Une voix plaintive, quelques notes désolées seulement, pour nous rap-

III. *Scherzo. Allegro vivace (mi bémol majeur,* 3/4). — Sur un murmure du quatuor, le Scherzo débute *pianissimo* et *staccato* par un motif gai et léger, en

si bémol majeur (15), aux hautbois et premiers vio-

peler que « rien ne manque dans tous ces honneurs, que celui à qui on les rend ». Puis une immense acclamation s'élève, qui semble « vouloir porter jusqu'au ciel le magnifique témoignage de notre néant » ; mais elle retombe aussitôt. Alors toute cette superbe douleur s'humilie, et le thème revient brisé, trébuchant à chaque note et comme à chaque pierre du lugubre chemin. Quelle fin qu'une pareille fin!... » (C. Bellaigue, *Revue des Deux-Mondes*, 15 nov. 1892, p. 443. *L'Héroïsme dans la Musique.*)

lons, dans lequel A.-B. Marx a voulu voir une chanson d'étudiants (voir plus haut, p. 79, note 1). Répété à l'aigu, en *fa*, par les flûtes et les violons, un second motif où les flûtes et violons alternent, s'y enchaîne (16) :

puis le quatuor reste seul, continuant son accompagnement *pizzicato;* le premier motif ne tarde pas à se montrer de nouveau en *fa*, puis en *mi bémol*, et vient aboutir à un *tutti* de l'orchestre où le rythme ternaire se brise par l'accentuation du temps faible de la mesure (17); des alternatives du quatuor et de

l'harmonie suivies d'un court *tutti* amènent la conclusion de la première partie, qui est bissée. Le premier motif du *Trio* (18) est confié aux cors, répété et joué

deux fois de suite. Puis développé, il aboutit à un long point d'orgue (19), *decrescendo;* cette partie

est encore bissée, après quoi, la première partie est répétée qui se termine par un *tutti* d'abord sous la forme déjà entendue (17), puis à deux temps *alla breve,* en blanches. Tout de suite, le rythme à 3 temps se rétablit, le murmure du quatuor alternant avec celui des bois; enfin, un *fortissimo* emporte tout l'orchestre, qui se hâte vers la *coda :* celle-ci, de vingt mesures seulement, débute *pianissimo;* les timbales d'abord, puis le quatuor, marquent le rythme et entraînent, comme après une courte hésitation, tout l'orchestre vers une conclusion immédiate.

IV. *Finale. Allegro molto* (*mi bémol*, 2/4). — Le finale, d'une allure aussi impétueuse, après un trait rapide de tout le quatuor, amène l'orchestre entier sur l'accord de septième dominante. Un point d'orgue; puis, *piano* et *pizzicato*, un premier thème apparaît au quatuor (20)[1], qui fournit un thème à de nombreuses imitations. Le voici d'abord, repris comme

[1] Ce thème se retrouve ainsi que celui de *Prométhée*, dans le finale fugato *(Allegro con brio)* des *Variations*, op. 35, dédiées à Lichnowsky (analysées dans l'*Allgem. musik. Zeit.*, 22 févr. 1804).

en écho par les bois (20), puis en blanches, par le second violon, les autres instruments à cordes faisant l'accompagnement en triolets (20 *bis*) ; ensuite par le

premier violon, en *ut* (20 *ter*); interrompu, repris,

cédant enfin la place à un second motif (21) que Beethoven avait déjà employé dans son *Prométhée* (voir plus haut). Celui-ci est exposé par les bois, *piano*, puis repris *forte* par les premiers violons et les altos accompagnés par une batterie en doubles croches. La clarinette s'en empare en tierce, la flûte, les violons, le basson et le cor répétant le premier motif

en blanches; et il se termine aux hautbois, violons et bassons par la conclusion du nouveau motif. Ces deux éléments, variant sans cesse, occupent l'orchestre pendant quelques mesures, jusqu'à ce que le second motif revienne sous sa forme originelle aux premiers violons et aux flûtes. Lorsque l'orchestre les a longuement employés et développés, un point d'orgue soudain, sur l'accord de septième dominante, impose le silence... *Andante*, le motif (21) sonne à l'harmonie, *piano*, puis au quatuor (23), les instruments aigus le varient.

paraissent se jouer légèrement autour de ce thème, mais bientôt les cuivres surgissent et de leur voix puissante le répètent avec une ampleur majestueuse; il triomphe, plane sur tout l'orchestre. Le tumulte déchaîné s'apaise; on n'entend plus que quelques notes des flûtes, des bassons et des cordes, sous un murmure continu des violoncelles donnant le *mi* grave. *Decrescendo, l'andante* se termine et fait place à un *presto* subit, *fortissimo*. Les cors et bassons, puis les instruments plus aigus de l'harmonie font une dernière fois entendre le début du thème (21) avec un

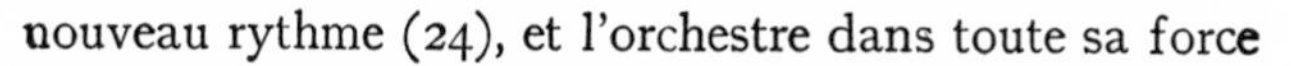

nouveau rythme (24), et l'orchestre dans toute sa force

et toute sa plénitude, termine la péroraison après une longue suite d'accords toniques.

III

La *Symphonie héroïque* fut exécutée pour la première fois chez le prince Lobkowitz qui, au dire de Ries, en fit l'acquisition « pour quelques années, pendant lesquelles elle fut souvent exécutée dans le palais du prince. Là, il arriva que Beethoven, qui dirigeait lui-même dans la seconde partie du premier allegro, où pendant longtemps, à cause des notes doubles, on va à contre-sens, jeta une fois tout l'orchestre tellement hors de mesure, qu'il fallut répéter depuis le commencement »[1].

[1] Ries, *Notices sur Beeth.*, trad. Legentil, p. 105.

Ici, il nous faut entrer dans une discussion de plusieurs détails qui, jusqu'à présent, ont échappé à l'attention des commentateurs.

La date d'*août 1804*, inscrite sur le titre du manuscrit, nous paraît devoir être attribuée à la première audition. Elle peut laisser douter de la véracité de l'anecdote si souvent reproduite d'après Ries ; mais, comme celui-ci n'est pas toujours d'une exactitude rigoureuse[1], il semble bien, ici encore, avoir brouillé les dates. On sait que le prince-compositeur Louis-Ferdinand de Prusse entendit l'*Héroïque* dans sa nouveauté, au château de Raudnitz (propriété du prince Lobkowitz, située à peu près au tiers du chemin de Prague à Dresde). Wranitzky dirigeait l'œuvre nouvelle de Beethoven ; le prince fut tellement charmé, qu'il voulut en entendre deux auditions encore, dans la même journée. Le lendemain, il continuait sa route vers Dresde. Suivant une autre version, ce prince-compositeur l'avait déjà entendue à Vienne, qu'il traversait « dans un strict incognito se rendant en Italie »[2]. Rien ne s'oppose à ce qu'il ait assisté à la première audition à Vienne puis aux trois auditions consécutives de Raudnitz. Et cette anecdote nous fournit la date approximative de ces exécutions. En effet, revenant de Silésie, où avaient lieu (août 1804) les manœuvres

1 Loin de là ! Ainsi, dès la première page de ses notes, il place l'oratorio du *Mont des Oliviers* et la *Symphonie* en *ré* en 1800, date de son arrivée à Vienne. Plus loin, il confond la *IIe Symphonie* avec la *IIIe*.

2 Voir GROVE, *Diction.*, I, 493 et II, 169 (art. *Eroica* et *Louis-Ferdinand*). Le voyage en Italie date de 1806.

de l'armée prussienne, Louis-Ferdinand se rendit en Moravie inspecter les troupes autrichiennes; il s'y rencontra avec l'empereur d'Autriche. Tandis que celui-ci, après l'entrevue, partait visiter les forteresses de la Bohême, le prince de Prusse se rendait à Vienne, où il était reçu par le duc héritier Anton et le duc Ferdinand de Württemberg de la façon la plus cordiale (septembre 1804). Il eut une conversation avec le ministre Cobentzel, dans le but de resserrer l'alliance entre la Prusse et l'Autriche, en vue de la reprise des hostilités dans l'Europe centrale. Sa mission terminée, il regagna Berlin en passant par Prague et Dresde. Ce fut évidemment dans ce voyage, et non en allant en Italie, comme le dit Grove, que le prince-compositeur s'arrêta à Raudnitz et se fit jouer trois fois l'*Eroica*, qu'il avait déjà pu applaudir chez Lobkowitz, à Vienne ; c'est au contraire en 1806, à l'époque du voyage en Italie, que se place cette anecdote rapportée par Ries :

Comme le prince Louis-Ferdinand était à Vienne, une vieille comtesse donna une petite soirée musicale; Beethoven y fut naturellement invité. Quand on alla souper, il n'y avait des couverts à la table du prince que pour les convives d'un rang élevé et pas pour Beethoven. Il se fâcha, dit quelques duretés, prit son chapeau et partit.

Quelques jours plus tard, le prince Louis donna un dîner; une partie de cette société, y compris la vieille comtesse, fut invitée. Quand on se mit à table, on indiqua à la comtesse sa place à un des côtés du prince et à Beethoven sa place de l'autre côté, distinction qu'il rappelait toujours avec plaisir[1].

[1] Ries, *Notices sur Beeth.*, p. 146-147. Cf. *Deutsche Biographien* & la 3e *Beethoven-Heft* de *Die Musik* (1903-1904).

Ajoutons que Beethoven tenait Louis-Ferdinand en haute estime ; un jour, il le complimenta de jouer, « non en roi ni en prince, mais en solide pianiste » ; et lorsque son *Concerto* pour piano en *ut mineur* parut (novembre 1804), il le lui dédia[1].

La première audition, à demi publique seulement, eut lieu chez le banquier von Würth, qui donnait régulièrement des concerts dans son hôtel de Vienne, en décembre 1804. On joua le même soir les deux premières *Symphonies* et le *Concerto* en *ut mineur* dont il vient d'être question. Le correspondant viennois de l'*Allgemeine musikalische Zeitung*, rendant compte de cette soirée, faisait un éloge extraordinaire de la *Symphonie* en *ut*, puis constatait que la « nouvelle Sinfonie » était « écrite dans un tout autre style. Cette longue et difficile composition n'est rien autre qu'une fantaisie bien développée, pleine d'idées hardies et sauvages. Elle abonde en beaux passages dans lesquels on reconnaît la hardiesse du génie créateur de Beethoven, génie qui paraît quelquefois se perdre dans l'irrégularité... Comme critique, j'appartiens certes aux admirateurs les plus sincères du grand maître, mais je dois convenir que, dans cet ouvrage, l'auteur abuse souvent de duretés et de bizarreries; ces défauts en rendent l'étude difficile et font perdre [de vue] l'unité »[2].

[1] Devenu chef de l'armée prussienne, Louis-Ferdinand mourut à la bataille de Saalfelden (10 octobre 1806).

[2] *Allg. musik. Zeit.*, 1er may 1805, col. 501 ; Corresp. de Vienne du 9 avril. En 1808, le même journal signale au Meier-Konzert une exécution de la Symphonie en *ré dièze*.

Ce n'est que six mois plus tard, le dimanche 7 avril 1805, au théâtre *an der Wien*, qu'eut lieu la première audition publique, à l'un des concerts de Klement. Elle formait le premier numéro de la seconde partie du programme, qui l'annonçait en ces termes :

Une grande Sinfonie en *ré dièze mineur* de M. Ludwig van Beethoven, dédiée à Son Altesse le prince von Lobkowitz. Le compositeur aura le plaisir de la diriger lui-même.

L'*Allgemeine musikalische Zeitung* rendit compte le 1er mai du concert du 7 avril :

J'entendis, écrit le correspondant viennois, une nouvelle Sinfonie de Beethoven en *mi bémol* (sur l'affiche elle était par erreur annoncée en *ré dièze majeur)* sous la direction du compositeur lui-même et exécutée par un orchestre bien complet. Mais cette fois je ne trouvai aucun motif pour modifier mon précédent jugement sur cet ouvrage. Vraiment, cette œuvre nouvelle de Beethoven renferme des idées grandes et hardies, comme on doit en attendre du génie puissant du compositeur, et une grande puissance d'expression. Mais cette Sinfonie gagnerait infiniment (elle dure *une heure entière)*, si Beethoven voulait se résoudre à y faire quelques coupures et à apporter dans son ensemble plus de lumière, de clarté et d'unité, qualités dont n'ont jamais manqué les Sinfonies en *sol mineur* et en *ut majeur* de Mozart, en *ut* et en *ré* de Beethoven, et celle en *mi bémol* et en *ré* de Eberl... Ainsi, il y a une marche funèbre en *ut mineur* à la place de l'*andante*, qui se poursuit en forme de fugue; mais cette fugue se perd à travers l'ordre observé dans une confusion véritable; et même après plusieurs auditions, elle échappe à l'attention la plus soutenue, de sorte que cela choque le connaisseur non prévenu. Aussi s'en faut-il de beaucoup que cette Sinfonie ait été généralement goûtée[1].

[1] *Allg. musik. Zeit.*, 1er may 1805, col. 501 ; Corresp. de Vienne du 9 avril. En 1808, le même journal signale une exécution de la *Symphonie* en *ré dièze*, au Meier-Konzert.

Après une nouvelle audition dirigée par Beethoven lui-même, en décembre 1807, de cette œuvre « encore plus difficile » que la Symphonie en *sol* de Mozart, « le rédacteur doit, malgré tout ce qui a été écrit sur cette œuvre d'art, rester fidèle à son opinion exprimée lors de la première exécution, à savoir que cette Symphonie contient sans nul doute beaucoup de choses sublimes et belles, mais aussi que ces choses sont mélangées à beaucoup de duretés et de longueurs, et qu'elle ne pourra acquérir la forme pure d'une œuvre d'art accomplie que par une fonte complète »[1].

Exécutée dès le 1er novembre au premier concert d'abonnement de Berlin, la *Sinfonie* en *ré dièze* contenait, de l'avis du correspondant de la *Gazette*, « beaucoup d'originalité, de la richesse, souvent du superflu dans l'harmonie, et même de temps en temps de la bizarrerie... »

En général, concluait-il, cette symphonie ne fit pas la même sensation que celles de Mozart et de Haydn. L'appro bation des connaisseurs s'adressa aux musiciens pour les difficultés heureusement surmontées pendant trois quarts d'heure environ[2].

Un rédacteur du même journal, Rochlitz peut-être, analysant la *IIe Symphonie* réduite par Beethoven pour trio, en 1806, écrivait :

Beethoven a composé il y a deux ans une troisième grande

[1] *Allg. musik. Zeit.*, 6 janv. 1808, col. 239. Let. de Vienne, 26 déc. 1807. L'*Eroica* fut encore reprise le dimanche des Rameaux de 1808 (*Id.*, 18 may 1808, col. 540-541, let. de Vienne, en avril) au Burg-Theater.

[2] *Allg. musik. Zeit.*, 28 nov. 1805, col. 146 : *Details über Konzertmusik in Berlin.*

Sinfonie, sans contredit dans le même style que la seconde, mais *encore* plus riche en idées et d'une exécution pleine d'art encore plus largement, plus profondément et plus longuement tenue, de sorte qu'elle dure une heure. Cela est évidemment exagéré; car tout doit avoir ses limites et si le vrai, le grand génie peut exiger que la critique lui trace ces limites non d'après sa volonté ou d'après la coutume, il n'en doit pas moins respecter *celles* qui lui sont imposées par la capacité ou la faculté de jouissance, non de tel ou tel public, mais de l'homme en général. Et certes, le musicien plus encore que le peintre ou le poète, surtout le compositeur de musique instrumentale, doit y faire attention, parce que tous les avantages des arts accessoires et des charmes à côté lui sont refusés. Il ne peut même pas dire, en tout cas, comme le poète : représentez ou ne représentez pas mon — *Wallenstein* avec ses onze actes en trois journées, mais lisez-le!

Néanmoins, l'auteur de cette critique déclarait l'*Eroica* « une création des plus originales, sublimes et profondes en ce genre de musique »[1].

Quelques mois plus tard était annoncée dans la même *Gazette* une exécution de l'*Eroica* « qui a été jugée récemment dans ce journal avec beaucoup d'impartialité et de compétence »[2] ainsi que des deux précédentes Symphonies de Beethoven et de la *IV*e, « encore inconnue, dans une société très choisie qui a souscrit au profit de l'auteur des sommes très importantes »[3]. Ce concert eut lieu en mars, chez le prince Lobkowitz.

Dionys Weber, directeur du Conservatoire de Prague, ne manqua pas, dès qu'il la connut, de critiquer la

[1] *Allg. musik. Zeit.*, 1er oct. 1806, col. 10.
[2] *Id.*, *ib.*, 18 février 1807, col. 321-334.
[3] *Id.*, *ib.*, 18 mars 1807, col. 400.

nouvelle manifestation du génie de Beethoven. Schindler rapporte qu'il la signala à ses élèves comme une « composition d'une immoralité dangereuse ». Elle fut néanmoins exécutée deux ans plus tard au concert des Amateurs de Prague, devant un public enthousiaste[1].

Carl-Maria von Weber, le grand Weber lui-même, ne ménagea pas ses sarcasmes à la *Symphonie héroïque* et dans son *Künstlerleben*, imaginant un dialogue entre les différents instruments de l'orchestre :

D'un trait, dit-il, entre le garçon d'orchestre : tous les instruments se séparent, parce qu'ils savent que le nouveau venu les emballe de ses fortes mains et les porte aux répétitions. « Adagio, dit-il, ne fuyez pas; on vous régalera bientôt de la *Symphonie héroïque* de Beethoven, et que celui qui pourra mouvoir un membre ou une clé parle ! » — « Ah ! pas cela, nous refuserons tous alors. Plutôt un opéra italien; là, au moins, on peut se permettre quelques œillades, murmura la viole. »

« — Larifari, dit le garçon; croyez-vous, par hasard, que, à notre époque de progrès où il se passe tant de choses, un compositeur doive renoncer, pour vous, à taire ses idées divines, gigantesques ? Dieu le garde ! On ne peut plus faire une question maintenant de la netteté, de la tenue, de la passion comme au temps de Gluck, de Händel et de Mozart[2]. »

Au Gewandhaus, l'*Eroica* parut pour la première fois le 29 janvier 1807, dirigée par G. Schlicht. A cette occasion, un programme fut distribué, donnant cette analyse de l'œuvre nouvelle de Beethoven :

1 *Allg. musikal. Zeit.*, 17 juin 1806, col. 610.
2 Weber, *Ausgewählte Schriften*, Edit. Reklam, p. 50-51.

« Grande symphonie nouvelle composée par Beethoven et exécutée pour la première fois à Leipzig. 1) *Allegro* fier et splendide. 2) Marche funèbre sublime et solennelle. 3) *Scherzando*, impétueux. 4) Grand *Finale* en style sévère. »

Elle fut reprise huit jours plus tard, le 5 février, puis le 19 novembre de la même année (avec les deux Symphonies précédentes ; toutes trois furent accueillies avec une joie indescriptible)[1].

Malgré ces exécutions répétées à Leipzig, l'*Eroica* ne se répandit que lentement en Allemagne, puisqu'elle ne fut exécutée qu'en 1815 à Hanovre, le 27 mai, au bénéfice du Frauenverein; c'était la première œuvre de Beethoven qui parût sur un programme de concert symphonique.

A l'égard de Beethoven, écrit l'historiographe du Hoftheater de Hanovre, Hanovre était de beaucoup en retard sur Brême, où les œuvres pour piano de Beethoven étaient exécutées depuis 1782 et les Symphonies depuis 1811, ce qui était alors merveilleux pour l'Allemagne du Nord[2].

A Cassel, l'*Eroica* fut entendue, sous la direction de Guhr, en 1815. « Cette œuvre géniale fut très bien exécutée; on la trouva seulement trop longue, bien que le dernier mouvement eût été donné à la fin de la première partie du concert[3]. »

[1] *Allg. musikal. Zeit.*, 13 janv. 1808, Corresp. de Leipzig sur les *Concerts hebdomadaires*.

[2] Dr. Georg Fischer, *Opern und Concerte im Hoftheater zu Hannover bis 1866*, p. 81.

[3] *Allg. musik. Zeit.*, 30 oct. 1816, col. 754.

La *Symphonie héroïque*, dit Wasielewski, causa au début plus d'étonnement que d'admiration joyeuse. Sa structure grandiose et son style puissant dépassant de beaucoup tout ce qui existait alors, et notamment les deux premiers mouvements, ne furent, à peu d'exception près, ni compris tout de suite ni appréciés à leur juste valeur. La critique, outre le manque de *clarté et d'unité*, y trouva trop de duretés et de bizarreries. Elle reprocha surtout à cet ouvrage sa longueur tout à fait inaccoutumée, en contradiction avec toutes les habitudes, et crut devoir conseiller à Beethoven de l'abréger. On dut même le lui conseiller de vive voix, car nous savons qu'il répondit qu'une symphonie composé par *lui* n'était pas trop longue, quand même elle durerait une heure. Selon toute apparence, Beethoven réfléchit après coup à cette observation, car aucune des cinq symphonies qui suivirent n'atteignit les dimensions de la *Troisième*[1].

En Angleterre, la première audition eut lieu à la Philharmonic dès la deuxième saison, le lundi 21 février 1814, au deuxième concert, sous le titre : « *Sinfonia eroica* (comprenant une Marche funèbre) Beethoven. » Elle figura régulièrement dans la suite au répertoire de la Société et c'est elle peut-être qui fut donnée au troisième concert de 1817, sans indication de ton ni de titre. Six auditions eurent lieu de 1824 à 1834. En 1823, le journal musical *The Harmonicon* fut fondé ; William Ayrton y rendait compte régulièrement des concerts.

Ayrton était bon musicien, dit Grove, et à beaucoup d'égards libéral et fort en avance sur son temps. Mais son aversion pour plusieurs des Symphonies de Beethoven est remarquable. Chaque fois qu'il parle de l'*Eroica*, il plai-

[1] Wasielewski, II, 232.

sante en ricanant sur sa longueur, ou sur le manque de liaison de ses mouvements entre eux. « Trois quarts d'heure sont un trop long temps pour retenir l'attention sur un seul morceau de musique; le principal de ses mérites est de faire souhaiter sa fin quelques minutes avant qu'elle n'arrive » (1824). « Une œuvre vraiment magistrale, mais beaucoup trop longue pour une audition publique » (1825). « La Symphonie devrait se terminer avec la Marche, l'impression faite par celle-ci étant entièrement effacée par le Menuet qui la suit » (1827), etc.[1].

Schindler, dans son *Beethoven in Paris*, après avoir rapporté les paroles de Habeneck sur l'introduction des deux premières Symphonies à Paris, ajoute :

Après ces expériences, il y eut un arrêt jusqu'en 1815, où M. Paris, employé d'administration de l'armée prussienne d'occupation, vint à Paris en cette qualité; aimant et connaissant particulièrement la musique, il chercha à connaître les musiciens vivants; il s'attacha avec prédilection aux deux Allemands Urhan et Stockhausen. Celui-ci, sur la recommandation expresse de M. Paris, fit venir la *Symphonia eroica*, et Urhan et Stockhausen, ces deux vaillants artistes, en parlèrent à Habeneck qui, longtemps plus tard, en fit faire une répétition. Après le premier mouvement, tout le monde éclata de rire, de même après le second, et il ne fallut pas moins de persuasion pour que l'orchestre achevât la symphonie. Ainsi fut brisé le bâton du conducteur de toutes les œuvres de Beethoven à Paris, et comme M. Habeneck semblait avoir perdu courage, et même n'avoir eu que peu l'intuition de la chose, il fallut remettre à plus tard toute nouvelle tentative faite pour essayer d'éveiller dans un petit cercle d'artistes le goût pour cette musique, et attendre l'époque d'un progrès dans l'éducation avant d'oser renouveler cette expérience...

Les années passent, sans que nous trouvions le nom de

[1] GROVE, p. 92.

Beethoven sur aucun programme parisien, et, s'il arrivait qu'un mouvement de ses Symphonies y servît quelquefois de bouche-trou, il ne résultait de cette bêtise qu'un sacrilège impie.

Cette situation aussi affligeante que scandaleuse engagea le digne M. Sina qui, en sa qualité de second du Quatuor Schuppanzigh, est connu depuis cette glorieuse époque, à faire, d'accord avec son ami M. Urhan, une dernière démarche en faveur de la musique de Beethoven, à adresser à M. Habeneck une lettre dans laquelle M. Sina attirait son attention sur la Symphonie en *ut mineur*, y glissant plusieurs notices importantes la concernant ainsi que d'autres œuvres de Beethoven de cette catégorie, qu'il connaissait pour les avoir jouées sous la direction du maître lui-même. Habeneck demanda la partition de la Symphonie en *ut mineur* que M. Urhan trouva par bonheur à la Bibliothèque royale, et après une assez longue hésitation, on en fit une répétition qui réussit à souhait; mais, à une seconde épreuve, les têtes des musiciens commencèrent à s'éclairer, et bientôt après la lumière rayonnante de la vérite jaillit des harmonies de l'œuvre gigantesque et éclaira leur esprit. On revint vite aux trois premières Symphonies et, voyez, l'admiration fut générale bien qu'on n'en reconnût pas immédiatement les innombrables beautés harmoniques et mélodiques, mais on ne se dissimulait pas que, pour entendre complètement l'esprit de la langue beethovénienne, un long temps devait encore s'écouler.

... Le succès des exécutions répétées de l'*ut mineur* et des Symphonies précédentes, tandis que chacun se familiarisait de plus en plus avec elles, fit naître l'enthousiasme dans cette petite troupe et en même temps un sentiment élevé qui était inconnu jusque-là, dont aujourd'hui encore se souviennent avec un noble orgueil ces dignes prêtres de l'art musical : « Beethoven, m'ont-ils dit, nous a appris la poésie de la musique, sa musique éveilla en nous la conscience de la dignité de notre profession d'abord, et, quand nous l'eûmes compris en partie, nous reconnûmes bientôt le devoir impérieux *de nous faire les propagateurs de son enseignement.* Il fait notre joie, mais aussi notre désespoir, quand nous voulons nous efforcer de l'atteindre[1]. »

Schindler ne nous apprend pas à quelle époque se placent ces diverses tentatives. Une autre avait eu lieu en 1811, au 10e exercice des élèves du Conservatoire, et ne fut pas renouvelée, semble-t-il, jusqu'en 1828. *Les Tablettes de Polymnie* ont conservé en ces termes le souvenir de cette audition :

Beethoven est le troisième qui ait osé s'élancer dans cette carrière désormais si périlleuse à parcourir [de la musique symphonique]. Ses deux illustres prédécesseurs s'étaient emparés depuis longtemps des routes principales et ne lui avaient laissé que quelques sentiers escarpés et raboteux, environnés de précipices dans lesquels le bon goût et la pureté d'école pouvaient s'ensevelir à chaque instant. Beethoven, doué d'un génie gigantesque, d'une verve brûlante, d'une imagination pittoresque, dédaigna ces vaines difficultés, auxquelles il se croyait supérieur. Il prit le vol audacieux de l'aigle et franchit avec impétuosité tout ce qui s'opposait à cette marche rapide. Il se crut assez grand pour se créer une Ecole qui lui fût particulière, et, quel que soit le danger auquel s'exposent les jeunes compositeurs qui ont adopté cette Ecole avec un enthousiasme qui tient de la frénésie, je suis forcé d'avouer que la plupart des ouvrages de Beethoven ont un cachet grandiose, original, qui émeut vivement l'âme des auditeurs. La symphonie en *mi b*, qu'on a exécutée dans ce 10e concert, est la plus belle qu'il ait composée, excepté quelques germanismes un peu durs, dans lesquels la force de l'habitude l'a entraîné, tout le reste offre un plan sage et correct, quoique rempli de véhémence; de gracieux épisodes se rattachent avec art aux idées principales, et ses phrases de chant ont une fraîcheur de coloris qui leur appartient en propre[2].

[1] Schindler, *Beethoven in Paris*, p. 6-7.
[2] *Les Tablettes de Polymnie*, mai 1811, p. 374.

La tentative faite, au rapport de Schindler, par Habeneck, Urhan et Sina, ne put avoir lieu qu'entre 1820, — Sina arriva cette année-là à Paris, — et le mois de novembre 1826, où fut décidée, chez Habeneck, la création de la Société des Concerts.

Attristé de voir à quel degré d'abandon les concerts spirituels étaient tombés, dit Elwart, et concevant l'espoir que le public finirait tôt ou tard par accorder son attention aux chefs-d'œuvres symphoniques de Beethoven, s'il pouvait parvenir à les faire exécuter dans leur intégrité, par un orchestre que les opéras de M. Rossini avaient en quelque sorte régénéré, Habeneck aîné, à l'occasion de la fête de la Sainte-Cécile, en novembre 1826, invita à déjeuner chez lui un assez grand nombre de ses amis, la plupart attachés à l'orchestre de l'Opéra et connus de lui pour aimer la gloire de l'art, en les priant d'apporter avec eux leurs instruments. Ceux-ci, croyant qu'il s'agissait d'une aubade à donner sans doute à l'aimable compagne de leur ami et chef d'orchestre, obtempérèrent à son désir. — La *Symphonie héroïque* (sublime aubade) fut essayée, mais avec tant d'acharnement que l'heure du déjeuner se passa sans que personne s'en aperçut. — Il était près de quatre heures du soir lorsque Mme Habeneck, ouvrant la porte de la salle à manger à deux battants, dit à ses convives : « Au nom de Beethoven reconnaissant, vous êtes priés de vous mettre à table pour dîner. » Il était temps, car les instruments à vent surtout étaient sur les dents, et la contre-basse commençait à pousser des cris de cannibale[1].

Plus favorablement disposés dans un salon que dans la salle de l'Opéra, où le travail des répétitions n'est pas toujours très divertissant, raconte l'un des acteurs de cette scène, Meifred, nous trouvâmes que ces deux symphonies [l'*Héroïque* et la Symphonie en *la*] contenaient quelques morceaux *assez bien*, et qu'étudiées convenablement, rendues par un

1 Elwart, *Hist. de la Soc. des Concerts*, p. 62.

orchestre plus complet, il n'était pas impossible, malgré un bon nombre d'incohérences, de longueurs et de divagations, qu'elles produisissent leur effet[1].

D'autres essais, ajoute Elwart, eurent lieu en 1827, chez le facteur de pianos Duport, rue Neuve-des-Petits-Champs, et en dernier lieu dans les salons du courageux chef d'orchestre, maison Sieber, rue des Filles-Saint-Thomas[2].

Un dernier essai fut tenté, la même année, à l'Opéra.

On avait répété une Symphonie en *mi bémol* de Beethoven, dit Castil-Blaze, elle n'a pas été jouée, on en a joué une en *ré majeur* (deuxième concert) et l'on y a intercalé l'andante si originale en *la majeur* d'une autre symphonie[3].

[1] Rapport de Meifred, secrétaire du Comité de la Société des Concerts, sur la session 1852-53, cité par d'ORTIGUE, *Journal des Débats*, 9 et 26 novembre 1856 : *Les Inventeurs de Beethoven.*

[2] ELWART, *l. c.* Elwart se trompe lorsqu'il ajoute que Cherubini « accueillit avec un empressement qui honore sa mémoire la proposition que Habeneck lui fit d'obtenir l'autorisation de donner quelques concerts dans la grande salle » du Conservatoire. Le 7 mai 1828, en effet, Cherubini écrivait au surintendant des Beaux-Arts, qui demandait la salle pour Berlioz, que « ces concerts et les répétitions qu'ils ont occasionnées ayant apporté quelque relâchement dans les études des élèves, à cause de l'absence forcée des professeurs et d'une grande partie des classes, il est temps que je rétablisse l'ordre accoutumé pour l'enseignement ; et si l'on continue à donner des concerts à l'Ecole royale, je ne pourrai réorganiser aussi promptement que je le désire la tenue des classes. » Et, dans une lettre adressée le 12 au surintendant, Berlioz rapportait ce propos de Cherubini qui lui refusait la salle des concerts, ajoutant : « D'ailleurs, je veux faire démolir l'amphithéâtre qui existe maintenant sur la scène ; il faut qu'on enlève les pupitres. » (*Rivista musicale italiana*, avril 1905, *Nouvelles d'Hector Berlioz*, par J.-G PROD'HOMME. Ces lettres avaient été publiées précédemment, d'après le dossier des Archives nationales, par M. de Curzon (*Guide musical*, juillet 1902).

[3] Feuilleton du *Journal des Débats*, 1er juin 1827, signé XXX.

Enfin, le 15 février 1828, la Société des Concerts était fondée, et le dimanche 9 mars 1828, à deux heures, son premier concert débutait par la *Symphonie héroïque*, « généralement redemandée » quinze jours plus tard, à la seconde séance, consacrée à la mémoire de Beethoven.

L'événement inspira à Castil-Blaze les réflexions suivantes :

... Les personnes qui n'ont point assisté aux anciens concerts ne peuvent se faire une idée de l'étonnante supériorité de l'orchestre qui vient d'exécuter la symphonie héroïque de Beethoven : c'est ravissant; cela tient du prodige. Pourquoi nous laissons-nous devancer par des étrangers? D'où vient que ce chef-d'œuvre, que les Allemands savent par cœur depuis vingt ans, ne nous a été présenté que la semaine dernière? Nous l'avions entendu réduit en septuor, en duo de piano, mais de semblables miniatures ne rendent que bien imparfaitement les images grandioses du dessin primitif. Deux répétitions ont suffi pour exécuter merveilleusement cet œuvre du génie.

Une révolution s'est opérée dernièrement dans l'empire musical; a-t-elle produit des effets plus nouveaux, des tours d'une originalité plus piquante, des formes d'un ordre plus relevé qu'on n'en remarque dans l'œuvre de Beethoven? Et pourtant cette symphonie héroïque de nom et de fait, languissait dans nos bibliothèques et notre insouciance l'a condamnée pendant vingt ans à un silence bien funeste pour nos plaisirs. Je ne tenterai pas de décrire les transports d'admiration et d'enthousiasme qui ont suivi les derniers accords de chaque morceau de cet ouvrage : sept ou huit salves d'applaudissemens ont servi d'accompagnement au finale; compositeurs et symphonistes, chacun a pris sa part de cette juste libéralité. Je suis persuadé que tout le monde eût été charmé d'entendre une seconde fois et sur-le-champ, cette merveilleuse symphonie : elle dure pourtant trois quarts d'heure. Beethoven a imprimé à cette œuvre une grandeur, une magnificence, une exaltation qui se trouvent de temps en temps modifiées par des phrases d'une mélancolie profonde. Le menuet est ce qu'on peut entendre de plus original et de plus ravissant. En un mot, ce n'est pas Mozart, ce n'est pas Haydn, mais c'est aussi bien; c'est Beethoven tout entier[1].

Et quinze jours plus tard, après la seconde audition :

Le deuxième concert du Conservatoire était dédié à Beethoven; ses admirateurs célébroient un anniversaire bien triste et la cérémonie musicale avoit le caractère imposant et sérieux que commandoit la circonstance. La symphonie héroïque, généralement redemandée, a produit une seconde fois son effet victorieux; l'*andante* et le menuet sont des modèles de grâce et de vivacité, ils étincellent de beautés de tous les genres. On peut trouver dans le premier morceau quelques développemens trop étendus; le finale surtout offre de l'indécision dans son plan, et des nuages viennent de temps en temps obscurcir l'horizon. Mais si cette obscurité sert à donner plus d'éclat à la lueur des éclairs, à l'explosion du tonnerre, on doit la regarder comme un bienfait du magicien qui a pris soin de nous enchanter. D'ailleurs, cette fougue impétueuse, ce désordre du génie tiennent à l'homme extraordinaire que la musique vient de perdre; c'est précisément ce qui fait que Beethoven a su n'être ni Mozart, ni Haydn, sans leur être inférieur[2].

Le rédacteur du *Bulletin lyrique* du *Nouveau Journal de Paris* écrivait le même jour :

[1] *Journal des Débats*, 19 mars 1828, *Chronique musicale, Concerts du Conservatoire*. Signé XXX.

[2] *Id., ib.*, 29 mars 1828.

... La couleur générale de cette symphonie m'a paru uniforme, et sa durée trop longue. L'auteur se complait dans les détails qu'il traite avec beaucoup d'art. La science lui ouvre un champ si vaste qu'il se décide avec peine à en sortir : au lieu de la parcourir à grands pas, en dessinant les choses les plus saillantes, il en explore les moindres parties avec une persévérance minutieuse. Heureusement tout cela ne sent pas le travail; l'instrumentation riche et variée vient d'ailleurs y produire des oppositions fréquentes qui soutiennent et dissimulent cette surabondance de développemens. Le chant du menuet a un caractère franc et plus décidé que les autres, il est d'un style noble et large, et produit un très bel effet. On reconnaît en général, dans cette immense composition instrumentale, le cachet d'un grand maître : il y a de l'énergie et la touche vigoureuse et hardie renferme souvent même de la passion[1].

La symphonie de l'illustre défunt est d'un bel effet, disait le critique du *Figaro*. Il y a là-dedans surabondance de génie et profusion de motifs délicieux, mais qui nous paraissent manquer de liaison, comme le morceau en général manque parfois d'ordre et de clarté. Les instrumens à vent ont été employés avec art et bonheur; mais trop souvent peut-être. Du reste, ce sont là de faibles critiques, qui ne sauraient obscurcir le génie de cette brillante composition[2].

Reprise presque chaque année par la Société des

1 *Nouveau Journal de Paris*, 29 mars 1828, p. 3. *Bulletin lyrique*, signé « le Dilettante ».

2 *Figaro*, 10 mars 1828, p. 3. A peine les deux auditions du Conservatoire avaient-elles eu lieu que les concerts spirituels de l'Opéra s'emparèrent de la *Symphonie héroïque ;* elle y fut entendue le 2 ou le 4 avril, mais « moins bien exécutée », elle produisit « moins d'effet qu'à l'Ecole royale : on avait supprimé une partie de ce morceau », dit Castil-Blaze (*Journal des Débats*, 17 avril 1828 : *Chronique musicale. Premier concert spirituel).* Presque à la même époque, elle fut exécutée dans une ville de province qui cependant ne brille pas d'un vif éclat dans le monde musical, — à Perpignan (voir *la Pandore* du 20 mars 1828).

Concerts (26 avril 1829, 11 avril 1830, 30 janvier 1831, 1er avril 1832, 3 mars 1833, 18 janvier 1835, 10 avril 1836, 24 mars 1837, 22 avril 1838, 10 mars 1839, etc.), Berlioz lui a consacré à différentes reprises des articles coordonnés ou rectifiés dans son recueil *A travers Chants*. Emporté par l'idée de mettre un « programme », quand même, là où Beethoven n'avait mis qu'un titre, il a donné un sens funèbre à l'expression : « souvenir d'un grand homme ».

On voit, dit-il, qu'il ne s'agit point ici de batailles ni de marches triomphales, ainsi que beaucoup de gens, trompés par la mutilation du titre, doivent s'y attendre, mais bien de pensers graves et profonds, de mélancoliques souvenirs, de cérémonies imposantes par leur grandeur et leur tristesse, en un mot, de l'*oraison funèbre* d'un héros. Je connais peu d'exemples en musique d'un style où la douleur ait su conserver constamment des formes aussi pures et une telle noblesse d'expression.

Appliquant ce caractère funèbre à l'œuvre entière, Berlioz entend, dans l'*allegro*, « la voix du désespoir et presque de la rage »; puis, en des « phrases plus douces..., tout ce que le souvenir peut faire naître dans l'âme de douloureux attendrissements ». La marche funèbre, qui « est tout un drame », évoque pour lui des souvenirs virgiliens : « On croit y trouver la traduction des beaux vers de Virgile sur le convoi du jeune Pallas. » Homère ensuite inspire à Berlioz l'interprétation du *scherzo* : « Ce sont bien des jeux, mais de véritables jeux funèbres, à chaque instant assombris par des pensées de deuil, des jeux enfin comme ceux que les guerriers de l'Iliade célébraient autour des tombeaux de leurs chefs ». — « Le finale n'est qu'un développement de la même idée poétique... Le héros coûte bien des pleurs. Après ces derniers regrets donnés à sa mémoire, le poète quitte l'élégie pour entonner avec transport l'hymne de la gloire. Quoique un peu laconique, cette péroraison est pleine d'éclat, elle couronne dignement le monument musical. »

Beethoven, conclut Berlioz, a écrit des choses plus saisissantes peut-être que cette symphonie; plusieurs de ses autres compositions impressionnent plus vivement le public, mais, il faut le reconnaître cependant, la *Symphonie héroïque* est tellement forte de pensée et d'exécution, le style en est si nerveux, si constamment élevé, et la forme si poétique, que son rang est égal à celui des plus hautes conceptions de son auteur[1].

C'est toujours dans la même pensée de donner un « programme » à l'*Eroica*, que Fétis écrit dans sa *Biographie universelle :*

On dit que le second morceau de la symphonie héroïque était achevé et n'était autre que le colossal début du dernier mouvement de la symphonie en *ut mineur* quand on vint annoncer

1 H. Berlioz, *Journal des Débats*, 25 janvier 1835, cf. *Voyage musical*, I, 279-288, et *A travers Chants.*

« Sublime et mélancolique épopée où l'on voit que le poète a tour à tour été inspiré par les exploits de son héros et par cette tristesse poignante qu'il éprouve à l'idée de son ambition, écrit d'Ortigue. Il se livre tantôt à des excès de fureur, tantôt à une sombre rêverie... [C'est] une des plus belles conceptions du génie par le constant caractère de noblesse, la grandeur des inspirations, et cette expression solennelle de tristesse qui pénètre l'âme et la remplit d'émotions sublimes. » (*La Quotidienne*, 12 mars 1833 : *Société des Concerts, — Deuxième séance.*)

à Beethoven que le Premier Consul venait de se faire nommer Empereur. Sa pensée changea alors de direction; à l'héroïque mouvement il substitua la marque funèbre. Son héros lui semblait déjà descendu dans la tombe, au lieu d'un hymne de gloire il avait besoin d'un chant de deuil. Le grand mouvement en *ut* fit peu de temps après naître dans la tête de Beethoven le projet de symphonie en *ut mineur*.

Cette tradition invraisemblable a été combattue avec raison par A.-B. Marx[1].

Richard Wagner, qui a longuement étudié la *IIIe Symphonie*, en a, croyons-nous, donné la véritable signification :

D'abord, dit-il, l'expression « héroïque » doit être prise dans le sens le plus large du mot et non pas seulement comme s'appliquant à un héros militaire. Nous comprenons surtout sous le nom de « héros » l'*Homme* tout entier, complet, auquel tous les sentiments purement humains, — d'amour, de douleur et de force, — appartiennent en propre dans toute leur plénitude et force, nous saisissons l'objet exact que l'artiste dans la musique compréhensive de son œuvre nous fait percevoir. L'étendue artistique tout entière de cette œuvre est remplie de tous les sentiments puissamment pénétrants d'une individualité forte et complète, à laquelle rien de ce qui est humain n'est étranger, mais qui contient en soi toute l'humanité véritable, et l'exprime de telle manière que, par la manifestation la plus directe, elle arrive à une conclusion qui allie à la douceur la plus sentimentale la force la plus énergique de cette nature. La marche vers cette conclusion est la direction héroïque de cette œuvre d'art[2].

Dans cette troisième de ses grandes symphonies, a écrit Tchaïkovski, Beethoven a érigé d'abord la force merveilleuse,

[1] A.-B. MARX, *Beethoven*, I, p. 203-217. Cf. OULIBICHEFF, 173-187.
[2] R. WAGNER, *Gesammelte Schriften*, V. p. 168 et suiv.

immense de son esprit créateur, tandis que dans ses deux premières, il n'était encore rien de plus qu'un bon imitateur de ses prédécesseurs Haydn et Mozart. Dans le premier mouvement de l'*Eroica, Beethoven* excita l'étonnement de ses contemporains par la nouveauté de la forme et la force laconique de l'idée musicale fondamentale, sur laquelle il construit son œuvre colossale au moyen de l'art polyphonique et d'une perfection, jusque-là inconnue, de la technique orchestrale. En effet, comme thème fondamental du premier Allegro, il ne se sert que d'une courte fanfare de quatre mesures, qui forme la partie principale de la symphonie, dans une transformation kaléidoscopique toujours nouvelle. Ensuite vient l'Andante d'un caractère sombre de marche funèbre, où nous entendons la plainte sur la disparition de ce héros auquel Beethoven a dédié sa symphonie. « Sinfonia composta per festiggiare la memoria d'un grand uomo. »

On a cherché à expliquer de manières très différentes le Scherzo étincelant rempli d'épisodes fantastiques et dans cet effort innocent mais incessant fait pour habiller d'images réelles les esquisses sans base de la fantaisie beethovénienne, on a été si loin qu'on a, par exemple, expliqué que Beethoven avait voulu exprimer musicalement dans ce Scherzo une attaque de cavalerie contre une infanterie ennemie. Quoi qu'il en soit, ce Scherzo, avec l'introduction inattendue du quatuor et les fanfares bruyantes du milieu produit un effet inattendu.

La symphonie se termine par un brillant finale, en un chant de victoire[1].

A Paris, dirigée par Pasdeloup, le 9 février 1862, au premier concert de sa deuxième saison, l'*Héroïque* fut entendue pour la première fois aux Concerts-Colonne, le 7 novembre 1875; la 17ᵉ audition a eu lieu vingt ans plus tard.

L'Association des Concerts-Lamoureux-Chevillard

[1] Peter Tschaikowsky, *Musikalische Erinnerungen und Feuilletons : Kritiken und Feuilletons (1868-1876)*, p. 77-78.

l'a exécutée 35 fois depuis le 8 janvier 1882 jusqu'au 4 mars 1906.

A Buda-Pesth, le 23 décembre 1852, au concert du Conservatoire, qui précéda de quelques mois la fondation de la Société philharmonique, l'*Héroïque* fut exécutée par l'orchestre du Théâtre National hongrois, sous la direction de François Erkel. La Philharmonique, qui débuta le 20 novembre suivant, par la *VIIe Symphonie*, la fit entendre pour la première fois le 21 décembre 1856 et, pendant les cinquante premières années de son existence, elle la reprit treize fois (la 9e audition eut lieu le 20 mars 1893, sous la direction de Rebicek; la 10e, le 22 mars 1895, fut dirigée par M. Edouard Colonne, et la 11e, le 7 avril 1897, par Hans Richter)[1].

A Saint-Pétersbourg, l'*Héroïque* parut pour la première fois le 15 mars 1834, et à Moscou, le 12 avril 1863.

Pour l'Italie, il ne semble pas qu'aucune tentative d'exécution ait été faite avant 1866. Sgambati, dont les auteurs favoris étaient Beethoven, Chopin, Schumann et Liszt, son maître, en donna cette année-là une audition. Le 20 décembre, Liszt écrivait de Rome à Hans de Bülow :

En fait de nouveautés musicales ici nous avons dernièrement *l'Africaine*, — et la première exécution de la *Symphonie héroïque*. Pour beaucoup de personnes ces deux ouvrages sont de même farine, et un dilettante connaisseur demandait

[1] Coloman d'Isoz, *Hist. de la Société philharmonique hongroise (1853-1893)*, p. 24.

naïvement qu'on ajoute l'unisson du *mancenillier* à la *Symphonie héroïque* après la *Marche funèbre*, le ton et le caractère de ces deux morceaux se touchant à se confondre. D'autres connaisseurs poussent la défiance et l'antipathie contre les *tedeschi* jusqu'à se fâcher de l'intrusion des noms de Beethoven, Weber, Mozart sur les programmes de concert; mais Sgambati se conduit très vaillamment et tient bon, en dépit de l'opposition de la sottise, des criailleries ultra-patriotiques, du faux goût — et ce qui pis est : la léthargie du goût. Dans le courant de l'hiver on exécutera la *Symphonie héroïque* et la *Dante-Sinfonie*. Puis on procédera à l'étude des autres Symphonies de Beethoven, etc.[1].

Une première audition fut donnée à Turin, au mois de mai 1872, et le 11 avril 1876, M. Ettore Pinelli dirigeait l'*Eroica* à la Società orchestrale romana, qui l'a inscrite quinze fois à ses programmes, jusqu'au 25 avril 1896.

En Espagne, la *III*e *Symphonie* fut exécutée : à Madrid, en 1878, lorsque M. Mariano Vazquez dirigea le cycle des neuf Symphonies au théâtre du Principe Alfonso; à Barcelone, par D. Buonaventura Frigola, en 1880, au Teatro Lirico; à Madrid encore, en 1885, par Mancinelli, puis à Barcelone, trois fois depuis 1897, par Antonio Nicolau, au Teatro Lirico, aux Novedades et au Liceo.

Œuvres composées par Beethoven entre les IIe et IIIe Symphonies.

1802. *Sechs Lieder*, paroles de Gellert, op. 48 (Artaria, Vienne, 1803). Dédiés au comte von Browne.

[1] Liszt-Bulow, *Briefwechsel*, Lettre 153, p. 342. La première exécution de la *Dante-Sinfonie*, dirigée par Sgambati, eut lieu le 26 février 1867.

Le Bonheur de l'Amitié, lied, op. 88 (Löschenkolm, Vienne, 1803) ; avec paroles italiennes (Hoffmeister & Kühnel, Leipzig, 1804).
Zärtliche Liebe, lied (Traeg, Vienne, juin 1803).
(15) Variations avec une fugue sur un thème de *Prométhée*, pour piano, op. 35 (Br. et H., Leipzig, 1803). Dédiées au comte Lichnowsky.
Trio pour piano, clarinette, violon et violoncelle, arrangé par l'auteur d'après le Septuor op. 20. Op. 38 (Bureau des Arts et d'Industrie, Vienne, janvier 1803). Dédié au professeur J. A. Schmidt, avec préface.

1792-1793. (14) Variations pour piano, violon et violoncelle, op. 44 (Hoffmeister & Kühnel, Leipzig, 1804).

1803. Romance pour violon et orchestre, en *sol majeur*, op. 40 (*Id.*, *ib.*, 1804).
Sonate en *la mineur* « Per il pianoforte ed un Violino obligato, scritta in uno stilo molto concertante quasi come d'un Concerto » ; op. 47 (Artaria, Vienne, 1807). Dédiée à R. Kreutzer.
Sonate pour piano, op. 31, n° 3 (Nägeli *Répertoire*, n° 11, 1804, et Cappi, Vienne, 1805, Œuvre 29).
3 Marches pour piano à 4 mains, op. 45 (Bureau des Arts et d'Industrie, Vienne, 1804). Dédiées à la princesse Esterhazy, née Lichtenstein.
(7) Variations pour piano sur le *God save the King (Id.*, *ib.*, mars 1804).
(6) Variations sur le *Rule Britannia* (*Id.*, *ib.*, juin 1804).

1800-1801. *Le Cri de la Caille (Wachtelschlag)*, lied (Kunst und Industrie Comptoir, Vienne, mars 1804).

1804. *Sinfonia eroica* (n° 3) en *mi bémol*, op. 55 (Contor dell' Arte ed Industria, Vienne, 1806). Dédiée au prince Lobkowitz.

CHAPITRE IV

IVᵉ SYMPHONIE en SI Bémol, *op.* 60 (1806).

Il semble qu'après la *Symphonie héroïque*, dont les proportions gigantesques et la durée inaccoutumée provoquèrent longtemps l'étonnement des amateurs et des critiques, Beethoven, tenant compte des observations qui lui furent faites, ait voulu, avec la *Symphonie* en *si bémol*, rester dans les limites usitées par les compositeurs de son temps. Du moins s'y rapproche-t-il sensiblement sous ce rapport, de la *Symphonie* en *ré*. Il venait justement d'entendre exécuter cet ouvrage par la chapelle du comte Franz von Oppersdorf, auquel le prince Lichnowsky avait été rendre visite à Glogau, à l'automne de 1806.

A cette occasion ou un peu plus tard, dit Wasielewski, Beethoven dut être prié par Oppersdorf de composer pour lui une symphonie, moyennant 350 florins d'honoraires. Beethoven accepta la proposition et projeta pour le comte la *Symphonie* en *ut mineur*. Mais il en advint autrement et Beethoven se décida finalement à dédier celle-ci, ainsi que la *Pastorale*, à MM. Lobkowitz et Rasoumowski. Le 1ᵉʳ novembre 1808, il écrivait à Oppersdorf :

« Cher comte, ne me considérez pas sous un faux jour; mais j'ai eu besoin de vendre la symphonie que j'avais écrite pour vous, et encore une autre pour quelqu'un autre, — mais soyez assuré que vous recevrez bientôt celle qui vous est destinée[1]. »

A peine l'*Eroica* exécutée, Beethoven s'était mis à la composition de *Fidelio*, dont le livret, imité d'une pièce française de Bouilly et Gaveaux[2] traduite en italien pour Paër et représentée à Dresde le 4 octobre 1804, fut enfin arrangé en allemand pour Beethoven, par Treitschke, régisseur et dramaturge du théâtre de la Cour de Vienne.

Cependant les événements politiques et militaires se précipitaient : l'armée française victorieuse approchait de Vienne; la Cour dut fuir la capitale. Dès les premiers jours de novembre, l'impératrice donnait le signal du départ, et le 10, l'armée française occupait les faubourgs de l'ouest de la ville. Le 13, à onze heures du matin, l'état-major, Murat et Lannes en tête, faisait son entrée dans la capitale, précédant un corps d'occupation de 15,000 hommes. Le 15, Napoléon envoyait aux Viennois une proclamation datée de Schœnbrunn où il s'était fixé; le général Hulin s'installait chez le prince Lobkowitz, et Murat chez le prince Albert... Le 20 eut lieu la première représentation de *Fidelio*, devant un parterre d'officiers français. C'était un singulier public, qui ne goûta que médiocrement l'œuvre de Beethoven; aussi, après trois représenta-

[1] WASIELEWSKI, p. 232-233. Cf. THAYER, III, 44 et 516.

[2] *Léonore ou l'Amour conjugal*, fait historique espagnol en deux actes, joué au théâtre Feydeau le 1er ventôse an VI (24 février 1798). (Cf. sur la pièce de Bouilly et Gaveaux, l'article paru dans la *Revue trimestrielle de la Société Internat. de Musique, 1905-1906*, IV.)

tions (20, 21 et 22 novembre), *Fidelio* fut-il retiré pour ne reparaître que le 29 mars de l'année suivante, réduit de trois actes en deux et précédé d'une nouvelle ouverture (numéro 3), au théâtre an der Wien. Ce fut une nouvelle chute, et, jusqu'en 1814, l'unique œuvre dramatique de Beethoven ne fut plus reprise.

Beethoven, assez affecté par ces vicissitudes, alla passer une partie de l'été de 1806, à Martonsvasar, près de Troppau, chez ses amis de Brunswick. C'est là que fut projetée son union avec Thérèse de Brunswick, « l'immortelle bien-aimée » qu'une publication faite en 1890, a dévoilée, en expliquant en même temps la genèse de la *IVe Symphonie*[1]. Il avait déjà commencé la *Symphonie* en *ut mineur*, celle qui fut la *Cinquième* (originairement la *Sixième)*. Il l'interrompit brusquement, dit M. Romain Rolland, « pour écrire d'un jet sans ses esquisses habituelles, la *Quatrième Symphonie.*

Le bonheur lui était apparu. En mai 1806, il se fiançait avec Thérèse de Brunswick. Elle l'aimait depuis longtemps, — depuis que, petite fille, elle prenait avec lui des leçons de piano, dans les premiers temps de son séjour à Vienne. Beethoven était l'ami de son frère, le comte François. En 1806, il fut leur hôte à Martonsvasar en Hongrie, et c'est là qu'ils s'aimèrent. Le souvenir de ces jours heureux s'est conservé dans quelques récits de Thérèse de Brunswick.

Un soir de dimanche, dit-elle, après dîner, au clair de lune, Beethoven s'assit au piano. D'abord il promena sa

[1] Mariam Tenger, *Beethoven's unsterbliche Geliebte nach persönlichen Erinnerungen* (Bonn, Nusser, 1890; 3e édit., Fried. Cohen, 1903). Voir ci-dessus, p. 42, note 2.

main sur le clavier. François et moi nous connaissions cela. C'est ainsi qu'il préludait toujours. Puis il frappa quelques accords sur les notes basses; et, lentement, avec une solennité mystérieuse, il joua un chant de Sébastien Bach : « *Si tu veux me donner ton cœur, que ce soit d'abord en secret; et notre pensée commune que nul ne puisse la deviner.* » Ma mère et le curé s'étaient endormis; mon frère regardait devant lui gravement; et moi, que son chant et son regard pénétraient, je sentis la vie en sa plénitude. — Le lendemain matin, nous nous rencontrâmes dans le parc. Il me dit : « J'écris à présent un opéra. La figure principale est en moi, devant moi, partout où je reste. Jamais je n'ai été à une telle hauteur. Tout est lumière, pureté, clarté. Jusqu'à présent je ressemblais à cet enfant des contes de fée qui ramasse les cailloux, et ne voit pas la fleur splendide, fleurie sur son chemin... » C'est au mois de mai 1806 que je devins sa fiancée, avec le seul consentement de mon bien aimé François[1]. »

De cette période, ou plutôt de 1807, datent les trois lettres suivantes qu'on retrouva après la mort de Beethoven[2], et que Schindler, suivi par plusieurs biographes, avait cru adressées en 1801, à Giulietta Guicciardi[3].

1 R. ROLLAND, p. 26-27.

2 Un portrait de femme y était joint, avec cette dédicace : « Au rare génie — au grand artiste — à l'homme excellent », et cette signature : « T. B. » (M. TENGER, 3e édit., p. 71).

3 Voir *Appendice* au *Musical World*, vol. III, nos 8 et 11 (1878), et le *Katalog der mit Beethoven-Feier zu Bonn am 11-15 mai 1890 verbundenen Ausstellung von Handschriften... L. van Beethoven's* (Bonn, 1890), nos 291 et 292. L'ouvrage récent de Mme LA MARA, *Beethoven's Unsterbliche Geliebte. Das Geheimnis der Gräfin Brunsvik und ihre Memoiren* (Leipzig, 1909), a définitivement résolu la question dans le même sens que Thayer et Mme M. Tenger. Cf. l'art. de M. de Wyzewa, *Revue des Deux-Mondes* du 15 mars 1909, et celui de M. J. Chantavoine, *Bulletin franç.* de la S. I. M., de juin 1909.

Ce 6me Juillet matin.

Mon ange, mon tout, mon moi, — rien que quelques mots aujourd'hui et même au crayon (le tien) — mon logement est retenu définitivement pour demain, quelles misérables pertes de temps dans ces affaires — pourquoi cette tristesse profonde, quand la nécessité parle — notre amour peut-il vivre d'autre chose que de sacrifices, de renoncements, peux-tu faire que tu ne sois toute à moi que je ne sois tout à toi — Ah Dieu contemple la belle nature et apaise ton âme au sujet de ce qui doit arriver — l'amour exige tout et avec raison, il en est ainsi *pour moi avec Toi, pour Toi avec moi* — seulement tu oublies trop facilement que je dois vivre *pour moi* et *pour toi* — si nous n'étions tout à fait unis, tu éprouverais cette douleur aussi peu que moi. — Mon voyage a été terrible — je ne suis arrivé ici qu'hier matin à 4 heures, comme on manquait de chevaux, la poste a pris une autre route, mais quel chemin terrible, à l'avant-dernier relai on me conseilla de ne pas voyager de nuit, on me parla d'une forêt pour m'effrayer mais cela ne fit que me stimuler — et j'eus tort, la voiture devait se briser dans ce terrible chemin, simple chemin de campagne, défoncé, sans des postillons comme ceux que j'avais, je serais resté en route.

Esterhazy sur l'autre chemin ordinaire a eu le même sort avec 8 chevaux, que moi avec quatre — pourtant j'ai éprouvé en échange un certain plaisir, comme toujours quand j'ai heureusement surmonté quelque chose. — Maintenant revenons vite de l'extérieur à l'intérieur, nous nous reverrons bientôt, aujourd'hui je ne puis te faire part des observations que j'ai faites sur ma vie pendant ces quelques jours — si nos cœurs étaient toujours l'un contre l'autre je n'en ferais pas de pareilles, j'ai la poitrine pleine de choses à te dire — ah — Il y a des moments où je trouve que le langage n'est rien encore distrais-toi — reste mon fidèle et unique trésor, mon tout, comme toi pour moi, il faudra que les dieux arrangent le reste, ce qu'il nous faut et ce qui doit être.

ton fidèle

LUDWIG.

Lundi soir ce 6e juillet.

Tu souffres toi mon être le plus cher — j'apprends à l'instant que les lettres doivent être données à la première heure. Lundi — Jeudi — les seuls jours où la poste part d'ici pour K (1) : — tu souffres — Ah, où je suis, tu es avec moi, avec toi et moi je ferai [en sorte], que je puisse vivre avec toi, quelle vie!!! ainsi!!! sans toi — poursuivi par la bonté des hommes ici et là, que je pense — mériter aussi peu que chercher à mériter — l'humilité de l'homme pour l'homme — elle m'afflige — et quand je me considère dans l'ensemble de l'univers, que suis-je et qu'est celui — qu'on appelle le plus grand — et pourtant — là aussi est le divin de l'homme — je pleure quand je pense que tu ne recevras probablement pas avant samedi les premières nouvelles de moi — combien que tu m'aimes — je t'aime encore plus fort — mais ne te cache jamais de moi — bonne nuit — en [ma qualité de] baigneur il faut que j'aille dormir. Ah Dieu — si près! si loin! n'est-ce pas un véritable édifice céleste [que] notre amour — mais aussi solide que la voûte du firmament.

Bon jour ce 7e juillet.

encore au lit mes pensées se hâtent vers toi mon Immortelle Bien aimée, ici et là, joyeuses, et puis tristes, attendant du destin qu'il nous exauce — vivre je ne le puis que tout à fait avec toi ou pas du tout, oui j'ai résolu d'errer au loin, jusqu'à ce que je puisse voler dans tes bras, et te dire tout à fait chez moi auprès de toi, élever mon âme, entourée par toi jusqu'au royaume des esprits — oui hélas il le faut — tu t'y résigneras d'autant plus [facilement] que tu sais ma fidélité envers toi jamais une autre ne pourra posséder mon cœur, jamais — jamais — ô Dieu pourquoi faut-il s'éloigner de ce qu'on aime ainsi, et pourtant ma vie à W. [Vienne est]

1 Les récents commentateurs ont proposé de traduire cette lettre K : par Korompa, ou Karlsbad.

pour l'instant une vie de tourments — Ton amour m'a fait [l'homme] le plus heureux et le plus malheureux à la fois — à mon âge j'ai besoin d'une certaine uniformité égalité d'existence — peut-elle exister par nos relations? — Ange, j'apprends à l'instant, que la poste part tous les jours — et il faut donc que je termine afin que tu reçoives cette [lettre] sans retard — sois calme ce n'est que dans la contemplation calme de notre vie que nous pourrons atteindre notre but de vivre ensemble — sois calme — aime-moi — aujourd'hui — hier — que l'aspiration avec larmes vers toi — toi — toi — ma vie — mon tout — adieu — ô continue à m'aimer — ne méconnais pas le cœur très fidèle

de ton aimé

L.

éternellement à toi
éternellement à moi
éternellement à nous[1]

On ne sait, ajoute Wasielewski, si Beethoven, après ce séjour aux bords du lac Balaton, revint chez les Brunswick; vraisemblablement, il partit directement pour la Silésie autrichienne, rendre visite au comte Lichnowsky dans sa propriété des environs de Troppau; visite qui se termina par un départ soudain, une fuite plutôt, — à Vienne. Il y avait chez le comte plusieurs officiers français; le prince pria un jour Beethoven de les régaler d'une audition et de se mettre au piano. Le maître refusa; quelques paroles assez vives s'échangèrent entre lui et le prince qui, en plaisantant, lui dit finalement qu'il le ferait mettre aux arrêts; Beethoven, prenant la menace au sérieux, partit sans retard pour Vienne, où il dut arriver vers la fin d'octobre.

Quelque temps auparavant, son vieil ami Breuning écrivait à Wegeler :

[1] *Katalog der... Ausstellung... L. van Beethoven's* (Bonn, 1890), nos 291-292, p. 55-58. Texte donné d'après le manuscrit original, au crayon, appartenant à la Bibliothèque royale de Berlin. Cf. THAYER, III (Berlin, 1879), p. 157-158.

Son humeur est des plus mélancoliques et, à en juger par ses lettres, son séjour à la campagne ne l'a pas réconforté[1].

Breuning ne connaissait pas la cause de cette dépression, cause aujourd'hui connue par la destination exacte donnée aux lettres à « l'immortelle bien-aimée ». Ce n'est que quatre ans plus tard que le secret si jalousement gardé en transpira. Lorsqu'il crut le temps enfin venu de faire les démarches préliminaires à son mariage avec celle qu'il avait élue, il écrivit le 2 mai 1810 à Wegeler :

Tu ne me refuseras pas un service d'ami; si je te demande de me procurer mon acte de baptême. — Quant aux frais que cela exige toujours, comme Steffen von Breuning est en comptes avec toi, tu peux te faire payer tout de suite, et je rembourserai ici le tout à Steffen. — Si même tu croyais que cela valût la peine d'aller chercher la chose, et s'il te plaisait de faire le voyage de Coblenz à Bonn, tu n'as qu'à me compter tout cela. — Il faut cependant faire attention à une chose; savoir : que j'ai eu un frère *né avant moi*, qui s'appelait également Ludwig, mais avec cette addition : *Maria*, il est mort[2]. Pour avoir mon âge exact, il faut d'abord trouver celui-là, car sans cela, je sais déjà que d'autres ont commis une erreur à ce propos, et m'ont fait plus vieux que je n'étais. — Malheureusement j'ai vécu longtemps, sans savoir quel âge j'ai. — J'avais un livre de famille, mais il s'est perdu, le ciel sait, comment. — Donc, ne te fâche pas, si je te recommande très chaudement la chose, et de découvrir le *Ludwig Maria* et le *Ludwig* d'à présent venu après lui. — Plus tôt tu m'enverras l'acte de baptême, plus grandement [tu auras droit à] ma reconnaissance[3].

1 RIES et WEGELER, *Notices sur Beeth.*, trad. Legentil, p. 225.
2 Né le 2 avril 1769, mort six jours après.
3 WASIELEWSKI, p. 157-158. C. RIES et WEGELER, trad. Legentil, p. 67.

Je trouvai l'explication de cette énigme, dit encore Wegeler, dans une lettre qui me fut écrite trois mois plus tard par mon beau-frère Stephan von Breuning. Il y est dit : « Beethoven me dit au moins une fois par semaine, qu'il veut t'écrire; mais je crois que *son projet de mariage* a échoué : aussi ne se sent-il plus d'inclination pour te remercier du soin que tu as pris de son acte de baptême[1].

Que s'était-il passé dans l'intervalle? Nul ne le sait ni ne le saura jamais. Thérèse de Brunswick, longtemps plus tard, faisant allusion à ce pénible événement, disait à sa confidente :

« Chère enfant, il est une chose, une dernière chose qu'il faut que tu saches bien : le mot de la séparation, ce ne fut pas moi qui le prononçai, mais lui... Saisie d'horreur, je devins pâle comme la mort et tout mon corps trembla... »

Ces dernières paroles, ajoute ici la confidente, me furent à peine intelligibles. La comtesse Thérèse était retombée sans connaissance sur ses coussins. J'eus peur, je sonnai une de ses femmes et je sortis[2].

La *IVe Symphonie* écrite cette année-là, est une pure fleur, qui garde le parfum de ces jours les plus calmes de sa vie. On y a justement remarqué « la préoccupation, alors, de concilier autant que possible son génie avec ce qui était généralement connu et aimé dans les formes transmises par ses prédécesseurs ». (NOHL, *Vie de Beethoven.*) Le même esprit conciliant issu de l'amour, agissait sur ses manières et sur sa façon de vivre. Ignaz von Seyfried et Grillparzer disent qu'il était plein d'entrain, vif, joyeux, spirituel, courtois dans le monde, patient avec les importuns, vêtu de façon recherchée; et il leur fait illusion, au point qu'ils ne s'aperçoivent pas de sa surdité et disent qu'il est bien portant, sauf sa vue qui est faible. C'est aussi l'idée que donne de lui un portrait d'une élégance romantique et un peu apprêtée, que peignit

1 RIES et WEGELER, trad. Legentil, p. 228.

2 M. TENGER, 3e édit., p. 59. Cf. C. BELLAIGUE, *Les Epoques de la Musique* (Paris, 1909), t. II, p. 113 et suiv.

alors Maehler. Beethoven veut plaire et il sait qu'il plaît. Le lion est amoureux; il rentre ses griffes. Mais on sent sous ses jeux, sous les fantaisies et la tendresse même de la *symphonie en si bémol*, la redoutable force, l'humeur capricieuse, les boutades colériques[1].

Il n'existe dans aucun des carnets connus de Beethoven, d'esquisses pour la *IV*e *Symphonie*. On peut en conclure, ainsi que l'ont fait remarquer les commentateurs, qu'elle fut écrite tout d'un trait, au cours de cet heureux été de 1806. Le manuscrit, qui appartient, ainsi que ceux des *Symphonies* en *ut mineur* et en *la*, à la famille de Mendelssohn, porte simplement cette suscription de la main de Beethoven, ainsi disposée, sur une seule ligne :

Sinfonia 4ta : 1806 —— LvBthvn.

Exécutée pour la première fois au printemps de 1807, dans un concert donné au profit du compositeur, elle fut reprise le 15 novembre de la même année dans un concert de charité.

Les parties séparées d'orchestre parurent en mars 1809 au « Bureau des Arts et d'Industrie » (Haslinger), à Vienne et Pesth (127 ff.)[2]. La partition complète, in-8° de 195 pages, fut publiée, dans la même édition que les trois Symphonies précédentes, en 1821, sous ce titre :

« 4e Grande Simphonie en *si bémol majeur* (B dur)

1 R. Rolland, p. 27-28.

2 Thayer (*Chronologisches Verzeichniss*, p. 70) donne la date de 1808 à la publication des parties d'orchestre. Cf. *Intelligenz-Blatt* de l'*Allg. musikal. Zeit.*, April 1809, col. 35.

composée et dédiée à Monsr. le Comte d'Oppersdorf par LOUIS VAN BEETHOVEN. Op. 60. Partition. Prix 16 Fr. Bonn et Cologne chez N. Simrock. 2078. »

Un arrangement pour Pianoforte par Fr. Stein parut au début de 1809[1].

II

La durée de l'exécution est de trente minutes.

Introduction. — *Adagio* (C *si bémol*)[2]. — Ainsi que les *Ire*, *IIe* et *VIIe Symphonies*, la *IVe* débute par une introduction, la plus longue de celles que Beethoven ait écrites. Tandis que les *IIIe* et *V^e^* commencent *ex abrupto*, celle-ci retarde pendant 38 mesures l'exposition de son premier thème. *Adagio*, sur une tenue prolongée des instruments à vent, le quatuor murmure quelques accords *pianissimo*, d'une « impression mystérieuse[3] », qui se poursuit par des arpèges *pizzicato* des premiers violons au-dessous desquels trois notes de basson, reprises par les cordes graves, semblent une « plainte douloureuse »[4] (1). Après la douzième mesure, les quatre premières sont reprises. Le *sol bémol* de la première amène, par une modulation enharmonique, le ton de *si mineur* aux arpèges des premiers

1 Annoncé dans l'*Intelligenz-Blatt* de l'*Allg. musikal. Zeit.*, April 1809, col. 35.

2 L'orchestre est le même que celui de l'*Eroica*, moins la seconde flûte et les contre-basses.

3 WASIELEWSKI, II, p. 235 ; cf. GROVE, p. 202.

4 KRETZSCHMAR, *Vierte Sinfonie*.

(1)

violons. « Le jeu sonore avec ce motif des violons se poursuit, et en même temps s'éclaire la tonalité sombre du début. Le *piano* est maintenu, à l'exception de quelques accents isolés : ce sont les avant-coureurs de l'explosion qui ne tarde pas à se produire »[1].

L'orchestre qui, en s'animant, est venu se poser sur la note *la* répétée plusieurs fois, introduisant l'accord de septième du ton de *si bémol*, éclate de toutes ses forces réunies (2). Ce *fortissimo*, sorte de trait d'u-

[1] Wasielewski, II, p. 235.

nion entre l'introduction et le premier mouvement proprement dit,

Allegro vivace (si bémol C), s'apaise soudain, à la huitième mesure, et laisse à découvert le quatuor, auquel vont se joindre les instruments à vent, exposer le premier thème de l'*allegro* (3).

Ce premier motif, *pizzicato*, traverse tout l'orchestre qui semble animé d'une gaieté presque violente et longtemps contenue. Le *tutti* s'en empare d'abord *fortissimo*, puis les bassons *pianissimo* (4) sur un trémolo

du quatuor, puis, *fortissimo*, le quatuor, lui-même. Ce développement du premier motif fait place à quelques mesures syncopées, aux instruments à vent (5), puis

au tutti de l'orchestre, auquel succède un dialogue entre le basson, le hautbois et la flûte (6), terminé par

les cordes qui, laissées seules pendant onze mesures, font succéder une subite impression de calme à ce déchaînement de gaieté (7); mais pas pour longtemps.

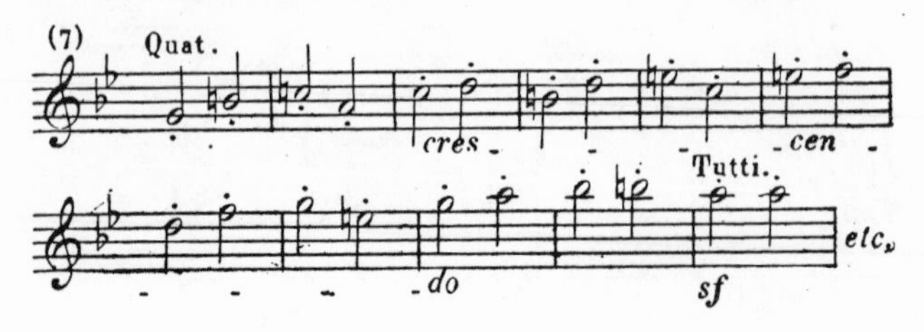

Car un nouveau *tutti, fortissimo,* dans lequel le quatuor disparaît, ne laisse pas cette impression persister et, tout de suite, un nouveau dialogue (soutenu par le quatuor) s'engage entre les bassons, clarinettes, hautbois et flûte (8), de caractère analogue au motif (6),

ce canon rend à l'orchestre son entrain un instant ralenti. Un tutti, avec des alternatives de *ff* et de *pp* s'établit de nouveau, dont les dernières mesures ne sont autres, à très peu de chose près, que le motif (2), introduisant une reprise *da capo* de cette première partie de l'*Allegro.*

Le développement commence, d'abord avec le premier motif (3), en *fa,* au quatuor. Une transition soudaine, motivée par l'accord de la *majeur* introduit le ton de *ré majeur* dans lequel la flûte répète le premier thème, soutenue par un trémolo des cordes; le basson réplique, tandis que les violons chantent un nouveau motif (9) repris aussitôt par les basson, hautbois et flûte; repassant aux violons, tandis que celle-ci reprend le motif (3) en *mi bémol.* C'est maintenant un

court dialogue entre les voix du quatuor (10), toujours

sur les mêmes arpèges *pizzicato*, qui s'anime jusqu'au *ff*, entraînant tout l'orchestre, puis s'apaise et se réduit (10 *bis*) à un dialogue *pp* entre les deux premiers

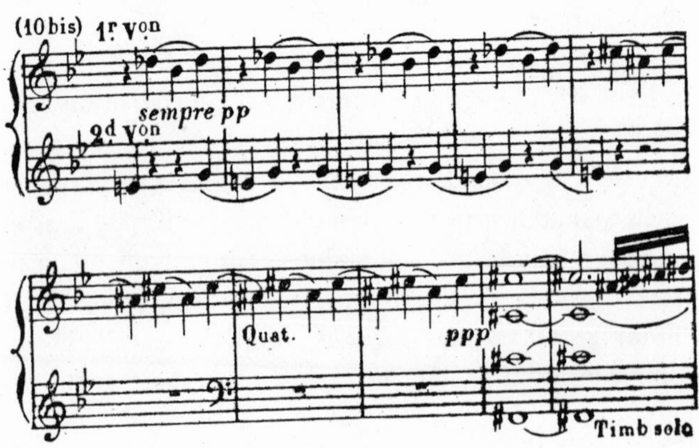

violons qui, dans l'espace de quelques mesures, modulant enharmoniquement en *fa dièze majeur*, *ppp*, ton dont la dominante *ut dièze*, septième du ton de *ré*, introduit immédiatement celui-ci avec des fragments du motif (3). La timbale que, jusqu'ici, Beethoven n'a que peu employée, et qu'il vient d'introduire à découvert, va maintenant jouer un rôle important. Pendant 25 mesures, elle roule obstinément, *sempre pp*, la note *si bémol*, tandis que le quatuor répète aussi doucement les notes préliminaires de l'*allegro* (2); le premier motif (3) reparaît dans un tutti soudain, *ff;* il parcourt tous les instruments, tantôt au quatuor, tantôt à l'harmonie, tantôt seul, tantôt combiné avec le motif (7); enfin, il fait place au motif (6) que redisent successivement le basson, la clarinette et le hautbois, et bientôt suivi d'une reprise, par le tutti, du motif (8) s'élevant du *pp* au *ff*, motif transposé en *si bémol*. Un retour du motif (7) en *si bémol*, *piano*, terminé par de violents accords de tout l'orchestre, entremêlés à leur tour de *pp*, hâte la conclusion, — après un passage en syncope dérivé de (5) — formée par une dernière reprise du thème initial dans une alternative de *ff* et de *pp*, par tout l'orchestre.

II. *Adagio (mi bémol,* 3/4). — « Admirable morceau de poésie transfigurée et le plus intime parmi les mouvements lents des Symphonies de Beethoven »[1], l'*Adagio* débute par une mesure où les seconds violons exposent un rythme d'accompagnement (11) « qui

reviendra pendant une grande partie du mouvement, comme une manière d'épigraphe ou de refrain, comme une sorte de mot typique, qui est introduit de temps en temps avec grande humour, tantôt aux bassons, tantôt aux basses, tantôt aux timbales »[2] et qui se retrouve dans les premiers mouvements du *Concerto* en *ut mineur.*

Le thème principal est ensuite exposé *cantabile* par les violons et altos (12); il est de huit mesures; à la

1 Kretzschmar.
2 Grove, p. 113.

neuvième, le tutti *forte*, à l'unisson, répète le rythme initial, puis les bassons, clarinettes et flûte reprennent le motif sur l'accompagnement du quatuor. *Forte*, celui-ci reprend l'accompagnement ainsi varié (11 *bis*) :

Cette nouvelle phrase est reprise en *ut mineur* par les flûte et premiers violons, puis ce développement aboutit à un ensemble, *crescendo* et *decrescendo*, de l'harmonie et des cordes, amenant un second sujet exposé *piano* par la clarinette (13); les bassons ré-

pondent (14), suivis des flûte, hautbois, clarinettes et

cors, *dolce*. L'accompagnement initial s'empare de nouveau de l'orchestre. Alors commence le développement. Les seconds violons font entendre la *Paukenfigur* comme au début (11); les premiers redisent le motif (12), en *mi bémol;* varié ainsi (12 *bis)* :

Le rythme des timbales au tutti, *forte*, suivi *ff*, en *mi mineur* d'une variante de (12); les violons restent seuls un instant, laissant ensuite le basson redire en *si bémol* le rythme obstiné précédant une rentrée du premier thème (12 *bis*) à la flûte. Le motif (11 *bis*) reparaît aux violons et hautbois. Le second sujet (13) suit, comme plus haut, toujours en *mi bémol*. Cette reprise s'éteint *pianissimo* dans un murmure des violons. Encore une fois, à l'harmonie reviennent les deux mesures initiales du premier thème; quelques arpèges et traits légers terminent, que se partagent les cors, clarinettes, la flûte et le quatuor, s'élevant jusqu'au *fortissimo*, pour faire place aussitôt au rythme des timbales que celles-ci répètent une dernière fois *pianissimo*, avant de laisser le tutti conclure par deux accords *fortissimo*.

III. *Menuetto. Allegro vivace; Trio, un poco meno allegro (si bémol*, 3/4). — Au contraire des deux Symphonies précédentes, dans lesquelles il avait introduit le scherzo à la place du menuet, Beethoven, dans la *IV*e comme dans la *I*re, revient à cet ancien mouvement qu'il paraissait vouloir délaisser. Le mouvement, ici, est cependant très rapide et sensiblement égal à celui du scherzo de l'*Eroica*.

Il débute *ff* par un motif que se partagent les premiers violons et les clarinettes et bassons (15). Ces

vingt mesures sont répétées. Les premiers violons avec la flûte reprennent les premières mesures en *ré bémol majeur;* fragmenté, disloqué, il passe à travers l'harmonie et le quatuor, anime l'orchestre réduit à ces deux groupes d'instruments, jusqu'à un *fortissimo*, où tous redisent ensemble les premières mesures; les clarinettes et bassons répondent *piano*, le quatuor à l'unisson continue; après un court développement, qui module un instant en *si bémol mineur*, sur une basse remarquable (16); un *sforzando* par deux fois ré-

pété (17), amène une rapide conclusion *forte* de la

première partie. Le *Trio débute* par un nouveau motif aux hautbois, clarinettes, bassons et cors auxquels répondent les premiers violons, comme un écho (18). Ce

motif est répété *pianissimo*, sous le trémolo du quatuor par les mêmes instruments, auxquels se joignent la flûte à l'aigu; puis, *forte*, par tout l'orchestre. Un *diminuendo* ramène le *tempo* de la première partie avec le premier motif, avec des alternatives de *ff* et de *pp*, et son dialogue entre les clarinettes et violons. Le même développement en *ré bémol*, comme plus haut, est répété, suivi d'une reprise du Trio (18), à laquelle succède une dernière reprise du *tempo primo* avec, pour conclusion, celle qu'il a dans sa première forme, au début du mouvement. Deux mesures de silence sont seulement ajoutées, suivies d'un accord de *si bémol majeur* frappé *fortissimo* par le tutti.

IV. *Allegro ma non troppo (si bémol, 2/4.)* — Bref est le dernier mouvement. Une phrase rapide des violons terminée par d'énergiques accords de tous les instruments (19) indique tout de suite son caractère

léger et gai; caractère que ne fait qu'accentuer une seconde phrase, partagée entre les violons et l'harmonie (flûte, clarinettes et bassons) (20) et un peu plus

loin, cette même phrase des hautbois et flûte continuée par les violons et qui se poursuit ainsi (21) :

Ces différents éléments forment la première partie, qui est bissée, où domine incessamment le trait de violons du début. Ce trait reparaît encore au commencement du développement (au quatuor seul), arrivant par une série de modulations sur la note *si*, tenue *ff* à l'unisson par les cordes, bassons, hautbois et flûte, qui introduit immédiatement le motif (20) en *sol majeur* aux violons, clarinettes et hautbois (22). Un

nouveau motif, très court, de trois notes (23), résonne

au basson, répété aux clarinettes et hautbois, cependant que les violons *pp*, puis *crescendo*, font toujours entendre le bruissement continu du commencement, interrompu par les éclats du tutti. Le motif (21) reparaît *dolce* aux clarinettes, en *si bémol*, et aux violoncelles et contre-basses, puis la fin de ce motif (21), amenant un *fortissimo* de tout l'orchestre. La *Coda* commence *piano* au quatuor. Le trait du début accompagne ce nouveau motif (24), que les violons se repas-

sent tandis que les instruments à vent se contentent d'un accompagnement rythmique. Un instant encore, le quatuor reste seul, préparant l'explosion finale qui se calme quelques mesures pour laisser entendre une dernière fois, *pianissimo*, aux premiers violons et altos le motif (24 *bis)* en *si bémol*, que, seul, le bruisse-

ment des basses accompagne; des fragments du premier thème reparaissent, *pp*, puis *crescendo* jusqu'au *ff;* deux accords du tutti sur l'accord de septième dominante imposent le silence et, seuls, les premiers violons redisent en augmentation en croches, le trait du début (19); le basson, les seconds violons et altos le terminent avec calme; après un point d'orgue, un *ff* soudain ramasse tout l'orchestre et les bassons, altos, violons et contrebasses, dans une gamme rapide, terminent l'*Allegro* de ce « poème d'amour ». (Grove.)

III

Dédiée au comte Oppersdorf dans les circonstances rappelées plus haut, la *Symphonie* en *si bémol* fut exécutée vers le 15 à l'un des deux concerts donnés au mois de mars 1807 chez le prince Lobkowitz. Le programme comprenait exclusivement des œuvres de Beethoven : les quatre *Symphonies*, l'ouverture de *Coriolan*, un *Concerto* pour piano, et plusieurs airs de *Fidelio*. Le rédacteur du journal qui donne ce programme louait la « richesse des idées, l'originalité hardie, l'extraordinaire puissance qui sont les caractéristiques principales de la musique de Beethoven », mais regrettait l'absence d'une simplicité digne et critiquait l'abondance des sujets non travaillés et développés, faisant l'effet de diamants bruts[1].

Avec l'ouverture de *Coriolan*, elle fut reprise la même année, dans un concert donné le 15 novembre au bénéfice des pauvres, au Hoftheater. Le correspondant viennois de l'*Allgemeine musikalische Zeitung*

[1] *Journal des Luxus und der Moden*, avril 1807, cité par THAYER, III, 7

réservait prudemment son opinion à la suite de cette première audition publique[1].

Après le retour à Vienne de la haute société, qui avait en grande partie abandonné la capitale autrichienne à la suite des événements politiques, la vie artistique put reprendre son cours interrompu. Vers la fin de 1807, les concerts d'amateurs, société composée de nobles et de banquiers sous la présidence du riche banquier Hering, transférèrent leurs *Privatkonzerte* de la Mehlgrube (ancien palais Monsch, où ils avaient eu lieu jusqu'alors), dans la grande salle de l'Université, et devinrent très brillants[2]. C'est là que Beethoven dirigea une troisième audition de la *Symphonie* en *si bémol*[3].

Elle n'avait pas beaucoup plu au théâtre, dit la *Gazette* à l'issue de cette exécution; ici, elle a remporté un succès mérité, à ce qu'il me semble : car le premier Allegro, bien travaillé, est beau, flamboyant *(feurig)* et riche en harmonies; Menuet et Trio ont un caractère propre, original. Dans l'Adagio, il y aurait à désirer que le chant ne fût pas si divisé entre les instruments, division qui, même dans la Sinfonie en Ré mineur d'Eberl, si riche et si brillante, nuit souvent à l'effet[4].

1 *Allg. musik. Zeit.*, 16 déc. 1807, lettre de Vienne, du 1er déc. 1807.

2 *Id.*, 25 nov. et 16 déc., col. 140 et 184.

3 Le mois suivant, le correspondant viennois de l'*Allg. musik. Zeit.* remarque que c'est un des « signes de son temps » que « les Symphonies de Haydn ne sont plus estimées à leur valeur » ; contre quoi le rédacteur de la *Gazette*, qui paraissait à Leipzig, proteste au nom de ses compatriotes, et affirme qu'il peut bien en être ainsi à Vienne, mais que les Leipzigois conservaient toujours leur admiration pour le vieux maître. *(Allg. musik. Zeit.*, 6 janvier 1808, col. 238.)

4 *Allg. musik. Zeit.*, 27 janv. 1808 ; lettre de Vienne, 16 janvier 1807.

Thayer rapporte cette opinion donnée par le correspondant du *Freimüthige* de Kotzebue :

Beethoven a achevé une nouvelle Symphonie et une ouverture pour le *Koriolan* de Collin, qui a généralement plu au plus haut point à ses admirateurs enragés[1].

D'après Schindler, « la nouvelle Symphonie produisit une vive impression sur l'auditoire et son effet fut plus décisif que ne l'avait été huit ans auparavant celui de la *Symphonie* en *ut* ». Elle fut encore reprise le mardi-saint de la même année, au concert spirituel du Burg-Theater, avec l'ouverture de *Coriolan* et un concerto pour piano de Beethoven[2].

Le 20 avril, le compositeur en vendait les droits d'édition pour l'Angleterre, à Clementi récemment établi à Londres, avec les trois *Quatuors* op. 59, l'ouverture de *Coriolan* et les quatre premiers *Concertos* pour piano; le tout moyennant la somme de 20 livres.

Weber, qui dut connaître bientôt la symphonie nouvelle, la malmène assez durement dans son fantaisiste *Künstlerleben.* C'est toujours le garçon d'orchestre, qui a déjà apprécié la *III*e *Symphonie*, qui parle :

Larifari! s'écrie-t-il, vous allez encore en apprendre. Croyez-vous qu'à notre époque cultivée où il se passe tant de choses, un compositeur doive renoncer, pour vous, à taire ses idées divines, gigantesques? Dieu le garde! On ne peut plus faire une question maintenant de la netteté, de la tenue, de la passion comme au temps de Gluck, de Hän-

1 Thayer, *Chronolog. Verzeichniss*, n° 129, p. 70.
2 *Allg. musik. Zeit.*, 18 May 1808, col. 540-541, lettre de Vienne, en avril.

del et de Mozart. *Non*, écoutez la recette de la dernière Symphonie que je viens de recevoir de Vienne et jugez-en : d'abord, un mouvement lent, plein d'idées courtes détachées, dont aucune n'est en rapport avec les autres ! tous les quarts d'heure trois ou quatre notes ! ... ce que ça intéresse ! puis un roulement voilé de timbales, et de mystérieuses phrases d'alto, tout cela orné d'une foule de pauses générales et de silences ; enfin, après que l'auditeur par une longue attention, s'est résigné à l'Allegro, un mouvement farouche dans lequel on doit prendre soin surtout qu'aucune pensée principale ne ressorte, et reste d'autant plus difficile à saisir pour l'auditeur, les passages d'un ton à l'autre ne sauraient manquer ; mais on n'a pas besoin de se gêner ; il suffit de faire, comme Pär dans *Leonore* par exemple, une course à travers les demi-tons, et de s'arrêter sur la note que l'on a choisie, et la modulation est faite. Surtout, on se soustrait à toute règle, car la règle n'enchaîne que le génie[1]...

L'auteur du *Freyschütz*, qui, d'ailleurs, n'eut que d'excellentes relations avec Beethoven, mais ne comprit pas toujours sa musique, dirigea lui-même la Symphonie en *si bémol* à Prague.

À Leipzig, celle-ci parut au concert donné le 16 décembre 1810, au profit des veuves et des orphelins des membres de l'Institut musical.

Cette œuvre spirituelle *(geistreich)*, encore peu connue, à ce qu'il me semble, écrivait le correspondant de la *Gazette*, contient après un Allegro *(sic)* majestueux et grandiose, un Allegro ardent, brillant et vigoureux, un Andante conduit avec art et charmant, un Scherzando remarquablement at-

[1] C. M. von Weber, *Ausgewählte Schriften*, édit., Reklam, p. 51-52. Des fragments du *Künstlerleben* de Weber, resté en grande partie à l'état d'ébauche, parurent en 1809 dans le *Morgenblatt* de Stuttgart, dans la *Muse* et dans le *Taschenbuch zum geselligen Vergnügen* de Kind. On ne connut l'auteur de ces fantaisies que longtemps après leur publication.

trayant; et un Finale d'une rare variété, mais puissant. En résumé, l'ouvrage est clair, compréhensible et très agréable et se rapproche des *I*re et *II*e *Symphonies* de ce maître si estimé avec raison, plutôt que des *V*e et *VI*e. Pour l'essor de l'enthousiasme, nous la mettons de pair avec la *II*e.

L'exécution, ajoute-t-il, fut bonne et le public de Leipzig lui fit un grand succès[1].

Reprise au vingtième concert du *Gewandhaus*, en mars 1811, cette « admirable Symphonie, très attrayante et pleine d'effet, fut fort bien exécutée »[2].

A Mannheim, après sa première audition, dans l'hiver de 1811, le correspondant de la *Gazette* caractérisait ainsi la symphonie en *si bémol* du « Jean-Paul de la musique » :

Œuvre dotée par le compositeur d'originalité et d'énergie, symphonie qui se distingue des différentes productions de sa muse sans nuire à la clarté par des bizarreries, qui défigurent mainte de ses œuvres, sa *Symphonie pastorale* et son *Eroica*, par exemple, — œuvre qui ne le cède en génialité, chaleur et effet qu'à la Symphonie en *ut mineur* et en clarté à la Symphonie en *ut majeur*, — en difficulté d'exécution, à aucune[3].

Guhr, à Cassel, dirigeait la *IV*e *Symphonie* en 1815-1816, peu après l'*Eroica* :

Il *me* semble, écrivait le correspondant local, que le grand maître, ici comme en plusieurs de ses nouveaux ouvrages, est des plus bizarres et se rend facilement incompréhensible et effrayant même pour les dilettantes instruits[4].

[1] *Allg. musik. Zeit.*, 23 janv. 1811, col. 62.
[2] *Id.*, 17 avril 1811, col. 267.
[3] *Allg. musik. Zeit.*, 3 avril 1812, col. 381.
[4] *Id.*, 30 oct. 1816, col. 754.

Plus rarement exécutée, en général, que les autres Symphonies de Beethoven, la *IV*e ne parut que deux fois aux *Niederrheinische Musikfeste*, en 1822, à Düsseldorf, sous la direction de Burgmüller et en 1828 à Cologne, sous la direction de Ries.

En Angleterre, la *Philharmonic* de Londres exécuta la Symphonie en *si bémol* peut-être dès les premières années de sa fondation (1817; les renseignements précis manquent jusqu'en 1821); la première audition certaine est du 12 mars 1821. Il s'est passé peu d'années depuis lors, dit Grove, sans qu'elle figure à ses programmes. Au Crystal Palace, ajoute le commentateur anglais, elle a été donnée trente-trois fois de 1855 à 1893[1]. On l'entendit, ces dernières années, au neuvième festival annuel de Bridlington (28 avril 1903), sous la direction de M. A. W. M. Bosville.

Antérieurement à la fondation de la Société des Concerts du Conservatoire, il ne paraît pas qu'elle ait été exécutée à Paris. Et la Société elle-même ne l'accueillit qu'au premier concert de sa troisième « session », le 21 février 1830. Dès le lendemain, le chroniqueur musical (nous n'osons dire critique) du *Figaro*, écrivait :

Ce n'est pas que l'œuvre de Beethoven soit inférieure à la plupart de celles que nous connaissons de lui; ce bel ouvrage, au contraire, nous paraît devoir prendre rang parmi ses plus étonnantes créations, mais, il faut le dire, les détails dans lesquels l'auteur s'est complu nous ont presque tous échappés. Les nerfs auditifs de l'assemblée avaient été engourdis par

1 Grove, p. 127.

une attention trop soutenue[1]. Nous avons besoin d'entendre une fois encore cette symphonie avant de risquer une analyse plus approfondie[2].

Castil-Blaze (XXX dans le *Journal des Débats*), après la seconde audition, qui eut lieu le 4 avril, disait avec plus de compétence :

La symphonie en *si bémol* de Beethoven a terminé la séance; on ne l'avait jamais entendue à Paris, et c'était pour les amateurs un objet d'intérêt et de curiosité. Le premier *allegro*, moins développé que les autres œuvres du même genre de ce compositeur, étincelle de beautés du premier ordre, et les détails de la seconde partie sont au-dessus de tout éloge. L'adagio est d'un effet merveilleux; il est impossible de décrire la sensation qu'il a produite sur l'assemblée. Beethoven semble avoir encore surpassé les *andante* sublimes, que nous avons déjà applaudis. Le menuet est pittoresque et capricieux, le motif principal est trop souvent reproduit. Le finale se distingue par un beau travail, des surprises, des entrées inattendues et des effets qui paraîtraient bizarres si Beethoven ne les avait embellis de toute la magie de son art, de tout le feu du génie. Ce finale a été dit trop vite; l'extrême rapidité du mouvement n'a pas empêché le premier basson de détacher toutes les notes d'un trait important que beaucoup d'autres se seraient permis de couler vu l'urgence, afin d'arriver au but avec plus de sécurité. L'exécution a été foudroyante dans les morceaux éclatans, gracieuse et pleine de charme et d'expression dans l'*adagio*, dont tous les détails ont été rendus avec une précision, une délicatesse merveilleuse[3].

1 Le programme de ce jour comprenait en effet : une symphonie de Haydn, un chœur d'*Euryanthe*, de Weber (ou mieux, de C.-Blaze), une scène à grand orchestre et violon principal de Mazas, le chœur des Chasseurs de Weber, un Concerto de piano de Kalkbrenner et, pour terminer, la première audition de la *IVe Symphonie*.

2 *Figaro*, lundi 22 janvier, 1830.

3 *Journal des Débats*, 11 mars 1830. *Chronique musicale*.

La Symphonie en *si bémol* fut reprise par la Société des Concerts presque chaque hiver : les 4 mars 1832, 14 avril 1833, 9 mars 1834, 15 mars 1835, 3 février 1836, 19 février 1837, 25 mars 1838, etc.

Rendant compte dans la *Gazette musicale* du concert du 3 février 1836, Berlioz l'appréciait ainsi en quelques lignes :

> Moins célèbre que plusieurs de ses sœurs, elle est d'une égale beauté cependant jusque dans ses moindres détails. Et ne fût-ce que pour son adagio, qui surpasse tout ce que l'imagination la plus brûlante pourra jamais rêver de tendresse et de pure volupté, je la mettrais tout-à-fait au rang des compositions de Beethoven consacrées par l'admiration générale[1].

Aux Concerts populaires de Pasdeloup, la Symphonie en *si bémol* fut exécutée pour la première fois le 2 février 1862, au cours de la seconde année; M. Colonne la dirigea, en 1874, au Concert national, fondé l'année précédente; depuis lors, et jusqu'au 19 novembre 1905, il l'a inscrite onze fois sur ses programmes.

Aux Concerts-Lamoureux, on en compte douze auditions, du 5 février 1888 au 11 mars 1906.

A Buda-Pesth, la Société philharmonique l'a fait entendre neuf fois, du 22 mars au 23 octobre 1901 : la huitième audition eut lieu sous la direction de M. Hans Richter, le 11 novembre 1896.

En Espagne, elle fut donnée, avec les huit autres Symphonies : par M. Mariano Vazquez, au théâtre du Principe Alfonso, à Madrid, en 1878, et par M. Man-

[1] *Gazette musicale de Paris*, 14 février 1836, p. 45. Cf. *Journal des Débats*, 12 avril 1835 et *A travers Chants*.

cinelli en 1885; et, depuis 1897, à Barcelone, trois fois sous la direction de M. D. Antonio Nicolau, au Teatro Lirico, aux Novedades et au Liceo.

En Italie, la Società orchestrale romana la fit entendre quatre fois en vingt-cinq ans, du 30 mars 1878 au 20 janvier 1894[1].

Damcke, qui l'entendit à Saint-Pétersbourg le 13 mars 1853, assez mal exécutée par la Société des Concerts, en parlait en ces termes dans son feuilleton du *Journal de Saint-Pétersbourg* :

Chacune d'elles [les Symphonies de Beethoven] constate une nouvelle conquête. Celle en *si bémol* se trouve entre deux colosses avec lesquels elle n'a aucun rapport; pas même quant à l'emploi des moyens extérieurs. Loin de demander un renfort d'instruments, comme ses deux voisines, elle n'emploie pas même les forces ordinaires de l'orchestre, elle se contente d'une seule des deux flûtes d'usage. Je ne dirai rien de la beauté purement musicale de cette œuvre... elle ne se décrit pas; mais la *IVe Symphonie* a encore une autre signification très importante. J'ai déjà dit, ailleurs, que c'est surtout dans sa manière de traiter l'élément rhythmique qu'on reconnaît les différentes phases du génie de Beethoven. Dans la *IIIe Symphonie (Héroïque)*, nous voyons le géant secouer le joug dont, pourtant, il n'ose pas encore s'affranchir. La carrure du rhythme y est observée rigoureusement, mais souvent elle est déguisée, soit par des syncopes, soit par l'accentuation des temps faibles de la mesure. C'est dans la *IVe Symphonie* que, pour la première fois, Beethoven brise la carrure et adopte le rhythme ternaire. Cette hardiesse, devant laquelle, jusque-là, il avait reculé, il ne se la permet que dans un seul endroit du premier Allegro; mais ce seul endroit suffit, c'est la brêche faite à la digue. Dans ses prochaines œuvres, ce n'est plus Beethoven qui obéit, c'est le rhythme. Les

1 E. Pinelli, *I venticinque anni della Società orchestrale romana, 1834-1898.*

syncopes, les temps faibles accentués fortement qui, jusque-là, étaient les symptômes de l'impatience avec laquelle il supportait le joug de la tradition scolastique et qui abondent encore dans la *IV*e *Symphonie* (le Scherzo tout entier est basé sur une substitution rhythmique), deviennent plus rares, il n'en a plus besoin; l'aigle a brisé les barreaux qui l'empêchaient de déployer ses ailes, et il prend librement son essor[1].

La Symphonie en si bémol, a dit Grove, forme un contraste absolu avec celle qui la précède et celle qui la suit; elle est aussi gaie et spontanée que la précédente est sérieuse. De même que la *VIII*e est placée entre la colossale *IX*e et la presque aussi colossale *VII*e, la *IV*e se trouve entre l'*Eroica* et l'*Ut mineur*[2].

Beethoven donne l'expression, que dis-je, l'éloquence, à des instruments encore plus rudimentaires [que le cor] et jusqu'aux timbales elles-mêmes, dit M. C. Bellaigue. Dès l'*andante* de la *I*re *Symphonie*, il les accorde comme on n'avait pas fait encore, il essaye leurs notes attentives et solennelles; il les prédestine à leur fonction et à leur dignité future, et dans la *IV*e *Symphonie* il déploie leur magnificence sombre. Dans la seconde reprise du premier morceau, la merveilleuse rentrée du thème principal se prépare, se développe et se consomme sur un roulement de timbales tel que jamais on n'en avait entendu; mais dans l'*adagio* surtout rayonne, presque divine, la beauté d'un dessin, ou d'une « figure » de timbales. Ici, pas même un roulement : un simple accent, un appui régulier de la dominante sur la tonique. Cet accent, lorsque les timbales l'empruntent aux autres instruments, prend un caractère de gravité sans pareille. Çà et là, tandis que chante l'auguste mélodie, qui n'est qu'un cantique d'amour, les timbales interviennent; c'est elles qui semblent rythmer de leurs pulsations puissantes le cours d'une vie

[1] *Journal de Saint-Pétersbourg*, 20 mars 1853. La première audition à Saint-Pétersbourg avait eu lieu le 27 mars 1846. A Moscou, la *IV*e *Symphonie* fut entendue pour la première fois le 22 mars 1860.

[2] Grove, p. 98.

heureuse et d'une sereine pensée; elles qui creusent le plus souvent l'abîme mystérieux du rêve et l'abîme aussi d'une âme, la plus profonde peut-être d'où jamais se soit exhalé un soupir.

... Que l'*adagio de la Symphonie en si bémol* soit précisément un hymne d'amour, cela nous ne le savons que par la connaissance historique des conjonctures et des faits. La musique seule ne nous révèle qu'un sentiment ou un état d'âme plus général : le bonheur. Elle atteste que Beethoven peut l'être : d'une félicité supérieure, d'une béatitude à la fois passionnée et sereine; heureux par son désir sans mesure démesurément satisfait, heureux de toute son âme insatiable et cette fois pourtant rassasiée. Si maintenant, de ce bonheur en quelque sorte impersonnel et comme errant, on nous découvre la cause, l'objet, et je dirai presque la direction particulière; s'il nous est révélé qu'elles allaient, ces mélodies sublimes, vers une créature aimée, une tête charmante, oh! alors vous devinez tout ce qu'à notre émotion, à notre admiration même, une telle découverte peut ajouter désormais[1].

Oulibicheff, qui attribuait à Giulietta Guicciardi l'inspiration de cette symphonie, en a fort bien saisi le caractère noblement passionné. Parlant de l'introduction :

On dirait, écrit-il, un prélude à la saison des amours. L'homme parvenu, dans sa maturité, aux plus hautes destinées du pouvoir ou du génie, peut se rappeler, involontairement, de cette époque de la vie, au milieu d'une méditation profonde, étrangère, à son passé. Il peut vouloir chasser cette réminiscence intempestive, comme on fait refuser sa porte, à un visiteur importun; mais la fantaisie ne se laisse pas toujours éconduire ainsi; elle revient à la charge; elle ramène les mêmes images qui deviennent de plus en plus lucides comme les figures d'une toile, sous le pinceau qui les anime, si bien que le visiteur finit par expulser le maître du logis, et

1 C. BELLAIGUE, *Etudes musicales*, p. 164-165 et 205.

qu'à une mélancolie noire succède la gaieté la plus expansive. Cette transition psychologique, tenant au rapport intime, mais profondément dissimulé, qui unit l'introduction à l'*allegro* est une des plus belles choses qui se puissent voir et entendre en musique, un éclair de génie qui éblouit l'oreille et un calcul qui étonne l'intelligence.... Jamais instrumentaliste n'a préparé un *allegro* symphonique avec plus de grandeur, et ne l'a amené avec autant d'effet et de spontanéité apparente.

Soudain le brouillard se dissipe; l'imagination a levé le rideau, et les scènes d'un passé lointain vont reparaître, aux yeux de l'âme, éclairés par cette auréole de poésie et de bonheur, dont le prisme magique des souvenirs les entoure et les colore et qu'elles n'eurent presque jamais en réalité... Beethoven était, dans ce temps-là, au plus fort de sa passion pour Juliette Guicciardi et en correspondance avec elle. Il serait donc possible qu'une réponse favorable aux épîtres brûlantes qu'il lui adressait, eût suggéré au grand artiste l'idée d'une symphonie dans la douce tonalité de *si bémol majeur*, et lui en eût fourni tous les motifs. Un moment, il aura oublié son infirmité et retrouvé ses vingt ans. De cet épanouissement fortuit de son âme, il aura tiré le thème joyeux de l'*allegro* et le passage suivant qui court avec tant de légèreté et de grâce, malgré l'émotion que trahissent ses haltes, et la marche en syncopes où brillent tant d'élégance et de désinvolture, et le naïf couplet qu'entonne le basson, que le hautbois redit, à la double octave et dont la flûte s'empare, à son tour, pour le changer en une cantilène mineure, de la plus ravissante mélodie, de la plus délicieuse tendresse. D'après le programme que nous avons adopté, ce solo de flûte est le langage de la fillette. Vient le tour du jouvenceau, une explosion de gaieté pétulante, couronnée par une bouffonnerie[1].

Quant à l'*adagio*, « c'est une tendresse et une béatitude qui n'ont plus rien de commun avec la matière,

[1] OULIBICHEFF, p. 188-191.

c'est l'amour qui ne doit pas finir. L'âme possède pleinement et souverainement ce qu'elle avait désiré ici-bas et il ne lui reste plus d'autres vœux à former. Aussi l'adagio n'a-t-il point d'épisodes. Tout s'y concentre et rayonne dans une mélodie unique, mais fractionnée qui s'épanche d'abord en effluves abondants et nombreux; puis fléchissant comme sous le poids d'une félicité trop intense, elle s'arrête avec la respiration de celui qui l'écoute, et ne livre son ineffable désinence, qu'après. l'avoir fait attendre au delà de 30 mesures.

... Le scherzo, composition très agréable, mais un peu tourmentée, et un peu affaiblie par le caractère insignifiant et doucereux du *trio*, me paraît loin d'être un des beaux morceaux rhythmiques que Beethoven eût écrits pour l'orchestre.

Le compositeur prend sa revanche dans le finale, qui porte à son dernier terme l'expression de cordialité et d'enjouement établie dans l'allegro et se recommande, en outre, par une facture des plus originales[1]...

Les pages où le commentateur russe a si intimement pénétré le sens de la *IVe Symphonie* seraient tout entières à citer. Nous nous bornons, pour terminer, à ces quelques lignes, dans lesquelles Oulibicheff a caractérisé, avec tant de pénétration, celle des œuvres de Beethoven qui est presque contemporaine de l'*Ut mineur*, mais dont l'importance dans l'histoire musicale est incomparablement moins grande et la portée artistique infiniment moins considérable.

1 Oulibicheff, p. 193.

Œuvres composées par Beethoven entre les IIIe et les IVe Symphonies.

1804. Sonate pour piano, op. 57 *(Appassionata)* (Bureau des Arts et d'Industrie, Vienne, 18 février, 1807). Dédiée au comte Franz von Brunswick.
Grande Sonate pour piano, op. 53 (Bureau, etc., Vienne, mai 1805). Dédiée au comte von Waldstein.
An die Hoffnung (A l'Espérance), lied, op. 32, paroles tirées de l'*Urania* de Tiedge (Kunst und Industrie Comptoir, Vienne, 18 sept. 1805).
Romance en *fa majeur*, pour violon et orchestre, op. 50 (Bureau, etc., Vienne, mai 1805).

1804-1805. Concerto nº 4, pour piano, op. 58 (Kunst und Industrie Comptoir, Vienne, août 1805). Dédié à l'archiduc Rodolphe d'Autriche.

1805. *Fidelio*, opéra en trois actes d'après Bouilly, op. 72. Première représentation à Vienne le 20 novembre 1805 ; première reprise en deux actes, le 29 mars 1806; deuxième reprise — version définitive, — le 23 mai 1814 (Breitkopf et Härtel, Leipzig, 1810). Dédié à l'archiduc Rodolphe.
Ouverture de *Léonore (Fidelio)*, nº 1 (=nº 3).
Andante favori, détaché de la *Waldstein-Sonate*, op. 53 (Bureau, etc., Vienne, mai 1806).
(51e) Sonate pour piano, op. 54 (Bureau, etc., Vienne, avril 106).

1805-1806. Ouverture de *Léonore (Fidelio)*, nº 2 (29 mars 1806). (Breitkopf et Härtel, Leipzig, 1810.)

1806. Symphonie nº 4, op. 60 (Bureau des Arts et d'Industrie, Vienne, 1806). Dédiée au comte Oppersdorf.

CHAPITRE V

Ve SYMPHONIE en UT Mineur, *op.* 67 (1807).

Parmi les neuf grandes œuvres symphoniques de Beethoven, l'*Ut mineur* est, sans aucun doute, celle qui, le plus souvent exécutée dans tous les grands concerts philharmoniques, est la plus universellement applaudie et peut-être la plus connue, comme étant l'expression la plus caractéristique du génie de Beethoven dans ce domaine. Elle correspond à la période de pleine maturité du compositeur, celle pendant laquelle il écrivit coup sur coup *Fidelio*, la *IVe*, *la Ve* et la *VIe Symphonies*, le *Concerto* pour piano, en *sol majeur*, le *Concerto* pour violon en *ré*, la *Fantaisie* pour piano, chœur et orchestre, première ébauche de la *IXe Symphonie*, trois *Quatuors*, etc., etc. (1804-1808).

Après la *Symphonie* en *si bémol*, exécutée en 1807, après les *Ve* et *VIe*, exécutées à la fin de 1808, Beethoven laissera s'écouler plus de quatre années avant de faire entendre aux Viennois une nouvelle grande composition pour orchestre. Cette fécondité remarquable doit-elle être attribuée à l'influence bienfaisante qu'exerça sur lui, de 1806 à 1810, son engagement avec la comtesse Thérèse de Brunswick qui fut l'inspiratrice de la *IV*e *Symphonie?* Il se pourrait, et plusieurs documents viennent fortifier cette conjecture. Dans le cours de l'année 1807, cherchant à assurer son existence, à se faire une « position » susceptible de faciliter son mariage projeté, il adressait une longue pétition à l' « honorable direction des Théâtres Impériaux et Royaux de la Cour », dans laquelle il exposait ainsi ses *desiderata*, des plus modestes, on en conviendra :

... Le soussigné ayant toujours pris pour guide dans sa carrière, non pas le *gagne-pain*, mais plutôt l'*intérêt de l'art*, l'ennoblissement du goût et l'essor de son génie vers l'idéal le plus élevé et la perfection, il devait forcément sacrifier souvent à la Muse son gain et ses intérêts. Néanmoins, des œuvres de cette sorte lui ont valu au lointain étranger un renom qui, dans plusieurs endroits notables, lui garantissait l'accueil le plus favorable, avec un sort approprié à ses talents et à ses connaissances.

Nonobstant, le soussigné ne peut céler que les nombreuses années qu'il a passées ici, la faveur et le succès dont il a joui parmi les grands et les petits, son vœu de remplir entièrement l'attente qu'il a eu le bonheur d'éveiller jusqu'à présent et, il peut le dire, le *patriotisme* d'un *Allemand* ont rendu ce *lieu* plus digne que tout autre de son estime et de ses vœux.

Aussi ne peut-il s'empêcher, avant d'accomplir sa résolution de quitter un séjour qui lui est cher, d'obéir au signe que Son Excellence *Monsieur le prince régnant de Lobkowitz* a eu la bonté de lui faire, en lui déclarant qu'une honorable direction de théâtre ne serait pas éloignée d'engager le soussigné à des conditions appropriées pour le service des théâtres placés sous ses ordres, et de fixer désormais son séjour en lui assurant une existence convenable et plus favorable à l'exercice de ses talents. Cette déclaration étant parfaitement conforme aux vœux du soussigné, celui-ci prend la liberté d'exposer dans toutes les formes son acquiescement à cet engagement, ainsi que de soumettre les conditions suivantes à l'agrément de l'honorable direction :

1° Il s'oblige et s'engage à composer annuellement au moins un *grand opéra*, qui sera choisi conjointement avec l'honorable direction et le soussigné; en revanche, il demande un *traitement fixe* annuel, de 2,400 florins, ainsi que le bénéfice de la recette à la troisième représentation de chacun de ces opéras;

2° Il s'oblige à livrer annuellement gratis une *petite opérette* ou un *divertissement*, des *chœurs*, des morceaux de circonstance, selon le désir et les besoins de l'honorable direction; pourtant, il nourrit la confiance que l'honorable direction n'hésitera pas, pour des travaux particuliers de ce genre, à lui assurer *un jour* dans l'année pour un *concert à son bénéfice*, dans un bâtiment du théâtre.

... Mais au cas où la proposition ne serait pas acceptée, comme le concert autorisé l'an passé n'a pu avoir lieu, par suite de divers empêchements qui sont survenus, celui-ci [le soussigné] regarderait aujourd'hui l'accomplissement de la promesse faite l'an passé comme le dernier signe de la haute faveur dont il a joui jusqu'à présent, et il prie qu'on fixe le jour dans le premier cas, à l'Annonciation de Marie[1], mais dans le second cas, à un jour des prochaines vacances de Noël[2].

Vienne, 1807.

Ludwig VAN BEETHOVEN M. P.

Cette demande faite, à ce qu'il semble, dans les derniers mois de 1807, et non suivie d'effet, Beethoven accepta ensuite de devenir kapellmeister du roi de Westphalie, frère de l'empereur des Français. Cet événement se place au plus tard en octobre 1808, dit Wasielewski, car le 1er novembre de la même année, Beethoven écrivait à son protecteur le comte Franz

[1] C'est-à-dire le 25 mars, et à partir de 1808.
[2] 1807.

von Oppersdorf : « Aussi bien suis-je appelé pour être kapellmeister du roi de Westphalie, et il pourrait bien se faire que je réponde à cet appel... »

S'adressant, d'autre part, aux éditeurs Breitkopf et Härtel, de Leipzig, il écrivait le 7 janvier suivant :

Je suis donc enfin obligé par les intrigues, cabales et infamies de tout genre, à quitter la patrie qui est encore la seule allemande. Sur une proposition de Sa Majesté Royale de Westphalie je m'en vais comme capellmeister avec un traitement annuel de 600 ducats en or. — J'ai envoyé aujourd'hui par la poste l'assurance que j'irai, et n'attends plus que mon décret pour faire mes préparatifs du voyage, que je dois faire viâ *Leipzig*. C'est pourquoi, comme le voyage en sera d'autant plus briliant pour moi, je vous prie si cela ne vous cause pas trop d'ennui, de ne rien faire connaître *jusqu'à Pâques*, de toutes mes affaires... Vous me témoignerez un très grand plaisir et je vous en prie instamment, qu'aucune des choses que vous avez de moi ne soit publiée *avant Pâques*, étant sûr d'être auprès de vous *à l'époque des fêtes;* aussi ne faites pas parler jusque là de mes Sinfonies *(IVe, Ve et VIe)* — car j'irai à Leipzig, ce doit être une vraie fête pour moi de les faire exécuter devant les Leipzigois avec la bravoure et la bonne volonté, bien connues de moi, des musiciens[1].

Au moment où Beethoven écrivait cette lettre, les *Ve* et *VIe Symphonies* étaient connues des Viennois depuis quinze jours seulement.

Sur ces entrefaites, les protecteurs de Beethoven conclurent avec lui un arrangement qui devait le retenir en Autriche. Une rente annuelle de 4,000 florins lui fut assurée, le 1er mars 1809, par l'archiduc Rodolphe les princes Lobkowitz et Ferdinand Kinsky. Le pre-

[1] Wasielewski, II, p. 103. Cf. Nottebohm, *Zw. Beeth.*, p. 506.

mier y contribuait pour 1,500 fl., Lobkowitz pour 700 et le troisième, pour 1,800. Cette rente viagère était payable semestriellement sur le vu d'un certificat de vie du maître. Dans la suite, les vicissitudes financières de l'Autriche et la mort de Kinsky réduisirent peu à peu ce revenu au tiers à peine de sa valeur primitive.

Nottebohm a retrouvé, dans un cahier d'esquisses de Beethoven datant de 1795, des notes pour une Symphonie en *ut mineur* (A), dont on peut rapprocher le

scherzo de la *V*e[1]. Mais il ne faut pas attribuer sans doute au thème de ce dernier plus d'importance qu'à une réminiscence inconsciente ou à une coïncidence fortuite, née simplement de la tonalité choisie.

La composition proprement dite de l'*Ut mineur* ne dut pas être entreprise avant l'exécution de l'*Héroïque.* Elle fut interrompue, on le sait, par celle de la Symphonie en *si bémol*, en 1806, œuvre d'un caractère si différent, beaucoup plus intime, dont on ne possède pas d'esquisse. On trouve au contraire le projet de la *V*e dans une collection de feuillets ayant appartenu à un M. Petter, de Vienne, qui montrent un chœur de prisonniers pour *Fidelio*, suivi d'un *andante quasi*

[1] Nottebohm, *Zweite Beethoveniana*, p. 567.

minuetto à quatre bémols[1]. Le premier thème y est ainsi indiqué à deux reprises, sur la même page (B et C).

1 NOTTEBOHM, *Beethoveniana*, p. 10.

Sur la page opposée, on lit cette esquisse du *Concerto* pour piano en *sol majeur* (D) :

Et plus loin, ce passage, intitulé l'*ultimo pezzo* (E) :

Beethoven n'avait donc pas encore écrit, à cette époque, une note du dernier mouvement, tel que nous le connaissons, et le *Concerto*, dont le premier mouvement offre, pour le rythme, tant d'analogie avec celui du premier mouvement de l'*Ut mineur*, était conçu à la même époque que la symphonie; il fut terminé en 1806 ou 1807, tandis que cette dernière ne trouva sa forme définitive qu'en 1807 ou 1808, au plus tard, en même temps que la *Pastorale*[1]. Ces trois ouvrages furent exécutés le même jour, 22 décembre 1808, la *Pastorale* portant alors le numéro 5 et l'*Ut mineur* le numéro 6.

Rien ne montre mieux la genèse d'une œuvre, d'un thème de Beethoven que la manière dont est transformée cette première esquisse (B) avant d'arriver à l'idée définitive. De ce thème, d'abord régulier et qui va se développant tranquillement, il tire le saisissant début de l'*Ut mineur*, en transformant les deuxième et quatrième mesures en longs points d'orgue :

« *So pocht das Schicksal an die Pforte.* Ainsi le destin frappe à la porte ! » disait un jour Beethoven à Schindler qui, toujours curieux, toujours questionnant, voulait savoir quelles idées Beethoven avait exprimées dans les trois notes « fatidiques », imitées du cri du loriot, observé dans le parc du Prater[2]. Et ces deux mesures, qui éveillent violemment

[1] *Id.*, *ib.*, p. 525. Nottebohm indique comme date extrême le 3 mars 1808, inscrite sur le manuscrit d'une mélodie d'après Gœthe, *Sehnsucht*.

[2] Ce qui fait dire, non sans apparence de raison, à M. Colombani, que Beethoven, en répondant à Schindler, a bien pu tout simplement se moquer de lui.

l'attention, épouvantent presque l'auditeur, elles donnent à l'œuvre entière son rythme avec son caractère.

Nottebohm a retrouvé encore un certain nombre d'esquisses, entre autres celles-ci pour le scherzo (F) :

et (G) et pour le finale (H), ainsi que 29 mesures de

la Symphonie en *sol mineur*, de Mozart (I), dont le

voisinage, dit-il, est une révélation[1].

[1] NOTTEBOHM, *Zweite Beethoven.*, p. 528-531. Les feuillets qui contiennent ces passages, ainsi que des esquisses pour la *Sonate* pour violon, violoncelle et piano, op. 69, sont à la Bibliothèque de Berlin.

Comme le dit Grove avec raison, ces esquisses de Beethoven prouvent combien fausse et « absurdement légère » était l'assertion de Fétis affirmant que Beethoven « n'écrivait jamais une note que le morceau achevé ». On trouve au contraire, fort souvent, des idées reprises quinze et vingt fois, avant que le compositeur se décide à les adopter. L'érudit commentateur anglais remarque aussi l'obéissance de Beethoven aux lois de la symphonie :

Le premier mouvement de l'*Ut mineur*, dit-il, est modelé exactement comme le premier de l'*Ut majeur*, — comme les Trios et Sonates avec lesquels il avait débuté devant le public... Sa structure, — en langage musical, sa « forme », — est la suivante : le premier sujet est dans le ton d'*ut mineur*, et rapidement suivi du second, en *mi bémol*, le ton « relatif majeur » dans lequel se termine la première partie du mouvement. Cette partie est répétée, et aboutit au développement *(working-out)* construit entièrement avec les matériaux fournis précédemment. Vient ensuite la reprise *da capo*, avec le changement de ton usuel, une brève *coda*, et le mouvement est terminé ! Ces différentes parties sont toutes, avec une rare uniformité, exactement de la même longueur : le début, répété, a 124 mesures; le *working-out*, 128; la reprise, 126, et la *coda*, 129. En fait, ce mouvement est beaucoup plus strict en sa forme que celui de l'*Eroica*, avec ses deux épisodes importants, entièrement étrangers, dans le working-out; et dont la reprise est une exacte répétition de ce qu'on avait entendu auparavant[1].

Le manuscrit de la *Ve Symphonie*, appartenant à la famille de Félix Mendelssohn-Bartholdy, porte ce simple titre :

Sinfonie *da L. v. Beethoven*[2].

[1] Grove, p. 144-145.
[2] Thayer, *Chronologisches Verzeichniss*, p. 75, n° 140.

La copie qui servit à la gravure, exposée à Bonn en 1890, et appartenant aux éditeurs Breitkopf et Härtel, est intitulée :

Sinfonia 5ta da Luigi van Beethoven[1].

L'édition originale des parties parut, en même temps que celle de la *Pastorale*, en avril 1809, sous ce titre, en français :

« Sinfonie pour 2 Violons, 2 Violes, Violoncelle et Contre-Violon, 2 Flûtes, Petite Flûte, 2 Hautbois, 2 Clarinettes, 2 Bassons, Contre-Basson, 2 Cors, 2 Trompettes, Timbale et 3 Trompes, composée et dédiée à Son Altesse Sérénissime Monseigneur le prince Régnant de Lobkowitz, Duc de Raudnitz, et à Son Excellence Monsieur le comte de Rasoumoffsky, par Louis van Beethoven (Œuvre 67). N° 5 des Sinfonies (Pr. 4 Rthlr. 12 Gr.). Propriété des Editeurs, à Leipsic, chez Breitkopf et Härtel. (1329.) In Stimmen. »

La dédicace fut supprimée lorsque, en mars 1826, parut la partition, en un volume in-8° de 182 pages, dont le titre est le suivant :

« Cinquième Sinfonie en *ut mineur* : C moll : de Louis van Beethoven. Œuvre 67. Partition. Propriété des Editeurs. Prix 3 Thalers. A Leipsic, chez Breitkopf et Härtel. 4,302. »

[1] *Katalog der... Ausstellung von Handschriften... Ludwig van Beethoven's* (Bonn, 1890), n° 250.

II

La durée de l'exécution est de 30 minutes.

I. *Allegro con brio (ut mineur,* 2/4). — Comme le premier mouvement de l'*Eroica,* celui de l'*Ut mineur* commence *ex abrupto;* la pensée principale (1 *a*), dit

Hoffmann, consiste en deux mesures.

Il brille de nouveau dans la suite, toujours sous une forme différente. A la deuxième mesure, un point d'orgue; deux fois, par les seuls instruments à cordes et les clarinettes (1 *a* et *b*). On ne peut encore distinguer la tonalité; l'auditeur pense à celle de *mi bémol.* Le deuxième violon reprend à son tour la phrase principale (1 *c*) à la seconde mesure, la note *ut,* donnée par le violoncelle et le basson permet de distinguer la totalité d'*ut mineur,* tandis que l'alto et le premier violon proposent des imitations, jusqu'à ce qu'enfin celui-ci ajoute deux mesures à la pensée principale qui, reprise trois fois (pour la dernière fois, avec entrée de tout l'orchestre) et allant sur un point d'orgue à la dominante, fait pressentir à l'esprit de l'auditeur, l'inconnu, plein de mystère[1].

Tout le premier mouvement, long de 500 mesures, ne fera, pour ainsi dire, que répéter incessamment ce

[1] E. T. A. Hoffmann, *Musikalische Schriften* (édit. H. vom Ende), p. 62.

thème, ce rythme énergique, que Beethoven a employé plusieurs fois ailleurs[1], l'un des plus caractéristiques, des plus « beethovéniens » qu'il ait inventés. *Fortissimo*, le tutti reprend le fragment (1 *b*) que le quatuor, les hautbois, clarinettes et cors traitent de la même manière (2), *crescendo*, amenant après un tutti une

mesure de silence. Le cor, *fortissimo*, reprend une variante du motif, (3), auquel répond un nouveau thème

[1] Entre autres, dans le *Concerto* pour piano en *sol*, et dans le *Presto* du *3e Quatuor*, mesure 78.

confié aux violons, puis à la clarinette, et aux flûtes et violons. Développé, ce thème conduit à la conclusion de la première partie de l'*allegro*, qui est répétée, selon la règle.

Une répétition du premier motif, développé en mineur, partagé entre l'harmonie et le quatuor, sert de début au développement (4); dans un *crescendo* puis-

sant, l'orchestre tout entier répète, martèle le thème fatidique, que les instruments à vent reprennent à l'unisson, en *fa mineur* (5), *fortissimo.* Un nouveau dialogue, plus lent et *decrescendo* s'engage entre eux et le quatuor et, par une série de modulations, s'arrête un instant dans le ton de *sol majeur*, répétant les premières notes de (5) : un nouveau dialogue, plus court,

s'établit entre les deux groupes principaux de l'orchestre; puis un nouveau *fortissimo*, qui ramène au tutti le motif (1), mais inversé; (1 *a*) puis (1 *b*). *Piano*, les dernières mesures (1 *c*), avec leur développement reparaissent et, sur la dominante *sol*, frappée *ff* par le tutti, une plaintive phrase de hautbois se fait entendre dans le silence soudain (6). Une reprise du motif (2)

lui répond, *piano* puis *crescendo;* le cor seul, lorsque cette nouvelle explosion de l'orchestre s'est arrêtée, le cor seul reprend son motif (3), en *ut majeur;* les violons répliquent comme la première fois, repassant à plusieurs reprises ce thème à la flûte, et modulant en *ut mineur* dont la dominante *sol* va devenir le point de départ du début fougueux de la *coda*, en *ut majeur*

(7). Le rythme reparaît bientôt, que les deux groupes de l'orchestre se renvoient, pour ainsi dire sans reprendre haleine. Cette course paraît s'achever. Un silence laisse les cors, bassons et clarinette les redire seuls, mais sous une forme interrogative (8), au milieu du

silence. Aussitôt l'orchestre répond par une décharge formidable; une deuxième question, plus violente, par tous les instruments à vent et cuivres, obtient pour réponse le premier thème (9), aux altos, violoncelles et

bassons, suivi d'un trait rapide confié aux violons. Quelques mesures plus loin, une nouvelle phrase, d'importance secondaire apparaît (10), dont la carrure

contraste avec le rythme du motif principal; il est dialogué ensuite avec l'harmonie, mais bientôt le motif lui-même reparaît, à l'harmonie d'abord, puis au tutti qui vient, sur un point d'orgue, soutenir l'accord de *mi bémol majeur*. Il se reprend, donnant l'accord de septième du ton d'*ut mineur*. Un silence succède à cette explosion dernière. Le motif (1 *c*) du début reparaît, répété deux fois; et un dernier *fortissimo*, de douze mesures, rassemblant tout l'orchestre, termine l'*allegro*.

II. *Andante* (*la bémol majeur*, 3/8). — *Dolce*, « comme une voix de purs esprits, qui remplit notre cœur de consolation et d'espoir résonne le thème suave (et solide cependant) de l'*Andante*, confié aux altos et violoncelles[1] » accompagné par les contrebasses *pizzicato* (11). Les instruments à vent répon-

[1] Hoffmann, *l. c.*

dent, ou plutôt continuent *piano* ce thème (12) et le

quatuor en répète aussi la conclusion. Les clarinettes et les bassons accompagnés par les cordes exposent maintenant un nouveau thème, toujours *piano*, mais d'un caractère différent, en *la bémol majeur*, qui reviendra incessamment tout le long du mouvement, auquel va donner une allure triomphale et grandiose (13). Aussitôt exposé, en effet, une modulation enharmonique

monique conduit en quatre mesures au ton d'*ut majeur*, dans lequel éclate *fortissimo*, au tutti, ce motif. Les hautbois, cors, trompettes et timbales, sur l'accompagnement des violons, le redisent, puis une accalmie subite, ramenant le ton de *la bémol majeur*, conduit à une première variation du thème (11), brodée par les altos (11 *a*) et violoncelles. Développé successivement

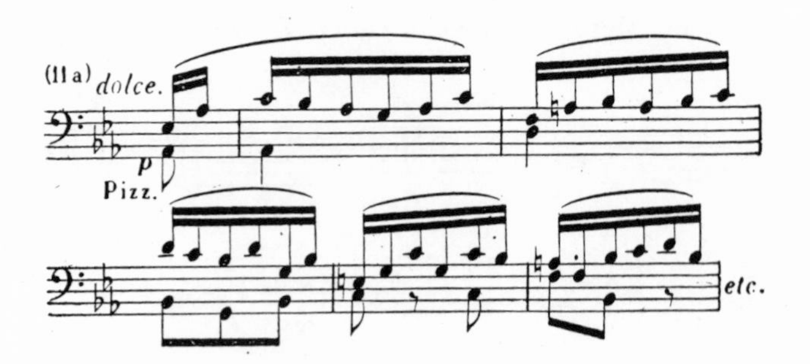

par tous les instruments, avec des alternatives de force et de douceur, varié dans une nouvelle forme (11 *b*),

d'abord par les violoncelles, puis par les violons, enfin par les violons et contre-basses *fortissimo*, sous une batterie de l'orchestre entier, il aboutit à un point d'orgue sur la dominante *mi bémol*. Une suite d'accords frappés *pianissimo* par le quatuor (14), laisse

la clarinette, le basson, le hautbois et la flûte préluder à tour de rôle, dans un dialogue animé (14 *a)* à une

rentrée du second thème en *ut majeur*, par tout l'orchestre. Cette explosion triomphale est suivie d'un nouveau silence. Les violons murmurent maintenant un accompagnement sur lequel, à la septième mesure, les instruments à vent redisent en *la bémol majeur*, *pizzicato*, le thème du début (11). Ce développement achevé, *crescendo*, un nouveau silence se fait ; des traits du quatuor entraînant à sa suite l'harmonie ne tardent pas à ramener le thème majestueux (13), en *la majeur fortissimo*, que l'harmonie achève *piano* comme au début (12). Maintenant, *piu mosso*, c'est le motif mineur (15) qui reparaît au basson solo, sur un accom-

pagnement *pianissimo* et *pizzicato* du quatuor, la fin du premier thème revient à plusieurs reprises, ainsi varié (12 *a*) :

Enfin, une dernière reprise du thème initial, chanté avec une expression indicible par les cordes et les bois (12 *c)*, précède une rentrée *crescendo* de tout

l'orchestre, qui répète à plusieurs reprises les 8e et 9e mesures du premier motif (12) avant de venir s'arrêter une dernière fois, sur la tonique.

III. *Allegro (mi bémol*, 3/4). — Le Scherzo est simplement intitulé *Allegro*. Un premier thème, insinuant, qui part des profondeurs du quatuor, *pianissimo*, de quatre mesures, auquel répondent les violons et altos, suivis du cor, du basson et de la clarinette (16), en

forme le début; il est répété deux fois, la seconde, la flûte accompagne les violons à l'octave supérieure; puis un silence. Le cor *pianissimo* marque le rythme, transformation ternaire du motif fondamental du premier mouvement (17); le quatuor accentue le pre-

mier temps. Le tutti lui répond, achevant le motif sur lequel est construit tout le scherzo. Modulant en *si bémol mineur*, le tutti laisse le premier motif revenir, comme au début (16). Le cor reprend le second motif (17). Tout l'orchestre marque le rythme et vient s'arrêter sur l'accord d'*ut majeur*, *pianissimo;* une reprise du premier motif, en *ut mineur*, suit, dont le développement va s'éteindre *pianissimo*, terminant la première partie du mouvement. Soudain, en *ut majeur* (18), les

violoncelles et contre-basses attaquent avec force un trait rapide repris en *sol* par les bassons et altos, puis par le quatuor; il est répété deux et trois fois, semblable à un grave récitatif, tantôt en entier, tantôt par fragment (18 *bis*). Schumann l'appelle pour cette

raison, *die fragende Figur*, la « figure interrogative » : Berlioz compare ce trait, « exécuté de toute la force des archets, dont la lourde rudesse fait trembler sur leurs pieds les pupitres de l'orchestre... aux ébats d'un éléphant en gaieté... Mais le monstre s'éloigne, et le bruit de sa folle course se perd graduellement ». Parti des profondeurs de l'orchestre, il finit par s'éteindre aux violons, *pianissimo*, puis aux flûtes. « Le motif du scherzo reparaît en *pizzicato;* le silence s'établit, peu à peu, on n'entend plus que quelques notes légèrement pincées par les violons et les petits gloussements que produisent les bassons donnant le *la bémol aigu*, froissé de très près par le *sol*, octave du son fondamental de l'accord de neuvième dominante mineure; puis, rompant la cadence, les instruments à cordes prennent doucement avec l'archet l'accord de *la bémol*, et s'endorment sur cette tenue. Les timbales seules entretiennent le rythme en frappant avec des baguettes couvertes d'éponges de légers coups qui se dessinent sourdement sur la stagnation générale du reste de l'orchestre. Ces notes de timbales sont des *ut;* le ton du morceau est celui d'*ut mineur*, mais l'accord de *la bémol*, longtemps soutenu par les autres instruments, semble introduire une tonalité différente; de son côté, le martèlement isolé des timbales sur l'*ut* tend à conserver le sentiment du ton primitif (19).

L'oreille hésite... on ne sait où va aboutir ce mystère d'harmonie... quand les sourdes pulsations des timbales augmentant peu à peu d'intensité, arrivent avec les violons, qui ont repris part au mouvement et changent l'harmonie, à l'accord de septième dominante, *sol, si, ré, fa,* au milieu duquel les timbales roulent obstinément leur *ut tonique* (20); tout l'orchestre aidé

des trombones qui n'ont pas encore paru, éclate alors dans mode *majeur* sur un thème de marche triomphale, et le finale commence[1]. »

Allegro (ut majeur, C). — C'est d'abord un unisson de tout l'orchestre (21), dont les puissances se dé-

[1] H. Berlioz, *A travers Chants.*

chaînent après l'accalmie de la fin du scherzo. Bientôt, succédant à une série de mouvements ascendants et descendants (22 et 23), à l'harmonie sonne un thème

triomphal, auquel répondent des grondements des basses; les violons et les voix aiguës de l'harmonie ramènent un instant de calme par des traits analogues; un nouveau tutti, de quatre mesures, modulant d'*ut majeur* en *sol*, introduit aux altos, clarinettes et bassons un nouveau thème, d'allure toute différente, dont le tutti s'empare, *forte*, et avec lequel il termine la première partie du finale (24), qui est répétée.

La péroraison de ce dernier mouvement, d'une longueur inaccoutumée, est construite avec le motif (23), en *la* d'abord, puis en *si bémol mineur*, *fa mineur*, et graduellement amène le tutti sur la dominante d'*ut mineur*, *sol;* le même motif continue, dans ce ton, à être répété et varié par le quatuor. L'orchestre, sur la pédale *sol*, atteint au maximum de son agitation, quand soudain, reparaît *pp* le mouvement du scherzo. Les violons d'abord seuls, puis le quatuor entier, le hautbois, la clarinette, le cor, timidement, se font entendre avec lui, marquant seulement le rythme, comme dans un lointain mystérieux. Cet intermède, qui dure 54 mesures, ramène au tutti l'*allegro*. Le motif (24) se fait de nouveau entendre, mais en *ut;* un peu plus loin, un silence laisse le cor seul exposer un nouveau thème, très court, développé par la flûte et la clarinette, repris par le quatuor et par tous les instruments. Le mouvement s'anime encore et atteint le *presto* qui se termine sur un dernier retour du premier thème, dans une énergie farouche, et répète « dans une succession interminable, l'accord d'*ut naturel*[1] ».

[1] GROVE, p. 171.

III

Dans la pensée de Beethoven, l'« académie musicale » qu'il organisa le 22 décembre 1808, au théâtre *an der Wien*, était une soirée d'adieu offerte au public viennois. Le programme, dont on trouve des projets dans un *Skizzenbuch* de 1808[1], mêlés à des esquisses pour la *Fantaisie* avec chœurs (op. 80), comprenait d'abord la *Pastoral Symphonie*, qui portait le n° 5; un air chanté par Mlle Killitzy; une hymne avec texte latin; le *Concerto* pour piano, en *sol majeur*, dans lequel Beethoven, qui le joua lui-même, se montra, au dire de Reichardt, « étonnamment brave dans les mouvements les plus vifs[2] ». La seconde partie du concert débutait par la *Grande Symphonie* en *ut mineur* (n° 6); puis venaient le *Sanctus* de la messe en *ut majeur*, op. 86; une *Fantaisie* pour piano seul, enfin, la *Fantaisie* avec chœurs, dans laquelle Beethoven tenait encore la partie de piano[3].

[1] NOTTEBOHM, *Zweite Beethoveniana*, p. 504. Cf. l'étude sur la *VI*e *Symphonie*.

[2] WASIELEWSKI, II, p. 36.

[3] La *Wiener Zeitung* du 17 décembre annonçait ainsi le concert :

« *Académie musicale.*

« Jeudi 22 décembre, Ludwig van Beethoven a l'honneur de donner dans le théâtre privé impérial et royal an der Wien une Académie musicale ; tous les morceaux sont de sa composition, entièrement nouveaux et n'ont pas encore été publiés. » (Suivait le programme.) « Les loges et fauteuils d'orchestre sont à louer Krugerstrasse n° 1074, au premier étage. On commencera à 7 heures. » (THAYER, *Chron. Verz.*, p. 75, n° 140.)

Les répétitions n'avaient pas été sans difficulté. L'orchestre — cela lui arriva plus d'une fois — n'était pas fort bien disposé à l'égard de Beethoven, dont les brusqueries et violences de langage étaient souvent des plus blessantes. Mais, comme toujours, la curiosité l'emportant chez ses musiciens, tout finit par bien se passer.

Il avait tellement monté contre lui l'orchestre du théâtre *an der Wien*, racontait plus tard le ténor Rœckel à Thayer, qu'il n'y eut que les chefs d'orchestre Seyfried et Clement, etc., qui voulussent avoir affaire à lui; et il fallut user de beaucoup de persuasion et mettre la condition que Beethoven ne serait pas présent dans la salle pendant les répétitions, pour que les musiciens consentissent à jouer. Pendant les répétitions, qui avaient lieu dans le grand local situé derrière la scène, Beethoven allait et venait dans une pièce voisine, où Rœckel se trouvait souvent avec lui. A la fin de chaque morceau, Seyfried se rendait auprès de lui pour recueillir ses observations.

Un incident marqua l'exécution de la *Fantaisie avec chœurs*. Une erreur de l'orchestre força Beethoven à interrompre, au milieu de la troisième variation. Il se leva subitement, et cria aux musiciens : « Silence! silence! Ça ne va pas. Encore une fois, encore une fois. »

Il pensait, dit Seyfried, qu'il était de son devoir de corriger une faute involontaire, et que le public était en droit d'exiger, pour son argent, une exécution correcte et parfaite. Il s'empressa de demander pardon à l'orchestre, avec la cordialité qui lui était particulière, de l'offense qu'il lui avait faite sans intention, et fut assez noble pour propager l'histoire en mettant toutes les fautes sur le compte de sa propre distraction.

Quelques jours plus tard, dans sa lettre aux Breitkopf, Beethoven écrivait à ce propos :

D'abord, les musiciens étaient débandés, de sorte que, par manque d'attention, ils se trompèrent dans la chose la plus simple du monde, je les arrêtai tout à coup et leur criai tout haut : *Encore une fois*. Cela ne leur était jamais arrivé; le public en témoigna son plaisir[1].

Le correspondant viennois de l'*Allgemeine musikalische Zeitung*, de Leipzig, qui n'osait se prononcer sur la valeur du programme formidable qu'il venait d'entendre, s'empressa de noter l'incident dans son compte rendu, ainsi que la faiblesse générale de l'exécution[2].

Peu après, le même journal annonçait que la Sinfonie n° 6, « qui vient de paraître gravée chez Breikopf et Härtel, d'après le manuscrit du compositeur », avait été entendue aux concerts du Gewandhaus, à Leipzig (cette audition avait eu lieu le 9 février 1809).

Elle avait déjà été donnée au concert extraordinaire de M. Tietz de Dresde, où, à cause de ses grandes difficultés, l'exécution ne fut pas excellente. La reprise aux concerts hebdomadaires fut tout à fait bonne, à l'exception de quelques petits détails. Le premier mouvement *(ut mineur)*, *allegro* bouillant, un peu obscur, noble dans le sentiment comme dans son élaboration, exécuté avec égalité et fermeté, et simple dans beaucoup d'originalité, sérieusement et très régulièrement conduit, est un morceau digne, qui offrira un riche plaisir, même à ceux qui s'attachent à l'ancienne manière de composer la grande symphonie : L'*andante* est très original et très attrayant, composé d'idées des plus hétéro-

[1] Wasielewski, I, p. 19-20.
[2] *Allg. musik. Zeit.*, janv. 1809, col. 267-268.

gènes — de douceur rêveuse et farouchement guerrières — et à sa manière ne dépendant d'un bout à l'autre que de soi seul. Sous cette apparence d'arbitraire, on peut découvrir dans ce remarquable morceau beaucoup d'étude, une vue sûre de l'ensemble, et une élaboration très soignée. Quant au *scherzando* qui suit (qu'il est presque impossible à un orchestre nombreux d'exécuter), nous n'avons pu encore le trouver agréable, il nous faut l'avouer, à cause de ses caprices par trop saillants; mais on sait qu'il n'en va pas avec de telles productions de l'humour dans l'art comme — si cette comparaison m'est permise, — comme avec les raffinements de l'art culinaire le plus raffiné : on doit se rendre compte, par des expériences répétées, de ce qui est susceptible de plaire. Le finale est une explosion tempêtueuse, d'une puissante fantaisie, comme on en trouverait difficilement dans aucune autre symphonie[1].

Tel est le premier compte rendu sérieux de l'*Ut mineur* qu'imprima l'*Allgemeine musikalische Zeitung*.

Hoffmann, l'année suivante, analysa longuement la partition, devenue, depuis sa publication, celle de la *Ve Symphonie*[2].

La musique instrumentale de Beethoven, écrivait l'auteur des *Contes fantastiques*, nous ouvre l'empire du colossal et de l'immense. D'ardents rayons percent la nuit profonde de cet empire et nous percevons des ombres de géants, qui s'élèvent et s'abaissent, nous enveloppant de plus en plus et annihilant tout en nous, et pas seulement la douleur de l'infini désir dans lequel tout plaisir qui, vite surgi en notes d'allégresse, sombre et disparaît, et c'est seulement dans cette douleur qui se consume d'amour, d'espoir, de joie, mais ne

[1] *Allg. musik. Zeit.*, 12 avril 1809, col. 434-435.
[2] *Id.*, 4 et 11 juillet 1810, col. 630-642 et 652-659. En même temps avait paru la partition « arrangée pour le pianoforte à quatre mains », par Schneider. (*Id.*, col. 659 et *Intelligenz-Blatt*, avril 1809, col. 31.)

détruit pas, veut faire éclater notre poitrine dans un accord unanime de toutes les passions, que nous continuons à vivre et sommes des visionnaires ravis !

... Il n'existe rien de plus simple que le motif que le maître donne pour base à tout l'*allegro*, et on remarquera surtout avec étonnement comment il a su disposer tous les motifs secondaires, tous les épisodes, grâce à leur rapport rhythmique, de façon qu'ils ne servent qu'à relever de plus en plus le caractère de tout le morceau, que ce thème ne faisait qu'indiquer. Toutes les phrases sont courtes, consistant seulement en deux ou trois mesures, et sont partagées dans une opposition constante des instruments à cordes et des instruments à vent. On pourrait croire que de semblables éléments ne sauraient produire qu'une chose morcelée, incompréhensible : mais c'est au contraire cet arrangement de l'ensemble, aussi bien que cette continuelle succession de phrases courtes et d'accords isolés, qui porte à son comble le sentiment d'un désir ardent et indicible. — D'où suit que, si l'emploi du contrepoint témoigne d'une étude profonde de l'art, de même aussi les incidentes, les allusions perpétuelles au thème principal, prouvent combien le maître a non-seulement embrassé l'ensemble en esprit, avec toutes ces indications caractéristiques, mais comme il l'a pénétré à fond...

Dans l'*andante* reparaît le génie formidable qui a saisi, angoissé notre âme dans l'*allegro*, menaçant à chaque instant du milieu d'un nuage orageux dans lequel il s'est caché, et devant ses éclairs, les formes aimables qui nous environnaient et nous consolaient s'enfuient rapidement.

Le menuet qui succède à l'*andante* est aussi original, aussi prenant sur l'esprit de l'auditeur qu'on pouvait l'attendre du maître, dans la composition de cette partie de la symphonie qui, dans la forme de Haydn qu'il a choisie, doit être la plus piquante et la plus spirituelle de toutes. Ce sont surtout ces modulations originales, ces résolutions sur l'accord de dominante majeure, attaqué par la basse comme la tonique du thème suivant, c'est aussi ce thème qui, développé seulement quelques mesures, qui caractérisent si vivement la musique de Beethoven, et ces inquiétudes, ces pressentiments d'un empire idéal, où les phrases de l'*allegro* bouleversent l'esprit de l'auditeur, vous saisissent de nouveau...

Mais, semblable à la lumière éclatante, éblouissante, du soleil perçant soudain la nuit profonde, le thème pompeux et triomphal du morceau final en *ut majeur* emplit tout l'orchestre, auquel se joignent maintenant les petites flûtes, le trombone et le contre-basson. Les phrases de cet *allegro* sont plus larges que les précédentes; et pas tant remarquables par la mélodie que par les imitations trop contrapuntiques et par leur force; les modulations ne sont ni raffinées, ni incompréhensibles; la première partie surtout, a presque l'envolée vigoureuse de l'ouverture...

Beethoven a conservé la suite ordinaire des mouvements dans la symphonie; ils semblent être fantastiquement enchaînés l'un à l'autre et l'ensemble résonne comme une rhapsodie géniale, mais l'esprit de tout auditeur sensible sera sans aucun doute, saisi profondément et intimement, par *une* impression durable, de désir infini, inassouvi, et cela, jusqu'au dernier accord; et même, dans les instants qui suivront, il ne pourra s'échapper de ce merveilleux empire des esprits où l'enveloppent la douleur et le plaisir revêtus de forces musicales[1].

Exécutée le 22 mars 1809, dans l'Aula Leopoldina de Breslau, « avec un grand et magistral effet[2] », l'*Ut mineur* reparut à Vienne au second concert du clari-

[1] E. T. A. HOFFMANN, *Musikalische Schriften*, p. 61 74. Ces fragments de la critique de Hoffmann ont été traduits, — fort librement, — par Loeve-Weimar, pour d'Ortigue, qui les inséra dans son feuilleton de la *Quotidienne*, du 22 juin 1833. Schumann écrivait, vers 1834, relativement au même finale : « Je me souviens que dans la Symphonie en *ut mineur*, un jour, dans la transition qui mène au mouvement final, où tous les nerfs sont tendus jusqu'à la convulsion, un jeune enfant se serra contre moi, de plus en plus ; je lui demandai ce qu'il avait ; il me répondit qu'il avait peur ! » (SCHUMANN, *Ges. Schriften*, Edit. Reklam, I, p. 41 ; art. signé Eusebius.)

[2] *Allg. musik. Zeit.*, 27 déc. 1809, col. 202, lettre du 12 octobre.

nettiste Baermann, dans la petite salle des Redoutes, le 14 mars 1811 :

« La grande, presque trop longue Sinfonie en *ut mineur* (n° 6) de M. L. van Beethoven a été accueillie avec peu de succès », constatait brièvement encore une fois le correspondant de la *Gazette musicale*[1]. Mais le chef-d'œuvre ne tarda pas à conquérir sa place légitime dans l'admiration des amateurs viennois. A l'Augarten, en avril 1812 et le 1er mai 1813 (au profit de Schuppanzig), la *Ve Symphonie* était enfin applaudie et définitivement adoptée par eux[2]. On l'entendait une seconde fois à Leipzig, en février 1812[3], portant toujours le numéro 6. A Mannheim, elle apparaissait d'abord à un concert du Museum, puis au troisième concert d'abonnement de l'hiver 1811-1812.

Cette symphonie, déclare le correspondant local de la *Gazette*, est :

Un torrent ardent dont le feu refoulé en lui-même, dans le premier mouvement, paraît ne jamais faire tout à fait éruption; dans l'*andante* (plus grandiose que tendre), il semble seulement qu'il se repose avant de manifester sa force par de plus violents éclats; dans le 3/4 du finale (un *pianissimo* plein de mystère, interrompu seulement par de rares *forte* tendant à s'élever, mais bientôt brisés, également dans le ton d'*ut mineur)*, il annonce l'apparition prochaine du débordement infini de sa puissance; celle-ci enfin, — après un long point d'orgue chargé d'angoisse, sur la dominante précédant l'entrée d'un large 4/4 en *ut majeur* qui déroule dans une apothéose magistrale, avec toute la magnificence de l'instrumentation la plus riche, son orgueilleuse marche comme un cortège, — triomphale, atteint le sommet du sublime, et,

1 *Allg. musik. Zeit.*, 24 avril 1812, col. 292.
2 *Id.*, 1er juillet 1812, col. 442 et 23 juin 1813, col. 416.
3 *Id.*, 8 avril 1812, col. 243.

après le puissant et large accord, la conclusion répétant l'accord tonique jusqu'à la satiété, laisse dans l'esprit de l'auditeur une élévation qui peut se comparer au moins à l'impression totale des autres symphonies[1].

Dirigée pour la première fois au festival du Bas-Rhin, à Cologne, en 1821, par Burgmüller, elle y a paru une dizaine de fois depuis cette époque : à Elberfeld, en 1828 (par Schornstein), à Düsseldorf, en 1830 (par Ries), puis en 1842 (par Mendelssohn) et à Aix-la-Chapelle, en 1846. Mendelssohn avait, cette année-là encore, été appelé à diriger. L'exécution de l'*Ut mineur* provoqua une longue polémique, relative à deux mesures du début du scherzo. Il s'agit des mesures 3 et 4 du thème, lorsqu'il revient aux contrebasses et violoncelles, immédiatement après le passage en *ut majeur*.

Ces deux mesures, auxquelles personne n'avait jamais songé, depuis vingt ans que la partition était publiée, étaient-elles une répétition faite par inadvertance ou bien, avaient-elles été voulues par Beethoven ? Les parties de la symphonie avaient été publiées en mars 1809, par Breitkopf et Härtel. Le 21 août 1810, Beethoven adressait à ses éditeurs une lettre dans laquelle il appelait leur attention sur ces deux mesures :

... j'ai encore trouvé les fautes suivantes dans la *Sinfonie* en *ut mineur*, disait-il, où après le majeur ♮♮♮ revient le mineur : je cite la partie de Basse

[1] *Allg. musikal. Zeit.*, 3 juin 1812, col. 382-383.

Les deux mesures où est le ╳, sont de trop et doivent être effacées, cela va sans dire dans toutes les autres parties, qui se taisent[1]...

Il est étrange, remarque Grove avec raison, que lors de la publication de la partition par les éminents éditeurs, avec la *Symphonie pastorale*, en 1826, le passage ait été conservé avec les deux mesures superflues[2].

La lettre, sur l'authenticité de laquelle ne pouvait planer aucun doute, fut publiée en *fac-simile*, par les soins de la maison Breitkopf, dans l'*Allgemeine musikalische Zeitung*, le 8 juillet 1846 et, lorsque Mendelssohn en eut connaissance, il supprima les deux mesures, lors de l'exécution au festival du Bas-Rhin[3]. Mais la polémique ne faisait que commencer. Schindler, « l'ami de Beethoven », dans la seconde édition de sa biographie, se montrait partisan de l'intégrité.

L'avis de Schindler prévalut en partie.

Il est possible, disait-il, qu'une seconde lettre ait été écrite en sens contraire, par laquelle Beethoven a pu faire grâce aux deux mesures, après s'être assuré qu'elles faisaient bon effet. Il n'a pas dû manquer d'en prévenir l'éditeur. D'autre part, cette symphonie fut répétée et exécutée en sa présence[4] pendant dix-huit ans, sans qu'il ait prononcé une parole sur

[1] *Allg. musik. Zeit.* 8 juill. 1846, col. 461-462

[2] Grove, p. 174.

[3] « Aux concerts du Gewandhaus, que Mendelssohn dirigea de 1835 à 1843, et dans la période antérieure, l'examen de la musique semble prouver qu'on omettait déjà deux mesures et qu'on se bornait à exécuter seulement les deux mesures *legato*. » (Grove, p. 176.)

[4] En 1819, Beethoven n'en dit rien aux fondateurs des Concerts spirituels de Vienne, Gebauer et Piringer, qui y firent exécuter la partition, pas plus qu'en 1823, à Schindler, lorsqu'il voulut la faire exécuter au *Josephstädtisches Theater*. (A. B. Marx, II, p. 73.)

ce passage, et cependant Seyfried nous a prouvé combien il tenait à ce que tout fût exécuté selon ses intentions. Il était très sévère à cet égard, en particulier aux Concerts spirituels dans lesquels cette œuvre, ainsi que tant d'autres, retrouvèrent une vie nouvelle. Tout prouve donc que Beethoven a changé d'avis sur ce point. Autrement, on ne s'expliquerait pas son silence sur ce *grosses Bock* si longtemps après la publication de la partition.

En France, la question avait été soulevée, dès 1830, par Fétis, dans *le Temps;* mais on n'y avait pas attaché autant d'importance. Berlioz accuse Habeneck d'avoir adopté la correction de Fétis, dont l'argument était que, « si Beethoven avait rompu à dessein et par originalité méditée le rythme périodique si bien établi au commencement du morceau, cette originalité forcée était puérile et que ces deux mesures surabondantes étaient de mauvais goût ».

Berlioz revint sur cette discussion, lorsqu'il rendit compte du fameux livre de Lenz, *Beethoven et ses trois styles;* il se rangea résolument du côté des partisans de l'intégrité, non sans apparence de raison.

Quant à la prétendue faute de gravure que M. Lenz croit exister dans le scherzo, dit-il, et qui consisterait, au dire des critiques qui soutiennent la même thèse, dans la répétition inopportune de deux mesures du thème lors de sa réapparition dans le milieu du mouvement, voici ce que je puis dire : D'abord il n'y a pas de répétition exacte des quatre notes *ut mi ré fa* dont le dessin mélodique se compose; la première fois elles sont écrites en blanches suivies d'une noire, et la seconde fois en noires suivies d'un soupir, ce qui en change le caractère.

Ensuite l'addition des deux mesures contestées n'est point du tout une anomalie dans le style de Beethoven. Il y a non pas cent, mais mille exemples de caprices semblables dans ses compositions. La raison que les deux mesures ajoutées détruisent la symétrie de la phrase, n'était point suffisante pour qu'il s'abstînt si l'idée lui en était venue. Personne ne s'est moqué plus hardiment que lui de ce qu'on nomme *la carrure.* Il y a même un exemple frappant de ses hardiesses en ce genre dans la seconde partie du premier morceau de cette même symphonie, page 36 de la petite édition de Breitkopf et Härtel, où une mesure de silence, qui paraît être de trop, détruit toute la régularité rhythmique et rend très dangereuse pour l'ensemble la rentrée de l'orchestre qui lui succède. Maintenant je n'aurai pas de peine à démontrer que la mélodie de Beethoven ainsi allongée, l'a été par lui avec une intention formelle. La preuve en est dans cette même mélodie reproduite une seconde fois immédiatement après le point d'orgue, et qui contient encore deux *mesures supplémentaires (ré, ut dièze, ré, ut naturel)* dont personne ne parle; mesures différentes de celles qu'on voudrait supprimer, et ajoutées cette fois après la quatrième mesure du thème, tandis que les deux autres s'introduisent dans la phrase après la troisième mesure. L'ensemble de la période se compose ainsi de deux phrases de dix mesures chacune; il y a donc intention évidente de l'auteur dans cette double addition, *il y a donc même symétrie,* symétrie qui n'existera plus si on supprime les deux mesures contestées en conservant les deux autres qu'on n'attaque point. L'effet de ce passage du *scherzo* n'a rien de choquant; au contraire, j'avoue qu'il me plaît fort. La symphonie est exécutée ainsi dans tous les coins du monde où les grandes œuvres de Beethoven sont entendues. Toutes les éditions de la partition et des parties séparées contiennent ces deux mesures; et enfin, lorsqu'en 1850, à propos de l'exécution de ce chef-d'œuvre à l'un des concerts de la société philharmonique de Paris, un journal m'eut reproché de ne les avoir pas retranchées, regardant cette erreur de gravure comme un fait de notoriété publique, je reçus peu de jours après une lettre de M. Schindler. Or, M. Schindler m'écrivit précisément pour me remercier de n'avoir point fait cette correction; M. Schindler, qui a passé sa vie avec Beethoven, ne croit point à la faute de gravure, et il m'assurait avoir entendu les deux fameuses mesures dans toutes les exécutions de cette symphonie qui avaient eu lieu *sous la direction de Beethoven*. Peut-on admettre que l'auteur, s'il eût reconnu là une faute, ne l'eût pas corrigée immédiatement[1].

Nottebohm, qui a examiné cette question dans son premier *Beethoveniana*, dit qu'à la première audition, le 22 décembre 1808, la partie principale et le trio du scherzo étaient répétés, ainsi qu'il résulte de l'examen des parties d'orchestre, conservées aujourd'hui dans les archives de la *Gesellschaft der Musikfreunde*, à Vienne. Plus tard, cette reprise fut entièrement supprimée; les passages inutiles, qui l'indiquaient, furent barrés ou cachés par des collettes; l'une d'elles montre un fragment d'arrangement de la *Symphonie* en *la;* donc ce changement remonte au plus tôt à 1812. Lorsque, les 4 et 11 novembre 1841, la *Gesellschaft* fit exécuter l'*Ut mineur*, ces parties, renfermées en deux paquets, furent tirées des archives, et l'on y trouva partout les deux mesures effectivement supprimées [2].

Telles sont les preuves pour et contre l'opinion de Schindler, qu'on a réunies. Enfin Otto Jahn, reproduisant dans ses *Aufsätze über Musik*, les observations adressées par la maison Breitkopf, le 1er juillet 1846, à l'*Allgemeine musikalische Zeitung*, dit que, dans la copie préparée pour la gravure par Beethoven, les deux mesures superflues étaient marquées au crayon rouge du chiffre 1, et les deux suivantes du chiffre 2;

[1] Feuilleton du *Journal des Débats*, 11 août 1852, et *Soirées de l'Orchestre*, p. 362-363.

[2] NOTTEBOHM, *Beethoveniana*, p. 17-20 : *Die ausgeschlossenen zwei Takte im dritten Satz der C-moll-Symphonie.*

au-dessus était écrit : *Si replica con Trio allora 2* (on répète le trio, puis on va à 2), ce qu'on peut voir dans la gravure. Beethoven avait donc l'intention de faire répéter le scherzo en entier avec le *trio*, puis la *coda* — par laquelle se terminait la reprise — ce que le graveur n'aura pas compris.

Cette explication est assez plausible et peut mettre tout le monde d'accord, quoique aucun des partisans ou des adversaires de l'intégrité n'ait fait remarquer qu'il y a cependant une différence essentielle entre le motif au début du scherzo et le motif à la reprise; ici, Beethoven l'a allongé d'une mesure (il y en a donc 9 ou 11), en faisant tenir, pendant trois temps de plus que la première fois, l'*ut* initial. Ce ralentissement voulu, sans aucun doute, et que personne n'a discuté, ce ralentissement marquant une sorte d'hésitation, avant que le thème ne s'élance de nouveau, Beethoven n'a-t-il pas voulu le rendre plus sensible, en ajoutant deux mesures, dont les notes, sinon les valeurs, sont identiques aux deux précédentes[1].

Les deux versions sont toujours en présence, mais les éditions en usage aujourd'hui suppriment les deux mesures contestées.

[1] Deldevez, qui a examiné cette question dans ses *Curiosités musicales*, penche pour l'intégrité. Habeneck, dit-il, n'osa pas supprimer ces deux mesures. « On trouve, selon nous, dans cette répétition mélodique, le point de départ de ces reprises fréquentes, de ces parcelles de mélodie successives reproduites d'un principe nouveau, enfin, dont l'éclosion devait se manifester d'une manière prodigieuse dans la symphonie avec chœur (premier morceau). » (DELDEVEZ, *Curiosités musicales*, p. 102-107.)

Après 1846, le festival du Bas-Rhin inscrivit l'*Ut mineur* à son programme, en 1855 (dirigé par Hiller), en 1863 (par Otto Goldschmidt), à Düsseldorf; en 1867 (par Rietz) et en 1885 (par Kniese) à Aix-la-Chapelle.

En 1845, lorsque fut inauguré, à Bonn, le monument de Beethoven ce furent, parmi les neuf Symphonies, la *IX*e dirigée par Spohr, et la *V*e, dirigée par Liszt, que l'on choisit pour représenter l'œuvre symphonique de Beethoven.

Liszt, écrit Berlioz, fit entendre

> ... le *scherzo*, tel que Beethoven l'écrivit, sans en retrancher au début les contre-basses, comme on l'a fait si longtemps au Conservatoire de Paris, et finale avec la reprise indiquée par Beethoven, reprise qu'on se permet aujourd'hui encore de supprimer aux concerts de ce même Conservatoire. J'ai toujours eu une si grande confiance dans le goût des correcteurs des grands maîtres, que j'ai été tout surpris de trouver la symphonie en *ut mineur* encore plus belle exécutée intégralement que corrigée. Il fallait aller à Bonn pour faire cette découverte[1].

Spohr, qui entendit la *V*e *Symphonie*, à Munich en 1815, écrit dans son autobiographie :

> L'effet fut plus grand que je ne l'avais supposé, bien que je l'eusse entendue souvent à Vienne, sous la direction de Beethoven. Malgré la splendeur de l'exécution, je ne trouve pas de raison de me départir de mon jugement anté-

[1] *Journal des Débats*, 22 août 1845, et *Soirées de l'Orchestre*, p. 377. *Les Fêtes musicales de Bonn*. D'après Grove, l'assertion de Berlioz, en ce qui concerne Habeneck, serait erronée. (Grove, p. 169, note.) Deldevez *(De l'Exécution d'ensemble*, p. 150) confirme les dires de Berlioz. Pendant « plus de vingt ans », dit-il, on supprima les contre-basses au début du scherzo de l'*ut mineur*.

rieur sur cet ouvrage. Avec toutes ses beautés originales, il n'a pas la forme classique. En particulier, le thème du premier mouvement manque de la dignité qui, à mon avis, est indispensable à l'ouverture d'une symphonie. J'avoue d'ailleurs que le thème, court et facile, intelligible et bien développé au moyen du contrepoint, est combiné avec les autres idées capitales du mouvement d'une manière ingénieuse et pleine d'effet. L'*adagio* en *la bémol* contient de beaux passages; mais ces progressions et modulations, quoique toujours très riches, se répètent trop souvent et finissent par lasser. Le *scherzo* est très original et de couleur tout-à-fait romantique; mais le *trio*, avec son effroyable course des contre-basses, est trop long, à mon avis. Le dernier mouvement, avec son tumulte qui ne veut rien dire, me plaît encore moins; toutefois, le retour du *scherzo* dans le finale est une heureuse idée dont on doit féliciter le compositeur. L'effet en est ravissant! Dommage que le bruit qui recommence détruise presque aussitôt cette impression[1].

La première exécution de l'*Ut mineur* à Londres eut lieu le 15 avril 1816 à la Philharmonic; elle fut reprise en moyenne une fois par an depuis cette époque (55 fois en 55 ans). C'est elle qui fut « l'annonciatrice de la religion de Beethoven », selon l'heureuse expression de George Grove : « Elle introduisit une physionomie nouvelle dans le monde musical[2]. »

[1] Spohr, *Selbstbiographie*, I, p. 228.

[2] Grove, p. 139. Grove, dans son *Beethoven* et dans son *Dictionary*, a raconté un curieux incident qui se produisit au festival d'York, en 1825. L'*Ut mineur* était au programme. Un certain nombre de parties d'orchestre faisant défaut, on résolut de ne pas l'exécuter, et déjà la chanteuse, miss Travis, commençait une ballade écossaise, lorsque l'un des commissaires, F. Maud, recorder de Duncaster, s'écria d'une voix de stentor : « La Symphonie! la Symphonie! j'exige que la Symphonie soit jouée! » L'orchestre obéit et, malgré les lacunes de l'exécution, le succès fut général. Grove, *Beethoven*, p. 180, et *Dict. of music*, IV, p. 495, col. 2.

A Paris, après les deux exécutions de l'*Eroica*, par lesquelles elle fut inaugurée[1], la Société des Concerts la révéla à ses auditeurs dès sa troisième séance, le 13 avril 1828; « généralement redemandée », elle fut reprise au cinquième, le 4 mai suivant; la troisième audition eut lieu le 21, au concert extraordinaire donné au profit de la caisse instituée pour l'extinction de la mendicité.

La symphonie en *ut mineur* ouvrait la séance, écrit Fétis après la première audition. Un certain frémissement de l'auditoire, précurseur du plaisir qu'on allait éprouver, se manifestait dans toute la salle, quand le début de cet ouvrage colossal s'est fait entendre avec une véhémence, une force, une énergie dont il n'y a point d'exemple. Jamais l'oreille de l'illustre auteur de ce chef-d'œuvre n'a été émue par une semblable exécution. Il n'y a qu'un cri parmi les artistes étrangers qui abondent en ce moment à Paris; c'est celui de l'admiration pour une perfection qui dépasse presque les bornes des facultés humaines[2]... Avec toute son organisation supérieure, disait encore Fétis, Mozart n'aurait jamais imaginé cette marche colossale qui ouvre le dernier morceau de la symphonie en *ut mineur* de Beethoven, et cependant la sublime pensée de cette marche est digne d'un génie si prodigieux. Une semblable création est au-dessus de la musique; ce ne sont plus des flûtes, des cors, des violons et des basses qu'on entend, c'est le monde, c'est l'univers qui s'ébranle. Je vous atteste tous, vous qui fûtes assez heureux pour entendre au troisième concert cette merveille si merveilleusement rendue! dites si vous vous êtes souvenu dans cet instant qu'il s'agissait d'une production de l'homme, et si vous aviez sous les yeux des instruments et des symphonistes! L'explosion d'enthousiasme par laquelle vous avez spontanément mani-

[1] Le Concert spirituel de l'Opéra, le mois suivant, en donna l'*allegro* et le *scherzo*, mais avec beaucoup moins de perfection et de succès que la Société des Concerts.

[2] *Revue musicale*, 1828, p. 274.

festé vos sensations, et qu'elles vous auraient étouffé si elles n'eussent éclaté.

Malheureusement, Beethoven ne sait pas finir; presque tous ses morceaux les plus beaux se prolongent au-delà des bornes de leur développement nécessaire et gâtent les sensations qu'ils excitent par des passages d'un travail plus ou moins bizarre. C'est que, malgré la capacité immense de son génie, il manque de ce goût qui est une des qualités de Haydn et de Mozart. Si ces deux grands artistes eussent trouvé la sublime pensée de la marche dont je viens de parler, et de la manière admirable dont elle s'enchaîne avec le *Scherzo* précédent, ils se seraient bien gardés de se jeter dans la divagation qui vient ensuite refroidir l'âme dans la symphonie de Beethoven. L'idée principale n'aurait pris entre leurs mains que les développemens nécessaires pour produire tout son effet. Le coup une fois porté, ils n'auraient pas laissé respirer l'auditoire, l'auraient accablé d'un déluge de beautés émanées de la première, et n'auraient pas eu besoin de la belle péroraison qui vient au secours de Beethoven pour ranimer l'intérêt[1].

Et après la seconde audition :

L'étonnement et l'admiration qu'elle inspire ont encore augmenté cette fois. La richesse d'invention qu'on remarque dans le premier morceau n'est ternie par aucun défaut essentiel; les longueurs qui déparent souvent les plus belles compositions de l'auteur de celle-ci, et qui tournent souvent en *langueurs*, ne s'y font pas remarquer. Tout y est d'inspiration, et si la mélodie n'est pas ce qui y domine, il règne au moins une mélancolie pleine de charme, et les effets y sont variés avec tant d'art qu'on n'a pas le temps d'analyser ce qu'on pourrait y désirer sous le rapport du chant. L'adagio est un motif varié comme peut le faire un homme doué de la supériorité de Beethoven, il me semble cependant qu'il aurait pu se dispenser de faire trois fois de suite la modula-

[1] *Revue musicale*, 1828, p. 313-316.

tion en *ut majeur*. Il y a dans cette uniformité de moyens une paresse d'imagination à laquelle ce génie ardent ne nous a pas accoutumés. Quant au *scherzo*, tout y est parfait, admirable et la manière dont il se lie à la marche magnifique qui couronne l'œuvre est au-dessus de tout éloge. Il en résulte un des effets les plus extraordinaires, le plus grand peut-être, dont la musique est susceptible. Rien ne peut donner une idée de l'enthousiasme qu'il a encore une fois excité dans l'auditoire[1].

L'*Ut mineur* est la deuxième grande œuvre de Beethoven que la Société des Concerts s'était risquée à faire entendre. Le succès fut grand de la part des amateurs; du côté des compositeurs, il était loin d'en être de même. Berlioz a noté la « pitié » avec laquelle Berton « regardait toute la moderne école allemande », la « surprise enfantine de Boïeldieu, la « bile » et « l'irritation » de Cherubini, les racontars de Paër sur Beethoven, l'indifférence de Catel, et « l'indolent dédain » de Kreutzer. Lesueur, son maître, « se taisait, faisait le sourd et s'abstenait soigneusement d'assister aux concerts du Conservatoire[2] ». Berlioz l'y entraîna cependant, un jour où l'on exécutait la *Ve Symphonie*. Il l'entendit « consciencieusement » et, lorsque l'élève vint recueillir son impression, il le trouva dans le couloir, « très rouge et marchant à grands pas ».

— Eh bien, cher maître? lui dit-il...

— Ouf! je sors, j'ai besoin d'air. C'est inouï! c'est merveilleux! cela m'a réellement ému, troublé, bouleversé, qu'en sortant de ma loge et voulant remettre mon chapeau, j'ai cru

[1] *Revue musicale*, 1828, p. 343.

[2] H. Berlioz, *Mémoires*, chap. XX.

que je ne pourrais plus *retrouver ma tête*. Laissez-moi seul. A demain...

Le lendemain, Berlioz ne manqua pas au rendez-vous, et, après une conversation, enthousiaste du côté de l'élève, simplement admirative de la part du maître, celui-ci dit en secouant la tête et avec un singulier accent :

— C'est égal, il ne faut pas faire de la musique comme celle-là !

Ce à quoi Berlioz répondit :

— Soyez tranquille, cher maître, on n'en fera pas beaucoup[1].

Lorsqu'il fit, à la *Gazette musicale*, la critique des concerts, l'auteur de la *Symphonie fantastique* apprécia l'*Ut mineur* à plusieurs reprises. Le 27 avril 1834, il écrivait :

> Analyser une telle création, suivre pas à pas cette pensée géante est au-dessus de nos forces. Quand le génie humain s'élève à une pareille hauteur, il faudrait être Gœthe, Schiller ou Shakespeare pour le chanter, ou bien pour se prosterner silencieusement le front dans la poussière. L'auditoire, dans un moment de vertige, a couvert l'orchestre de ses cris; c'étaient des exclamations furieuses, mêlées de larmes et d'éclats de rire... Un spasme nerveux agitait toute la salle[2].

Plus tard, au début de l'année 1838, étudiant dans le même journal les neuf Symphonies, Berlioz fut un peu plus explicite et motiva plus longuement son admiration.

[1] H. Berlioz, *Mémoires*, chap. XX.
[2] *Gaz. music.*, 27 avril 1834.

La symphonie en *ut mineur*, au contraire (des précédentes), dit-il, nous paraît émaner directement et uniquement du génie de Beethoven; c'est sa pensée intime qu'il y va développer, ses douleurs secrètes, ses colères concentrées, ses rêveries pleines d'un accablement si triste, ses visions nocturnes, ses élans d'enthousiasme, en fourniront le sujet; et les formes de la mélodie, de l'harmonie, du rhythme et de l'instrumentation s'y montreront aussi essentiellement individuelles et neuves que douées de puissance et de noblesse[1].

Un autre juge influent, rendant compte de la quatrième audition, le 7 avril 1830, au premier concert spirituel du Conservatoire, Castil-Blaze, exprimait ainsi son admiration, et ses réserves dans le feuilleton du *Journal des Débats* :

La symphonie en *ut mineur* de Beethoven a frappé d'admiration toute l'assemblée, quoique l'entrée victorieuse de la marche militaire ne fût plus une surprise pour elle. J'ai déjà dit que la péroraison de cette marche était trop longue et nuisait à l'effet général du morceau. L'*andante* est ravissant, le menuet plein de caprice et d'originalité. Le premier morceau, dans les proportions beaucoup moins développées que les dernières productions du même auteur, contient cependant tout ce que l'on peut désirer sous le rapport du travail des motifs et des ressources qu'un grand génie doit en tirer. *Multa paucis*, cette marche rapide et serrée, ces attaques multipliées faites par chaque instrument, ces combats à deux, à quatre, ces feux de bataillon tiennent sans cesse les exécutans sur le qui vive. Avec de semblable musique, l'expérience et le talent ne donnent point la sécurité; on peut se tromper, ce doute ajoute à l'intérêt du drame musical, aux douceurs du triomphe quand on l'obtient chaque fois d'une manière aussi brillante[2].

[1] *A travers Chants*. Cf. Gaz. music., 11 février 1838.

[2] Feuilleton du *Journal des Débats*, *Critique musicale*, *Premier et deuxième Concerts spirituels*, 11 avril 1830, signé XXX.

Lorsque, à l'imitation de la société du Conservatoire, Pasdeloup fonda en 1861 ses Concerts populaires, il y dirigea l'*Ut mineur*, le 8 décembre, à sa sixième séance; et la reprit à la cinquième de sa troisième saison, le 9 février 1862, mais en supprimant le *scherzo*, peut-être à cause des difficultés d'exécution qu'il renferme?

L'Association artistique, fondée et dirigée par M. Edouard Colonne, l'a fait entendre quarante et une fois, du 22 février 1874 au 19 novembre 1905; l'Association des Concerts-Lamoureux, cinquante-neuf fois, du 6 décembre 1881 au 11 mars 1906. Ici et là, l'*Ut mineur* est, des neuf symphonies de Beethoven, celle qui tient la tête par le nombre de ses exécutions.

A Rome, la *Società orchestrale* la fit entendre pour la première fois au cours de sa quatrième saison, le 9 novembre 1877, au théâtre Argentina, sous la direction de M. Ettore Pinelli; mais elle n'y vient qu'en second rang, avec dix auditions en vingt-cinq années, contre quinze de l'*Eroica*[1].

En Espagne, il ne paraît pas qu'elle ait été exécutée avant 1878, date d'un Cycle Beethoven dirigé par M. Mariano Vazquez au théâtre du Principe Alfonso, à Madrid. Elle fut entendue depuis lors, dans les mêmes conditions, en 1885, au même théâtre, sous la direction de M. Mancinelli; en 1897, au Teatro Lirico de Barcelone, dirigée par M. Antonio Nicolau, et, de-

[1] E. Pinelli, *I venticinque Anni della Società orchestrale romana, 1875-1899.*

puis, deux fois sous la même direction, aux théâtres des Mocedades et du Liceo.

La Societa Filarmonica de Malaga l'exécuta, sous la direction de Regino Martinez, vers le mois de mars 1882[1].

M. Coloman d'Isoz, dans son *Histoire de la Société philharmonique de Budapesth*, fait remonter la première audition dans la capitale hongroise, par cette société, au 3 décembre 1854, deuxième année de sa fondation; elle y a été exécutée treize fois jusqu'au 4 décembre 1901 : la neuvième, sous la direction de Hans Richter (14 décembre 1892), la dixième, sous la direction de Hermann Lévi (5 décembre 1894), la onzième, sous la direction de Sucher (25 novembre 1896), la douzième, sous la direction de M. Mahler (22 juin 1899) et la treizième sous la direction du Dr Fischer (4 décembre 1901).

A Saint-Pétersbourg, la première audition eut lieu le 23 mars 1859 seulement, et à Moscou, le 22 mars 1861.

[1] *Signale*, avril 1882, p. 443.

CHAPITRE VI

VIe SYMPHONIE (Pastorale), en FA, *op.* 68 (1808).

Beethoven, écrit O. Neitzel, avait combattu le combat de l'âme, et s'était rendu maître du destin abattu sur lui; jusque-là il avait surtout retracé en musique sa propre histoire, maintenant il immortalise pour le genre humain tout entier, sa joie et ses douleurs, dont il décrit les sources : la *Nature*, dans la *VIe Symphonie*, la *Danse* dans la *VIIe*, l'*Humour* dans la *VIIIe*, enfin dans son testament sublime, la *IXe*, de chantre il devient prophète, annonçant l'évangile de la *Fraternité* universelle[1].

Ne connût-on pas l'ardent amour de Beethoven pour la nature, que l'hymne immortelle qu'il lui a dédiée dans la *Symphonie pastorale* le proclamerait assez haut. Tous ses biographes se sont étendus sur la prédilection du compositeur (d'origine flamande, il ne faut pas l'oublier, surtout en étudiant ces tableaux à la manière de Téniers) pour la vie aux champs. Lui-même l'exprimait parfois dans ses lettres ou ses conversations. Un jour, il écrit à Teresa Malfatti :

[1] O. Neitzel, *Die Beethoven's Symphonien nach ihrem Stimmungsgehalt*, p. 54. Grove écrit de son côté : « Si les trois symphonies précédentes ont pour objet des œuvres de la pensée et de la volonté humaines, et nous ont intéressés, l'une à la vie d'un héros, l'autre à la rupture d'un amour agréé, à ses conflits et à ses conséquences de joie et de douleur, la troisième au triomphe final de l'esprit sur tous les obstacles, — la symphonie qui les suit dans le cycle est construite sur un champ tout à fait différent » (p. 183).

Que vous êtes heureuse, madame, de pouvoir aller à la campagne! Moi je ne pourrai goûter ce bonheur avant le 8 courant. Je m'en réjouis comme un enfant. Je suis si joyeux quand une fois je puis errer à travers les bois, les taillis, les arbres, les rochers. Pas un homme ne peut aimer la campagne autant que moi! Si seulement forêts, arbres, rochers rendaient l'écho que l'on souhaite entendre[1]!

Combien de traits de la vie de Beethoven ne viennent-ils pas confirmer ses propres paroles, entre autres cette anecdote. Un jour qu'il allait prendre possession d'un appartement loué pour lui à Baden, après l'avoir visité rapidement, il dit au propriétaire :

— Ça me va ainsi. Mais où sont les arbres?

— Nous n'en avons pas.

— Alors la maison n'est pas pour moi, répond Beethoven. *J'aime mieux un arbre qu'un homme.*

Il aimait à être seul avec la nature, la prenant pour sa seule *confidente*, écrit la comtesse Teresa de Brunswick, « l'immortelle bien-aimée ». Alors son cerveau bouillonnait d'idées confuses, la nature en tout temps le réconfortait. Quand des amis allaient le voir, l'été, à la campagne, il aimait à s'écarter d'eux précipitamment, c'est ce qui arriva souvent à mon frère, à Martonsvàsàr.

Le séjour à la campagne, à l'air libre, était le genre de vie qu'il préférait à tout autre, et il passait presque toujours l'été aux environs de Vienne, faisant d'interminables promenades, tantôt à Döbling, à Baden, à Heiligenstadt, tantôt à Mödling, à Nussdorf ou à Penzing. L'Anglais Charles Neate, qui se trouvait à Vienne en 1814, raconte :

[1] NOHL, *Beeth. Briefe*, p. 65. Lettre du printemps ou de l'été de 1807.

Il ne connut jamais un homme qui aimât plus la nature que Beethoven, qui prît autant de joie à la vue des fleurs, des nuages, ou de tout autre phénomène naturel; la nature était pour lui le boire et le manger; il semblait réellement en vivre. Dans ses promenades à travers champs, il s'asseyait volontiers sur quelque banc vert qui l'invitait au repos, et donnait libre cours à ses pensées[1].

Dans les carnets qu'il traînait toujours dans ses poches, on remarque souvent des impressions directes de la nature :

« C'est comme si chaque arbre dans la campagne me disait : « Saint, saint; dans la forêt enchantement, celui qui peut tout exprimer, » écrit-il une fois, en son style hyperbolique. Un autre jour, on trouve ces deux espèces d'invocation à la nature :

« Sur le Kahlenberg, 1815. Fin septembre. »

« Dieu tout-puissant — dans la forêt — je suis heureux — heureux dans la — forêt chaque arbre parle — par toi »[2].

« O Dieu quelle — souveraineté — dans une — telle forêt — sur les hauteurs — est [le] repos — pour — le servir. » Ces deux citations ont été conservées

1 Wasielewski, II, p. 242-243, et Grove, p. 183-184.

2 « Auf'm Kahlenberg, 1815. Ende September.

« Allmächtiger Gott im walde ich bin selig glücklich im wald jeder Baum spricht durch dich »	« o Gott welche Herrlichkeit in einer solchen waldengrund in dem Höhen ist Ruhe — Ruhe ihm zu dienen ».

(*Katalog der... Ausstellung... Beethoven's* (Bonn, 1890) nº 268 : « une feuille de papier à musique avec quelques mesures et une invocation poétique. » Ce document appartient à l'illustre Josef Joachim).

par Jahn. La première est sans date, la seconde de fin septembre 1815 ».

La *Pastorale* n'est pas la première incursion de Beethoven dans la « musique à programme » qui a soulevé et soulève encore chaque jour tant de discussions. l'*Eroica* déjà contenait tout un programme dans son titre; « mais la *Pastorale*, dit Grove, est en grand progrès sur le vague de l'*Eroica;* c'est une série de tableaux de la Nature et de scènes naturelles, étiquetées assez en détail pour aider beaucoup l'auditeur à se reconnaître[1] ». Le commentateur anglais et l'Italien Alfredo Colombani rappellent un grand nombre d'œuvres de *Programmmusik*, de Haydn *(les Saisons)*, Froberger *(Autobiographie)*, Kuhnau *(Biblische Historien)*, l'abbé Vogler *(Bataille navale, la Mort du prince Léopold de Brunswick)*, Spohr, Raff, Schumann, etc.; à côté de Jannequin, dont la *Bataille de Marignan* est fameuse (1515), on pourrait citer de nombreuses œuvres de musiciens français; notre école eut toujours un goût prononcé pour la musique dramatique et, à son défaut, pour celle qui permet d'exprimer, de peindre les objets sensibles à la vue : qu'il suffise de rappeler certains passages de Lulli, de Rameau, les pièces de clavecin de ce dernier et celles de Daquin, de Couperin, etc. ; en musique symphonique pure, la *Chasse* du vieux Gossec, l'ouverture du *Jeune Henri*, de Méhul, d'innombrables compositions du maître de Berlioz, Lesueur, et après Berlioz et F. David, M. Saint-Saëns et tant d'autres.

[1] GROVE, p. 188.

Mais, si la *VIe Symphonie* peut être rangée dans la musique dite à programme, ce serait en méconnaître étrangement la grandeur, l' « humanité », que de la confondre avec la musique purement imitative, avec toutes les « batailles » et les « orages » auxquels se sont complu tant d'organistes et de pianistes médiocres. Les différents programmes et les annotations formelles de Beethoven donnent assez clairement le sens qu'il faut attacher à son œuvre, pour qu'il ne soit pas possible de s'y tromper.

A l'époque de sa première exécution, sous le n° 5, le 22 décembre 1808, la *VIe Symphonie* était intitulée : *Pastoral Symphonie : mehr Ausdruck der Empfindung als Malerey,* « plus expression de sensation que peinture », c'est-à-dire, « plutôt le souvenir de sensations que la représentation d'objets matériels ». Quant au programme lui-même, il a été développé sous cinq versions différentes ayant toutes un caractère d'authenticité incontestable.

1° Sur le manuscrit original qui appartenait jadis au baron J. M. Huyssen de Kyttendyke, de Arnhem (Hollande), on lit :

Sinf^{ia} 6ta. Da Luigi van Beethoven. Agréables impressions joyeuses qui s'éveillent dans l'homme à son arrivée dans la campagne. All° *ma non troppo* — pas tout à fait vite — *N. B.* les indications allemandes écrivez [les] toutes sur le premier violon — Sinfonie de Ludwig van Beethoven[1].

[1] « Sinf^{ia} 6ta. Da Luigi van Beethoven. Angenehme heitre

2° Au verso du manuscrit original de la partie du premier violon, conservée aujourd'hui dans les archives de la *Gesellschaft der Musikfreunde*, à Vienne, on lit comme titre général :

Sinfonia Pastorella. Sinfonie pastorale ou Souvenir de la vie à la campagne : Plus expression de sensation que peinture :

1e : Agréables impressions joyeuses qui s'éveillent dans l'homme à son arrivée dans la campagne. Allegro *ma non troppo.*

2e : Scène au bord du ruisseau. Andante molto moto quasi Allegretto.

3e : Joyeuse réunion de paysans. Allegro.

4e : Tonnerre, orage. Allegro.

5e : Chant des bergers. Sentiments bienfaisants avec actions de grâces à la divinité après l'orage. Allegretto[1].

3° Le programme du 22 décembre 1808, publié le 17 janvier suivant par l'*Allgemeine musikalische Zei-*

Empfindungen welche bey der Ankunft auf dem Lande in Menschen erwa[chen]. All° ma non troppo — nicht ganz geschwind. — *N. B.* Die deutsche Ueberschriften schreiben Sie alle in die erste Violine — Sinfonie von Ludwig van Beethoven. »

[1] « Sinfonia Pastorella. Pastoral Sinfonie oder Erinnerung an das Landleben /: Mehr Ausdruck der Empfindung als Mahlerei : /

1e Angenehme heitre Empfindungen, welche bey der Ankunft auf dem Lande im Menschen erwachen. Allegro *ma non troppo.*

2e Scene am Bach. Andante molto moto quasi Allegretto.

3e Lustiges Zusammenseyn der Landleute. Allegrõ.

4e Donner, Sturm. Allegro.

5e Hirtengesang. Wohlthätige mit Dank an die Gottheit verbundene Gefühle nach dem Sturm. Allegretto. »

(D'après Nottebohm, *Zweite Beethoveniana*, p. 378).

tung, donne une autre version, fusion des deux précédentes[1].

4° Au verso du titre de la partie gravée de premier violon, publiée avec les autres parties, par Breitkopf et Härtel, en avril 1809 (n° 1337), se trouve une quatrième version à peu près semblable[2].

[1] *Pastoral Symphonie* (n° 5), mehr Ausdruck, als Malerey.
1stes Stück : Angenehme Empfindungen, welche bey der Ankunft auf dem Lande in Menschen erwachen.
2stes Stück : Scene am Bach.
3stes Stück : Lustiges Beysammenseyn der Landleute; fällt ein :
4stes Stück : Donner und Sturm ; in welches einfällt :
5stes Stück : Wohlthätige mit Dank en die Gottheit verbundene Gefühle nach dem Sturm[1].

[2] Pastoral-Sinfonie oder Erinnerung an das Landleben (mehr Ausdruck der Empfindung als Malerey). 1. Allegro, ma non molto. Erwachen heiterer Empfindungen bey der Ankunft auf der Lande. — 2. Andante con moto. Scene am Bach. — 3. Allegro. Lustiges Zusammenseyn der Landleute. — 4. Allegro. Gewitter, Sturm. — 5. Allegretto. Hirtengesang. Frohe und dankbare Gefühle nach dem Sturm (*Allg. musik. Zeit.*, janv. 1809, col. 267-268, corresp. de Vienne).

Nottebohm a publié, d'après un *Skizzenbuch* de 1808, quelques lignes de Beethoven qui peuvent être considérées comme l'esquisse du programme du 22 décembre. Parmi des esquisses de la *Fantaisie avec chœurs*, exécutée ce jour-là avec des fragments de la *Messe*, on lit, écrit au crayon à la page 32 :

« pastoral Sinfonie keine Malerey sondern worin die Empfindungen ausgedruckt sind welche der genuss des Landes im Menschen hervorbringt wobei einige Gefühle des Landlebens geschildert werden.

« Ruhe sey Gott in der höh.
« im Kirchenstyl
« Flauto piccolo Sch...
« statt pleni sunt coeli Es jauchzen die Himmel die Erde

« statt osanna amen
« gellerts Lieder könnten dabei gute Dienste thun. » (*Zw. Beethoven*, p. 504.)

« pastoral Sinfonie pas une peinture mais où sont expri-

5° Enfin, la partition d'orchestre, in-8° de 188 pages, publiée en mai 1826, sous le titre : « Sixième Sinfonie —Pastorale — en *fa majeur* : F dur : de LOUIS VAN BEETHOVEN. Œuvre 68. Partition. Propriété des Editeurs. Prix 3 Thlr. A Leipsic, chez Breitkopf & Härtel (4311) », reproduit les mêmes indications. Rapprochons-en, pour ne rien omettre, le programme copié par Nottebohm, sur un des carnets du compositeur; il est précédé de cette remarque :

« on laisse à l'auditeur [le soin] de trouver la situation.

« Sinfonia caracteristica — ou souvenir de la vie à la campagne.

« un souvenir de la vie à la campagne

« toute peinture, dès qu'elle [est] poussée trop loin en musique instrumentale, perd.

« Sinfonia pastorella. Qui a jamais conservé une idée de la vie à la campagne, peut penser par lui-

mées les sensations qu'apporte dans l'homme le plaisir de la campagne où quelques sentiments de la vie à la campagne sont décrits.

« *Ruhe sey Gott in der höh.* en style d'église Petite flûte Sch... » (le nom d'un musicien sans doute) « au lieu de *pleni sunt coeli Es jauchzen* » (paroles allemandes) « au lieu d'*osanna amen* des lieder de Gellert y pourraient rendre bon service. »

1 Le titre de cette première publication de la *Pastorale*, analysée dans l'*Allg. musik. Zeit.* du 17 janvier 1810, par Hoffmann, est le suivant : « Sinfonie Pastorale pour 2 Violons, 2 Violes, Violoncelle et Contre-Basse, 2 Flûtes, petite Flûte, 2 Hautbois, 2 Clarinettes, 2 Bassons, 2 Cors, 2 Trompettes, Timbales, et 2 Trompes, composée et dédiée à Son Altesse Sérénissime Monseigneur le Prince régnant de Lobkowitz, Duc de Raudnitz, et à Son Excellence Monsieur le Comte de Rasumofsky, par Louis van Beethoven. Propriété des Editeurs N° 6. Œuvre 68, à Leipzig, chez Breitkopf et Härtel (Pr. 4 Thlr. 12 Gr.). »

même sans beaucoup d'indications, ce que l'Auteur veut.

« Même sans indication on reconnaîtra que le tout [est] plus une impression que des tableaux en musique[1]. »

Sans doute ce n'est faire grand honneur à l'imagination de Beethoven que de lui attribuer l'invention de ce *scenario;* mais, n'est-il pas permis de supposer qu'il ne faisait peut-être, en le rédigeant, que noter sur ses tablettes des souvenirs inconscients d'enfance? Thayer et Grove ont, en effet, ingénieusement rappelé le programme d'une symphonie antérieure de vingt ans à la *Pastorale*, et que les biographes de Beethoven ont généralement négligé ou ignoré. Vers le temps où, très jeune, Beethoven publiait ses trois premières sonates chez Bossler, à Spire, le compositeur Souabe Justin-Heinrich Knecht y faisait éditer le *Portrait musical de la Nature*, dont le programme, rédigé en français, comprend cinq parties, savoir :

Le Portrait Musical de la Nature, ou Grande Symphonie pour 2 violons, viole et basse, 2 flûtes, 2 hautbois, cor, trom-

[1] « man überlässt es dem Zuhörer die Situation auszufinden. »
« Sinfonia caracteristica — oder Erinnerung an das Landlebeb
« eine Erinnerung an das Landleben
« jede Malerei, nachdem sie in der Instrumentalmusik zu weit getrieben, verliert.
« Sinfonia pastorella. Wer auch hur je eine Idee vom Landleben erhalte, kann sich ohne viele Ueberschriften selbst denken, was der Autor will.
« Auch ohne Beschreibung wird man das Ganze welches mehr Empfindung als Tongemählde erkennen. »
(NOTTEBOHM, *Zw. Beethov.*, p. 375.)

pette, et timbales *ad lib.* Laquelle va exprimer par le moyen des sons :

1. Une belle Contrée où le Soleil luit, les doux Zéphyrs voltigent, les Ruisseaux traversent le vallon, les oiseaux gazouillent, un torrent tombe du haut en murmurant, le berger siffle, les moutons sautent, et la bergère fait entendre sa douce voix.

2. Le ciel commence à devenir soudain sombre, tout le voisinage a de la peine à respirer et s'effraye, les nuages noirs montent, les vents se mettent à faire un bruit, le tonnerre gronde de loin, et l'orage approche à pas lents.

3. L'orage accompagné des vents murmurans et des pluis battans gronde avec toute la force, les sommets des arbres font un murmure, et le torrent roule ses eaux avec un bruit épouvantable.

4. L'orage s'apaise peu à peu, les nuages se dissipent et le ciel devient clair.

5. La Nature transportée de la joie élève sa voix vers le ciel, et rend au créateur les plus vives grâces par des chants doux et agréables[1].

Il n'est pas impossible que cette œuvre, qui date de 1784 environ[2], et dont le but principal était, suivant le goût de l'époque, de faire entendre un orage dans toutes ses phases, ait été connue du jeune Beethoven; et peut-être celui-ci n'en avait-il pas oublié les grandes divisions lorsque, plus de vingt ans après, il écrivait

[1] GROVE, p. 192. Cf. *Dictionary*, I, p. 66.

[2] D'après GROVE (*Dict.*, I, p. 66), la première œuvre imprimée de Beethoven (*Drei Sonaten für Klavier dem Hochwürdigsten Erzbischofe und Kurfürsten zu Köln Maximilian Friedrich meinem gnädigsten Herrn gewidmet und verfertiget von Ludwig van Beethoven, alt eilf (sic) Jahr. Speier, in Rath Boszlers Verlage. Preis 1 fl. 30 kr.*) était annoncée sur la couverture de la partition de Knecht. Le *Cramers Magazin* du 14 octobre 1783 l'annonçait le premier au public ; la symphonie de Knecht est donc de 1784 au plus tôt. (Cf. THAYER-DEITERS, 1901, I, p. 147.)

la *Symphonie pastorale*, comme il avait déjà composé son *Fidelio* sur le livret d'un mauvais opéra français. Là, sans doute, se borne la réminiscence, car il ne lui était besoin d'aucun guide, d'aucun modèle pour glorifier la Nature.

D'après l'érudit chercheur beethovénien, Nottebohm, qui a étudié et publié plusieurs *Skizzenbücher* du maître, la *VI*e *Symphonie* aurait été conçue dès 1806. En effet, un carnet conservé à la Bibliothèque royale de Berlin contient, mélangées, enchevêtrées, des esquisses de la première *Messe* et de la *IV*e *Symphonie*. Or, la Symphonie en *si bémol* fut composée en 1806, comme l'indique le manuscrit original, et exécutée en mars 1807; quant à la *Messe*, sa première exécution remonte au 13 septembre 1807. On peut donc conclure avec Nottebohm que la *Pastorale* fut conçue dès 1806 et peut avoir été commencée de composer vers septembre 1807[1].

La première page du brouillon autographe donne sur les trois portées supérieures les violons et l'alto (devenu les instruments à vent) de la *IV*e *Symphonie* et des esquisses de la *Messe* et de la *Pastorale*. On lit d'abord

NOTTEBOHM, *Zw. Beethov.*, p. 370 et suiv., *Skizzen zur Pastoral-Symphonie.*

Plus loin, les premières portées de chaque page contiennent des passages de premier violon du premier mouvement de la *IV*ᵉ; et au-dessous, des esquisses pour les quatre derniers de la *VI*ᵉ, entre autres la prière des bergers, non précédée des huit mesures de la partition définitive; puis la danse des paysans et l'orage *(Sturm)*.

C'est ensuite une série d'esquisses pour le finale de la dernière partie (hymne de reconnaissance des bergers) :

et pour la danse des paysans suivie de l'orage, celles-ci répétées cinq ou six fois au moins. Ces essais apparaissent dans l'ordre suivant[1] :

[1] D'après NOTTEBOHM, qui n'a d'ailleurs pris que les citations capitales.

(c) Scena Festliches Zusammensein
u.s.w
(d)
(e)

Le tout, entremêlé d'observations dans le genre de celles reproduites plus haut, date au plus tard de 1808, ainsi que Nottebohm en fournit la preuve. Néanmoins, la première pensée d'une œuvre « pastorale » devait hanter depuis longtemps l'esprit de Beethoven lorsque fut composée la *VIe Symphonie.* Un carnet de 1803 nous montre comme une lointaine idée première de la *Scène au bord du ruisseau :* Beethoven y note ainsi le « murmure des ruisseaux » :

et remarque que « plus grand est le ruisseau, plus grave est le ton ».

Cette scène du ruisseau fut-elle composée à Heiligenstadt comme le prétend la tradition viennoise et comme le ferait croire la dénomination de *Beethoven-Thal* donnée à un vallon de la région? Il est possible, mais, au témoignage de Schindler, Beethoven y reçut certainement l'inspiration de la fin du second mouvement de sa symphonie.

Dans la seconde quinzaine d'avril 1823, raconte Schindler, au milieu des déboires et des douleurs, Beethoven me proposa une excursion au Nord [de Vienne] comme il en avait l'habitude. Depuis une dizaine d'années il n'avait pas mis les pieds dans cette région.

A cette occasion, nous devions visiter Heiligenstadt, ses environs, là où il avait étudié la nature, et donné le jour à tant d'œuvres importantes. Le soleil était aussi chaud qu'en été et le paysage brillait de ses couleurs de printemps. Après avoir visité l'établissement de Heiligenstadt et le jardin qui l'entoure, après avoir parcouru les lieux pleins du souvenir de ses inspirations, nous nous dirigeâmes vers le Kalenberg par Grinzing. Nous traversâmes la gracieuse vallée de Heiligenstadt et ce dernier village, nous passâmes un ruisseau limpide, qui descend d'une montagne voisine, et sur les rives duquel croissent des ormes encadrant le paysage. Beethoven s'arrêtait souvent, tournant ses regards émerveillés et respirait l'air embaumé de cette délicieuse vallée. Puis, s'asseyant sur le gazon, et s'adossant à un ormeau, il me demanda si, parmi les chants des oiseaux, j'entendais celui du loriot. Tout était silencieux. Il reprit alors : « Ici j'ai écrit la scène au bord du ruisseau et là-haut, les loriots, les cailles, les rossignols, les coucous l'ont composée avec moi. » Et comme je lui demandais pourquoi il n'avait pas introduit le loriot dans cette scène, il prit son carnet et écrivit :

« Le musicien là-haut, dit-il, n'a-t-il pas un rôle plus important que les autres ? Avec *ceux-là*, on ne peut qu'être gai. » Et il me donna le motif pour lequel il n'avait pas nommé ce collaborateur. En le nommant, il n'aurait fait qu'accroître le nombre des malveillants qui, non seulement à Vienne, mais encore en d'autres endroits, avaient rendu plus difficile le succès [de la symphonie].

Beethoven avait donc, d'après Schindler, décidé de ne pas ajouter ce motif à ceux des oiseaux mentionnés, et avait bien fait en cela, car la dissemblance entre le chant du loriot et l'accord de *sol majeur* décomposé en ses éléments isolés aurait encore accru les « interprétations malveillantes » à l'égard de la *Symphonie pastorale*[1].

Schindler raconte encore qu'à l'auberge des Trois Corbeaux *(Drei Raben*, aujourd'hui des deux Corbeaux), à Mödling, dans la Vordere Brühl, jouait depuis de longues années une bande de sept musiciens pour lesquels, à plusieurs reprises et pour la dernière fois en 1819, Beethoven écrivit des danses.

J'étais là, dit Schindler, lorsqu'il remit la dernière de ces œuvres au chef de la troupe de Mödling. Le maître dit entre

1 Wasielewski, II, p. 244. Colombani remarque à ce propos : « Il suffit d'entendre chanter un loriot, le bec-figue de la langue parlée ou la *galbe* du dialecte lombard, pour éclater de rire [à l'assertion de Schindler]. Le loriot chante sur deux notes, dont la seconde est inférieure dans la gamme à la première, et de toute manière, aucun oiseau ne possède un chant qui puisse se comparer à cette espèce d'arpège ascendante. Donc évidemment, Beethoven, ce jour-là, voulut se moquer de Schindler et de tous ses commentateurs. » (Colombani, p. 225.)

autres choses d'une voix très haute, *qu'il avait arrangé ces danses de façon à ce qu'on puisse de temps en temps laisser son instrument pour un autre*, se reposer ou dormir. Après que l'étranger, rempli de joie par le cadeau du maître, se fut éloigné, Beethoven me demanda si je n'avais pas remarqué souvent comme les musiciens de village s'endorment en jouant, laissant s'éteindre parfois ou se taire leur instrument, puis se réveillant soudain, soufflent ou râclent quelques notes de tout leur cœur, au hasard, mais en général dans le ton juste, pour retomber bientôt en léthargie, — et dans la *Pastorale*, il avait cherché à copier ces pauvres gens. Maintenant, lecteur, ouvre la partition, et regarde la disposition des pages 106, 107, 108 et 109. Regarde la figure d'accompagnement stéréotypée des deux violons pages 105 et suivante, regarde le second basson sommeillant et pris de vin, avec ses deux notes détachées, toujours les mêmes, tandis que la contre-basse, les violons et l'alto se taisent tout-à-fait; page 108 nous voyons, le premier, l'alto se réveiller, il semble ranimer ensuite le violoncelle, le second cor reprend aussi trois notes, mais se repose tout de suite après. Enfin les contre-basses et les seconds bassons se décident à y mettre plus de vigueur. A la clarinette on laisse le temps et l'occasion de se reposer.

Mais l'*allegro* même qui s'enchaîne, page 110, a la forme et le caractère de cette vieille musique de danse autrichienne. Il y avait des danses où la musique à 3/4 succédait subitement à une mesure à 2/4. Encore au cours des années 1821-1830, je vis moi-même exécuter de ces danses à Laab, à Kaltenleutgeben et à Gaben, villages forestiers éloignés de la capitale[1].

Maintenant, quelle importance faut-il ajouter à ce récit de Schindler, qui se rapporte, ainsi que le fait remarquer Colombani, à une époque de onze ans postérieure à la *Pastorale?* Cet épisode des dernières années de la vie de Beethoven prouve tout au moins que le maître n'aimait pas seulement la nature, mais aussi

[1] SCHINDLER, cité par WASIELEWSKI, II, p. 245.

les paysans simples et leurs artistes pour lesquels il ne dédaignait pas d'écrire et qu'il a immortalisés dans sa symphonie.

On a cru trouver la source du premier motif de la *Pastorale*, et de l'un des derniers du finale, dans des chants populaires slaves réunis par le professeur Kuhac, d'Agram. Plusieurs des pièces de ce recueil rappellent en effet des mélodies de Haydn ou de Beethoven; il est assez invraisemblable de supposer que ce chant dérive de la symphonie, celle-ci, comme nous le verrons plus loin, ayant mis assez longtemps à se faire connaître; il est très plausible, au contraire, de supposer que Beethoven, comme pour sa danse des paysans, s'est inspiré tout simplement de thèmes populaires. Voici ces deux mélodies, telles que les cite le professeur F. Xaver Kuhac[1] :

[1] Grove, p. 212 et 223, Kuhac, III, nos 1,016 et 810 (4 vol., Agram, 1878-1881). Cf. plus loin, citations musicales (1) et (37).

II

La *Symphonie pastorale* se divise en cinq mouvements, *Allegro ma non troppo*, *Andante molto moto*, *Allegro*, *Allegro*, *Allegretto*, qui ne sont séparés que par deux repos, les trois derniers étant enchaînés et exécutés sans interruption. La durée de son exécution est de 42 minutes.

I. Eveil d'impressions agréables en arrivant à la campagne. *All° ma non troppo* (*fa majeur*, 2/4). — Le premier motif est exposé par les violons sur la pédale *fa-ut* tenue par les altos et violoncelles :

véritable leit-motif, il est comme l'âme même de la symphonie, car, entendu sans cesse durant les 512 mesures du premier mouvement, on le retrouvera encore dans les autres parties de l'œuvre. Immédiatement après, à la 10e mesure, un second motif (2), dérivé

de la sixième mesure du premier, apparaît avec le même rythme, mais en mouvement contraire, *crescendo* puis *diminuendo*.

Après que ces deux éléments ont été développés par les bois, sur l'accompagnement des altos et basses, les cors, bassons et clarinettes sonnent seuls, dialoguant avec les violons (3),

ramenant le tutti de l'orchestre, *crescendo;* puis un nouveau motif (4), confié au quatuor, se fait entendre, auquel répondent les bois. Les motifs tirés de (3) et (4) sont développés, tandis que les violons introdui-

sent un nouveau groupe de notes (5), analogue à (2)

et qui, réduit à ses deux éléments principaux, *ut*, *sol*, d'abord par l'harmonie, puis par le quatuor, amène la conclusion de ce qu'on peut appeler l'exorde de ce premier mouvement (6).

Ses 138 mesures sont répétées intégralement. Immédiatement après ce *da capo*, les violons répètent deux fois les deux premières mesures du motif (1), puis les clarinettes et flûtes, en *si bémol*, dialoguent avec (7)

dérivé de (6), *crescendo, poco a poco* (violons, puis flûtes, hautbois, etc.) d'abord en *si bémol*, puis, sans transition, en *ré majeur*, passant *ff* aux basses, renvoyé d'un instrument du quatuor à l'autre, et finalement, comme plus haut le motif (6) réduit à ses deux éléments essentiels, *ré*, *la*, ramenant le motif (1) en *sol majeur*. Tandis que les basses accompagnent en triolets, les autres instruments conservent obstinément cette figure, en *sol*, en *mi majeur*, dont les basses s'emparent *ff* comme tout à l'heure, et de même encore, les violons et bassons ne conservent plus que les deux notes essentielles, *mi*, *si*, ramenant de nouveau en *la*, le motif (1); un long développement est fourni par ce motif; les cordes graves dominent maintenant, reprenant en *ut* une basse qui plus haut servait d'accompagnement aux violons (8) :

et qui maintenant passe aux violons, aux bassons, en *ré*, aux flûtes, clarinettes et hautbois (9) :

en *ut*, *ff*, ramenant le ton de *fa majeur*. Sur le *sol*, les premiers violons font un trille prolongé suivi d'un *staccato* dans le ton d'*ut*, introduction à une nouvelle rentrée de (1) aux seconds violons accompagnés par les triolets des premiers et des altos, *pp*, puis *crescendo;* les bois sonnent de nouveau, suivis des violons répétant le motif (3), et jusqu'à la fin du mouvement, le *working-out* se poursuit, employant les différents éléments rythmiques déjà entendus se répondant aux divers instruments de l'orchestre : motifs (4), (5),

(3); le tutti cesse un instant, la lutte des différents éléments sonores s'apaise, quelques notes joyeuses de clarinettes se font entendre (10)

et une dernière fois, le motif initial, redit et développé dans le silence par les premiers violons; alors les flûtes, les hautbois et bassons reprennent les cinq derniers degrés de la gamme de *fa majeur*, *piano*, puis le tutti, *fortissimo*, les répète, amenant l'accord tonique, sept fois répété, brève conclusion *sf*, puis *piano*, du premier mouvement (11).

II. Scène au bord du ruisseau. *Andante molto moto (si bémol majeur*, 12/8). — A cette première partie, qui évoque si délicieusement et si intimement les impressions de calme d'un beau matin de printemps, succède la « scène au bord du ruisseau » dans laquelle, selon Kretzschmar, Beethoven a « avoué ouvertement son penchant descriptif ». *Piano*, un dessin obstiné des cordes, violons, altos et violoncelles avec *pizzicati* des contre-basses, qui rappelle pour le rythme l'esquisse de 1803 citée plus haut, forme comme l'arrière-plan, ou mieux, l'atmosphère vibrante de la scène toute paisible qui va se dérouler (12 et 14).

Sur ce fond lumineux, vient, dès la première mesure, s'esquisser aux premiers violons un motif (13)

repris par la clarinette et le basson, tandis que les premiers violons, abandonnant le motif murmurant du ruisseau, le transmettent aux violoncelles, plus graves, et « font des trilles sur le *si bémol* et l'*ut*, et les cors une pédale syncopée d'un vague charmant » (Grove) (14). Ces notes, qui traversent tout le mou-

vement, s'entendent tour à tour aux bassons, hautbois, etc. Les premiers violons exposent ensuite un motif nouveau (15)

dolce, repris immédiatement par la clarinette, accompagnée alors par les premiers violons avec les bassons et les violoncelles en octaves. Cette phrase de deux mesures, à peine répétée deux fois, ramène aux premiers violons le *grupetto* du début (13), accompagné par le murmure des autres instruments à cordes soutenus par le *si bémol* des cors. Insensiblement, le ton de *fa* s'établit (16)[1], amenant une douce et plaintive

phrase de basson (17)

[1] Grove compare « ces phrases délicieuses » au *larghetto* de la *IIe Symphonie*.

Un *crescendo* anime l'orchestre, les bruissements du ruisseau et des arbres se perçoivent avec un peu plus de force, comme remués par un coup de vent; un arpège de violon (18), le chant du loriot, précède, *pianissimo*

(aux violons à l'unisson avec la flûte), le retour de ce motif (17), accompagné par un discret *pizzicato* de violoncelles (19).

Les principaux motifs de la scène du ruisseau ont été maintenant exposés. Et tandis que se continue (au quatuor, aux clarinettes et bassons) le murmure de l'eau, se déroule le développement, « court mais très remarquable » (Kretzschmar). Tout semble d'abord s'éteindre; les violons murmurent leurs doubles-croches, la flûte joue seule reprenant le chant du loriot (20), dialoguant avec le hautbois, rappelant *crescendo*,

arco, au quatuor le motif (16); la flûte le reprend en *mi bémol*. Après avoir modulé en *ut bémol*, *mi mineur* et *si majeur*, l'orchestre retrouve le ton initial de *si bémol*, amenant la récapitulation de tous les éléments qui viennent d'être entendus, et que traversent des arpèges des bassons et clarinettes. Les violons redisent alors le premier motif, le basson reprend le sien (17), à l'unisson avec les altos et violoncelles. Le motif (19) est entendu de nouveau avec son accompagnement de violoncelles en *pizzicati*. Une modulation en *mi bémol*, par l'introduction du *la bémol*, s'esquisse mais s'arrête presque subitement sur l'accord de *si*; tout se tait : seule, une flûte rompant le silence répète plusieurs fois, de plus en plus vite, le *fa* aigu destiné à figurer le chant du rossignol; le hautbois lui répond, imitant le cri de la caille, puis la clarinette, le coucou (21). Quelques notes du premier violon rap-

pellent le motif du début; une répétition de la fantaisie imitative se fait entendre, et rapidement, comme le premier mouvement, la scène au bord du ruisseau se termine sur un dernier rappel du premier motif, terminé par deux accords toniques, *pianissimo* par le *tutti* de l'orchestre.

III. Réunion joyeuse de paysans. *Allegro* (*fa majeur*, 3/4). — « Maintenant le compositeur se tourne vers les êtres humains qui peuplent ce délicieux paysage, le sentiment est complètement modifié, plein de grâce et de contemplation tranquille et charmante, de ces rudes et bruyantes réjouissances. » (Grove.) Remplaçant le menuet accoutumé d'autrefois, le scherzo des symphonies précédentes, inspiré peut-être par ces vieilles danses autrichiennes dont parle Schindler (voir plus haut, p. 243), dès les premières mesures, l'*allegro* exprime ce caractère de danse simple et joyeuse qu'a voulu lui donner le compositeur. *Pianissimo*, les cordes exposent le motif à 3/4, de huit mesures, auquel répond sans transition, en *ré majeur*, une seconde phrase d'égale longueur (cordes, flûtes et bassons)

(22), amenant, après plusieurs reprises, une conclusion

rapide, à l'unisson, *sf* (23). Maintenant, les violons

empruntent aux cors et bassons un accompagnement monotone (24) qui va se poursuivre jusqu'à la fin de

la première partie; sur ce rythme primitif, les hautbois, toujours dans le même mouvement rapide, exposent un motif curieusement accentué à contre-temps par le basson grotesque et touchant dans sa simplicité d'accompagnateur quand même. Avec ces trois motifs, Beethoven construit la première partie, répétée *da capo*.

Un *allegro* à 2/4 suit, dont les bois, les cuivres et les cordes graves marquent lourdement la mesure, les violons accentuant *ff*, puis *sf*, un motif rude, court, très caractéristique, de plus en plus animé et bruyant marquant les pas qui frappent lourdement la terre (25). On croirait voir les paysans des kermesses fla-

mandes de Téniers. Cet *allegro* se termine sur des éclats de trompette, *ff;* un point d'orgue, puis un accord *fp* du tutti, et l'*allegro* est repris *da capo;* une fois répété, la danse à trois temps reprend, *tempo primo*, se presse jusqu'à un accord de septième, en un unisson formidable de l'orchestre (26).

IV. Orage. *Allegro (fa mineur*, C). — Un silence subit : puis au lieu de l'accord de *fa majeur* que l'oreille attend comme conclusion normale, en trémolo, *pp*, gronde aux contre-basses et violoncelles, un *ré bémol* (26).

L'oreille est à peine revenue de sa surprise que, dans la nouvelle tonalité, les seconds violons courent *pizzicato.*

Les premiers leur répondent; çà et là brillent quelques notes de flûte et clarinette, *crescendo*... L'orage gronde au loin; la foule joyeuse se disperse, les femmes bavardent en fuyant, poussant des cris devant les premiers nuages menaçants et les premières gouttes de pluie. En un instant, la plaine est désertée; le tonnerre se rapproche, le voilà qui éclate, exprimé *fortissimo* par un tutti, sur l'accord de *fa mineur*. « La nuée électrique se développe dans toutes les directions, telle qu'une fumée épaisse et rapide, couvre le ciel d'un rideau de ténèbres, et d'énormes colonnes d'eau tombent à pic des régions de l'orchestre et rebondissent en jets écumeux, dans deux basses furieuses de ne pouvoir s'accorder (27).

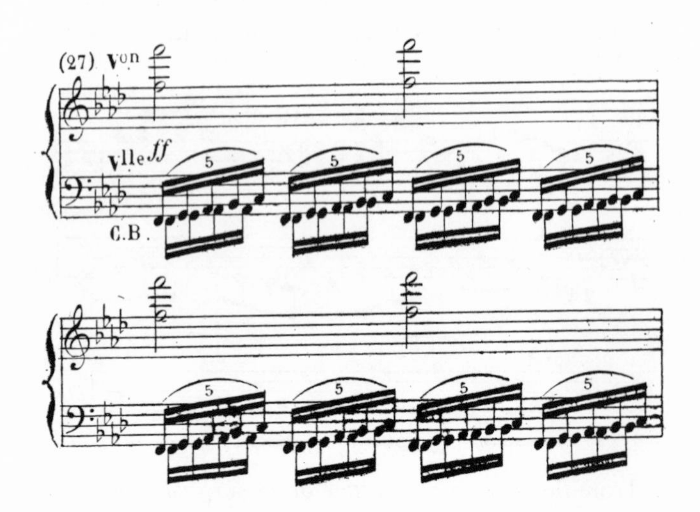

« Après cette première explosion de l'averse, une figure, en croches, que le quatuor exécute à l'unisson, vient mettre comme une plainte humaine aux épouvantes matérielles de l'orage[1] ».

L'éclair perce la nue, en arpège ascendant, il jaillit, d'abord en *si bémol mineur*, puis un demi-ton plus haut.

[1] OULIBICHEFF, *Beethoven*, p. 216. Berlioz avait déjà remarqué cet accompagnement des violoncelles et contrebasses.

Les notes du quatuor à l'unisson s'abattent de tierce en tierce, *la bémol*, *fa*, *ré bémol*, comme une pluie pressée (28).

Des alternatives de *piano* et de *forte* expriment la force ondoyante de la tempête qui fait rage au milieu des éléments déchaînés, la foudre tombe enfin : de longs roulements de timbale en *ut*, sur une tenue *ff* des bois et des cuivres et le trémolo des cordes, ramènent peu à peu le calme; on n'entend plus aux violons que des fragments des thèmes précédents, accompagnés, *sempre diminuendo*

par les soubresauts des basses (30) et (27).

Il semble que la nature ait été remuée jusqu'en ses profondeurs mystérieuses... La prairie inondée commence à s'éclairer au soleil reparu, les bois environnants ruissellent; les arbres s'égouttent lentement; la scène, un moment désolée, s'anime de nouveau. « Mais le trouble de l'orchestre s'est trop prolongé dans sa violence pour que le calme revienne si tôt... Ainsi que notre cœur palpite plusieurs minutes après le coup d'émotion passé, — les cordes, nerveuses encore, déchargent, en un *diminuendo* progressif, le résidu de leur vitesse acquise[1] ». Les voix aiguës des violons et des hautbois se font entendre au-dessus des derniers grondements, très lointains, du tonnerre (31); une

gamme de flûte dans le silence presque absolu (32),

ramène le ton d'*ut majeur*, préparant pour l'*allegretto* final, la rentrée du ton original de *fa*.

V. Chant des bergers. Sentiments joyeux et reconnaissants après l'orage[2]. *Allegretto (fa majeur*, 6/8). — Un ranz des vaches s'entend (33) au milieu du calme

1 M. Griveau, *l'Interprétation artistique de l'Orage (Rivista music. italiana*, 1896, p. 698).

2 « Le calme renaît. — Les pâtres rappellent leurs troupeaux. — Chant pastoral en action de grâces à l'Eternel », dit le programme du Conservatoire de Paris (15 mars 1829).

revenu, confié au cor et à la clarinette et préludant à l'hymne de reconnaissance, qui se fera bientôt entendre.

A la dernière mesure de ce motif, Oulibicheff retrouve ce qu'il appelle, avec Lenz, la « Chimère » de Beethoven. « Par cet accouplement monstreux de la tonalité de *ut* avec celle de *fa*, dit-il, Beethoven a voulu rendre le ronflement et la basse continue de la musette; mais la simple pédale de *ut* eût parfaitement rempli cette intention[1]. »

L'hymne de reconnaissance (34) exposé *piano*, dès

[1] OULIBICHEFF, *Beethoven*, p. 222.

la neuvième mesure, par les premiers violons, repris par les seconds, puis par les altos, violoncelles et bassons, s'impose peu à peu, envahit l'orchestre, *unisono*. La scène a retrouvé son animation première, tandis que les dernières gouttes de pluie s'égrènent des feuilles ruisselantes. Des timbales, discrètement, ponctùent le réveil de l'orchestre. Les altos et violoncelles, puis les premiers violons disent une nouvelle phrase (35) qui alterne avec le thème précédent.

Un motif nouveau, *crescendo* (36) ramène le ranz des vaches aux violons. Après des développements empruntés aux thèmes précédents, le même effet se reproduit en *fa*, suivi d'une reprise de (34) aux violoncelles et bassons, qui reparaît pour ne plus quitter l'orchestre jusqu'à la fin, modulant en *sol*, en *fa* (aux cors), de plus en plus dominateur, calme et grandiose, fleuri des arabesques des violons; il laisse un moment reparaître, aux clarinettes et bassons, un motif (37) qui mo-

dule de *si bémol* en *ré bémol*, et ramène sans transition, comme un refrain, le ranz des vaches. Mais l'hymne subsiste seul parmi les variations que fournissent ces différents thèmes, en *fugato*, et la *coda* se termine après avoir élevé l'hymne de reconnaissance à sa plus grande puissance d'expression religieuse. Un moment, le thème sublime lutte avec le ranz des vaches, et, comme si Beethoven voulait donner à son œuvre une conclusion toute terre à terre, finalement, celui-ci reste seul à l'orchestre; le cor *solo* le redit une dernière fois, *piano*, tandis que le quatuor se repasse ces traits en doubles croches (38) :

Deux accords, *fortissimo*, terminent simplement,

laissant l'auditeur sur une impression parfaite de sérénité et de bonheur paisible, au sein de l'immortelle nature.

III

La *Symphonie pastorale* fut exécutée pour la première fois au théâtre an der Wien, le 22 décembre 1808 (elle portait alors le n° 5), en même temps que l'*Ut mineur* (sous le n° 6). Le programme au début duquel elle était placée, l'annonçait en ces termes :

Eine Simphonie unter dem Titel : Erinnerung an das Landleben, in F dur (n° 5).

Dans la salle, le public était assez clairsemé, dans les loges, la seule notabilité présente était le prince russe Vielhorsky. Le monde officiel de la capitale impériale n'était pas représenté.

Parmi les *académies musicales* qui ont été données pendant la *Christwoche* (semaine de Noël), écrit le correspondant de l'*Allgemeine musikalische Zeitung*, celle que Beethoven donna au théâtre an der Wien le 22 décembre 1808, fut sans contredit la plus remarquable. Elle ne se composait que de pièces de sa composition, voire même de toutes nouvelles, qui n'avaient pas encore été entendues en public, et qui, pour la plupart, sont encore inédites. L'ordre dans lequel elles se suivaient était le suivant *(sic)*. (Je le reproduis en employant les termes mêmes de l'affiche) :

Première Partie.

I. *Pastoral Symphonie* [voir plus haut].
II. Air chanté par Dem. Killitzy.

[1] *Allg. musik. Zeit.*, janv. 1809, col. 267-268.

III. Hymne avec texte latin, écrit en style d'église, avec chœur et solo.

IV. Concerto pour piano écrit par lui-même (Industrie-Comptoir).

Deuxième Partie.

I. Grande Symphonie en *ut mineur* (n° 6).

II. *Sanctus* avec texte latin écrit en style d'église avec chœur et solos.

III. Fantaisie sur le piano seul.

IV. Fantaisie sur le piano avec orchestre de temps en temps et qui se termine par l'introduction d'un chœur comme finale.

Suspendant prudemment tout jugement sur les huit œuvres de Beethoven qu'il venait d'entendre dans cette mémorable séance, et se retranchant derrière les difficultés de la critique après une seule audition, le *Referent* viennois constatait une exécution défectueuse.

Mais un an plus tard, lorsque les parties furent publiées par Breitkopf, E.-T.-A. Hoffmann étudia longuement la *Sinfonia pastorale* dans le même journal[1]. L'article (anonyme) de l'auteur des *Contes fan-*

[1] *Allg. musik. Zeit.*, 17 janv. 1810, col. 251-263. Le titre de cette première publication de la *Pastorale*, analysée dans l'*Allg. musik. Zeit.*, du 17 janvier 1810 par Hoffmann, est le suivant : « Sinfonie Pastorale pour 2 Violons, 2 Violes, Violoncelle et Contre-Basse, 2 Flûtes, petite Flûte, 2 Hautbois, 2 Clarinettes, 2 Bassons, 2 Cors, 2 Trompettes, Timbales, et 2 Trompes, composée et dédiée à Son Altesse Sérénissime Monseigneur le Prince régnant de Lobkowitz, Duc de Raudnitz, et à Son Excellence Monsieur le Comte de Rasumofsky, par Louis van Beethoven. Propriété des Editeurs N° 6. Œuvre 68, à Leipzig, chez Breitkopf et Härtel (Pr. 4 Thlr. 12 Gr.).

tastiques a été reproduit dans ses écrits sur la musique.

L'œuvre, écrit-il, comprend sous forme de symphonie une peinture de la vie champêtre. « Une peinture ? — La musique doit donc peindre ? et ne sommes-nous pas sortis depuis longtemps de l'époque où l'on tirait orgueil d'une peinture musicale ? » Sans doute nous sommes maintenant assez sains pour que la représentation de circonstances extérieures par la musique soit tenue pour un manque suprême de goût et peu estimé par le jugement esthétique de ceux qui emploient de tels procédés pour produire un effet. Seulement cet arrêt ne s'applique pas à l'œuvre en question, qui n'est pas une représentation des sujets champêtres, mais bien plutôt une représentation des sensations que nous éprouvons à la vue des sujets champêtres. Qu'une telle peinture ne soit pas sans goût et ne soit pas contraire aux fins de la musique, quiconque a réfléchi sur cet art comme sur la nature de ces sensations, que la musique doit exprimer, s'en rend compte.

Après une analyse détaillée de la symphonie, Hoffmann terminait en souhaitant « que le génial Beethoven nous donne bientôt un pareil chef-d'œuvre. — Mais à quoi bon exprimer ces souhaits quand l'artiste qui possède autant de persistance que de génie, est allé jusqu'ici au-devant de tous nos désirs[1] ! »

A Londres, la société *The Harmonie* en donna une première audition, privée, à la London Tavern; la

[1] *Allg. musik. Zeit.*, 17 janv. 1810, col. 251-263. Cf. le numéro du 19 février 1812, col. 125-126, sur la première audition à Munich, 31 décembre 1811. « Le premier *allegro*, dit le correspondant de la *Gazette*, a fait le plus de plaisir. » L'*andante* plut moins ; le menuet et le finale sont jugés pleins de caractère et de grandeur.

première exécution publique eut lieu au concert donné au bénéfice de Mme Vaughan (miss Tennant) aux Hanover Square Rooms, le 27 mai 1811. Le Dr Crotch tenait « l'orgue et le grand pianoforte ». Le mois suivant, une seconde audition eut lieu, au concert donné par le hauboïste Griesbach, le 13 juin.

« Une notice publiée dans le *Musical World* du 21 juin 1838, dit que, lors de la première exécution de cette Symphonie, elle était divisée en deux parties et l'intervalle était rempli par l'introduction de « Hush, ye pretty warbling choir » d'*Acis et Galathée.*

« Je ne suis pas en mesure de dire, ajoute Grove, s'il s'agit de l'un des deux concerts mentionnés plus haut, ou s'il y a confusion entre ce concert et celui de Bochsa, du 22 juin 1829[1]. »

A ce concert du célèbre harpiste Bochsa, au King's Theater de Haymarket, la *Symphonie pastorale*, mise en scène par un certain Deshayes, fut représentée sous sa direction : les six principaux rôles étaient tenus par des artistes français, un nombreux corps de ballet y

1 Le commentateur anglais rapporte que Bochsa lui-même dramatisa l'année suivante (concert à son bénéfice du 23 juin 1830) *la Bataille de Vittoria,* de Beethoven, avec une figuration composée de vétérans de Waterloo. Il rapporte également deux tentatives de mise en scène de la *Pastorale ;* la première eut lieu à Düsseldorf, le 7 février 1863, au club des artistes *der Malkasten* (la Boîte à couleurs) ; il semble que l'on se borna à des tableaux vivants ; à Drury Lane, au contraire, le 30 janvier 1864, la représentation donnée au bénéfice de M. Howard Glover comportait les « illustrations » picturales et pantomimiques ; la décoration était due à M. William Beverley, l'action, à M. Cormack ; les premières danseuses étaient misses Gunniss (GROVE, p. 226).

dansait l'œuvre de Beethoven; cette exhibition était précédée d'une « dramatisation » analogue qu'on fit subir à l'*Acis et Galathée* de Haendel[1].

La date de l'apparition sur les programmes de la Philharmonic n'est pas facile à fixer, cette société, pendant les quatre premières années de son existence, n'ayant pas encore adopté l'usage de désigner exactement les symphonies qui étaient exécutées. La première date certaine est celle du 14 avril 1817. De larges coupures étaient alors pratiquées dans l'*andante* « pour le faire avaler », et, malgré cela, les vieux musiciens et un grand nombre de critiques le condamnèrent. *The Harmonicon* écrivait en 1823 :

Les opinions sont très divisées sur le mérite (de cette symphonie), mais beaucoup la trouvent trop longue. L'exécution de l'*andante* seul est trop longue d'un quart d'heure, et après une série de répétitions, cela aurait pu être écourté sans violer la justice due au compositeur et aux auditeurs... Toujours trop long, surtout le second mouvement, qui, abondant en répétitions, pourrait être écourté sans la moindre crainte d'outrager cette partie en particulier, et avec la certitude d'arriver à un meilleur effet... La *Symphonie pastorale* est trop longue pour le nombre d'idées qu'elle contient... Elle serait accueillie avec grand enthousiasme sans quelques manifestations d'impatience[2].

A Paris, la Société des Concerts du Conservatoire, en donna la première audition au 3e concert de sa

[1] GROVE, p. 224-225.
[2] *The Harmonicon*, 1823, p. 86, 1826, p. 130 et 106. Cité par GROVE, p. 225.

deuxième « session », le 15 mars 1829, sous la direction de Habeneck[1]. Le programme était ainsi libellé :

1° Sensation de plaisir à l'aspect d'une campagne agreste;
2° Scène aux bords d'un ruisseau, — langage des oiseaux;
3° Scène joyeuse et danse de campagnards;
4° Orage...;
5° Le calme renaît. — Les pâtres rappellent leurs troupeaux. — Chant pastoral en action de grâces à l'Eternel[2].

A l'issue de cette première audition, Castil-Blaze (XXX dans le *Journal des Débats),* donnait ainsi son appréciation :

La rêverie musicale de Beethoven au bord d'un ruisseau, est conçue et exécutée d'après les véritables principes de l'imitation; c'est un mélange de toutes les mélodies que l'on peut entendre dans les champs. Il les présente groupées, et c'est ainsi qu'il faut le faire; car le ruisseau ne doit pas suspendre son cours afin de donner aux oiselets le temps de gazouiller. Ce grand peintre a bien senti qu'il ne fallait pas trop se fier sur les moyens de son art pour imiter le chant des habitans de l'air; aussi n'en donne-t-il qu'une très légère esquisse. Il le fait entendre vers la fin de son tableau en empruntant les accens des oiseaux dont le cri d'appel est appréciable, et ne s'aventure point dans l'imitation du ramage. Cet *andante,* d'une grande richesse de détails, n'est pas exempt de lon-

[1] Quelques mots sur la *Pastorale,* dans un feuilleton de Castil-Blaze, pourraient faire supposer une audition antérieure, au moins fragmentaire, aux concerts spirituels, dont les programmes sont fort difficiles à reconstituer ; mais on doit plutôt, à mon avis, les considérer comme l'expression d'un vœu que comme la constatation d'un fait accompli. « La *Symphonie Pastorale* de cet auteur est charmante..., écrivait le feuilletoniste des *Débats.* C'est un drame musical complet qui a son exposition, ses progrès, son nœud, son dénouement. De semblables compositions ne devraient pas être négligées. » (*Journal des Débats,* 1er juin 1827, feuilleton signé XXX.)

[2] ELWART, *Hist. de la Soc. des Concerts,* p. 139.

gueurs : Beethoven rêvait; il est probable que ses auditeurs ne se trouveront pas toujours dans la même disposition d'esprit. Ainsi, l'auteur aurait bien fait d'abréger sa rêverie en musique.

La valse villageoise, la bourrée qui la suit, étincelle de verve, de grâce et d'originalité. L'orage est une création gigantesque; c'est l'image la plus vraie dans l'ensemble comme dans les détails, que la musique ait jamais produite dans ce genre et depuis Lulli jusqu'à Rossini les compositeurs ont souvent fait gronder le tonnerre. Le morceau sur lequel les opinions étaient partagées, me paraît faible d'invention, surchargé de détails minutieux, de répétitions qui fatiguent, parce que le motif ou ses fragmens disséminés manquent d'originalité. La main du maître s'y montre pourtant dans un trait, en simples croches liées, attaquées tour à tour par chaque instrument, et sur lequel entrent un sujet à notes larges, et ensuite un trait en triolets qui produit une contrariété de rhythmes dont l'effet est piquant. Ce premier morceau a été reçu avec l'enthousiasme que le nom de Beethoven inspire à nos amateurs, et cette recommandation n'était pas inutile. *Mutato nomine*, ce morceau n'aurait eu qu'un bien faible succès. Je ne dis rien de l'exécution. On sait ce que signifie ce silence quand il s'agit de l'orchestre du Conservatoire[1].

Redemandée, la *Pastorale* fut reprise dès le 12 avril, au 5e concert, et l'année suivante, au 3e, le 21 mars 1830. Castil-Blaze, se montrant moins sévère, devant le succès fait par les dilettantes à l'œuvre de Beethoven, écrivit alors :

J'ai déjà donné l'analyse de ce bel ouvrage, je me contenterai d'ajouter que son effet a été meilleur cette année et mieux senti. L'*adagio (sic)*, qui dure treize minutes, est rempli d'images suaves, gracieuses et pittoresques; il faut cepen-

[1] Feuilleton du *Journal des Débats*, 24 mars 1829.

dant se laisser faire et s'abandonner à la rêverie musicale du compositeur, pour ne pas trouver que ce morceau est un peu languissant, et que le milieu n'est pas à la hauteur du début et de la péroraison. Le *scherzo* et l'orage sont des morceaux ravissans; le tonnerre de Beethoven écrase toutes les tempêtes et tous les orages que la musique ait produits jusqu'à ce jour. Ce maître annonce dans son programme qu'il a voulu peindre une danse de paysans en écrivant le *scherzo*, à trois temps, et la bourrée à deux temps qui s'y trouve intercalée. En considérant ce *scherzo* comme un menuet de symphonie, en lui donnant le mouvement fougueux de cette sorte de menuet, il n'y a pas de danse possible, à moins que les baladins de Beethoven ne fussent dévorés par la maladie des ardens. Je pense donc que pour se conformer à l'idée de l'auteur, et faire danser ses villageois,

> Il faudrait en besogne aller plus doucement.

Après une explosion aussi formidable, le calme est sans doute chose fort agréable; mais ce calme est un peu trop prolongé; la symphonie dure trois quarts d'heure en tout. C'est une miniature en comparaison de la symphonie avec chœurs que l'on prépare et que nous entendrons incessamment[1]...

Avec Berlioz, qui, de 1834 à 1841, rendit compte très fréquemment, dans la *Revue et Gazette musicale*, des séances de la Société des Concerts, nous avons la note enthousiaste, sans réticence. Après l'audition du 6 mars 1836, il écrit :

Cette œuvre m'a toujours paru la plus belle de Beethoven, non pas que dans les autres le génie de l'auteur ne brille d'un éclat moins vif, non pas qu'il ait fallu des idées moins abondantes ou moins belles pour créer la symphonie en *ut mineur*, ou celle en *la*, par exemple; mais c'est tout simplement parce

[1] Feuilleton du *Journal des Débats*, 30 mars 1830.

que la pastorale m'impressionne beaucoup plus vivement sans comparaison qu'aucune autre. Le calme des deux premiers morceaux est si profond, si doux, on se laisse bercer avec tant de bonheur par ces ravissantes mélodies; l'esprit est si aisément séduit par l'illusion poétique, on est si bien dans ces belles campagnes, sur ces collines verdoyantes; la rêverie a tant de charmes autour des ruisseaux, dans les prairies, où le génie de l'auteur se plaît à nous conduire, qu'à toutes les apparitions de cette symphonie, si, comme la dernière fois, elle se trouve placée au commencement du concert, tout le reste du programme est impitoyablement sacrifié. Après une telle promenade poétique, on est fort médiocrement ravi de se retrouver dans la noire et vieille salle des Menus-Plaisirs, dont le sourire du printemps n'a jamais dissipé les froides ténèbres, enfermé entre quatre planches, pour écouter une musique dont le mérite peut être fort grand, je suis loin de le contester, mais qui ne manque jamais de paraître plus ou moins pâle, plus ou moins grossière, après avoir parcouru les hautes régions où plane le génie de Beethoven[1].

Le 4 mars 1838, il revenait avec détails sur « cet étonnant paysage » qui « semble avoir été composé par Poussin et dessiné par Michel-Ange. »

L'auteur de *Fidelio* et de la *Symphonie héroïque*, continue-t-il, veut peindre le calme de la campagne, les douces mœurs des bergers. Mais entendons-nous : il ne s'agit pas des bergers roses et verts et enrubannés de M. de Florian, encore moins de ceux de M. Lebrun, auteur du *Rossignol*, ou de ceux de J.-J. Rousseau, auteur du *Devin du village*. C'est de la nature vraie qu'il s'agit ici[2]...

Cette symphonie, reprenait-il encore l'année suivante, me paraît le chef-d'œuvre de son auteur; du moins elle me

[1] *Gazette musicale*, 21 mars 1836, p. 94.

[2] *Idem*, 4 février 1838, p. 48. Cf. *A travers Chants ;* l'étude sur *Beethoven* insérée au début de ce recueil, est tirée des articles de la *Gazette*, souvent modifiés, d'un style plus châtié et d'un enthousiasme plus modéré, moins exclusif. Cf. les feuilletons du *Journal des Débats*, en 1835.

remue plus vivement qu'aucune autre; et comme le travail en est merveilleux, l'inspiration soutenue, le plan bien conçu et disposé d'une façon aussi simple que naturelle; je l'admire plus encore, s'il est possible, que la symphonie en *ut mineur* ou la symphonie en *la*[1].

Rapprochons de ces opinions de Berlioz ces lignes, de son ami d'Ortigue, sans doute, quoiqu'elles soient extraites de l'*Esquisse d'une Philosophie* de Lamennais :

... Celui-ci s'ouvre par une scène champêtre. Tout est pur, serein, tout respire le calme et la fraîcheur de la nature au lever du jour, quand les larges ombres qui tombent des montagnes flottent sur la plaine comme les plis traînants du manteau de la nuit. Un chant simple et doux se fait entendre; les échos le répètent de vallée en vallée. Il semble que vous erriez sur l'herbe humide encore, au pied des coteaux, alors que les bois, les prairies, les champs exhalent comme une vapeur d'harmonie indéfinissable. Mille accidents de lumière déroulent sous vos yeux des tableaux variés : le son invisible, mystère étrange, s'obscurcit ou se revêt d'un vif éclat. Peu à peu, le soleil monte, l'air s'embrase. Aux travaux suspendus succèdent des danses joyeuses. Cependant les nuages s'amoncellent, un bruit sourd et lointain, parti on ne sait d'où, annonce l'orage; il grossit et s'approche; l'éclair sillonne la nuée, la foudre la déchire avec un fracas horrible. Les danses s'interrompent, les pasteurs effrayés se désespèrent. Mais bientôt après, le ciel recouvrant sa splendeur, ils se rassemblent de nouveau pour exprimer dans un hymne simple comme leur cœur, magnifique comme l'œuvre de Dieu, la reconnaissance, l'adoration, l'amour, tous les sentiments qui

[1] *Gazette musicale*, 4 mars 1838, p. 48 ; reproduit mot à mot l'année suivante (*Revue musicale*, 28 mars 1839, p. 106). Cf. Feuilleton du *Journal des Débats*, 22 mars 1835. Dans les derniers concerts qu'il dirigea, Berlioz fit entendre la *Pastorale* à Saint-Pétersbourg, le 16/28 novembre 1867.

font de l'homme, en quelque manière, l'interprète des êtres inférieurs, innombrables qu'il résume en toi[1].

La *Pastorale* est, sans doute, de toutes les œuvres orchestrales de Beethoven, celle qui jouit, en France, de la plus grande popularité. Depuis les Concerts du Conservatoire, Pasdeloup[2], Colonne, Lamoureux[3], d'autres encore, l'ont dirigée un très grand nombre de fois, et toujours un accueil enthousiaste lui est réservé; ce succès doit être attribué, évidemment à son côté descriptif auquel, contrairement aux intentions de Beethoven, le public français donne une importance qu'il n'a pas.

En Russie, ce fut la première des Symphonies de Beethoven entendue à Saint-Pétersbourg (1er mars 1833).

En Espagne, sa première audition n'eut lieu qu'en 1866, sous la direction du maestro Vianesi, au Liceo de Barcelone; elle fut reprise, entre autres, aux différents cycles des *Symphonies* de Beethoven, par Mariano Vazquez et Mancinelli (Théâtre du Principe Alfonso, Madrid, 1878 et 1885); et par Antonio Nico-

1 Lamennais, *Esquisse d'une Philosophie*, tome II, p. 342-343. On sait que d'Ortigue vécut de longs mois auprès de Lamennais, à La Chesnaie, à l'époque où celui-ci travaillait à son *Esquisse*. Cf. dans *la Quotidienne* de 1834, ses analyses des Symphonies de Beethoven.

2 Pasdeloup la fit entendre à son premier concert, le 27 octobre 1861, ainsi qu'au dixième de sa première série le 29 décembre.

3 La première audition dirigée par M. Colonne a eu lieu au Concert National de l'Odéon, le 23 novembre 1873. Quarante ont été données depuis lors.

Aux Concerts-Lamoureux, on compte cinquante-cinq exécutions depuis le 6 novembre 1881. Sous ce rapport, la *Pastorale* vient en tête des neuf Symphonies.

lau (Teatro Lirico, Novedades et Liceo de Barcelone, 1897 et suivantes).

La Società orchestrale romana, sous la direction d'Ettore Pinelli l'a fait entendre huit fois, du 21 décembre 1880 au 17 février 1894.

Tous les grands musiciens ont exprimé leur admiration pour le chef-d'œuvre de Beethoven. Parmi ceux-là, l'un des plus importants est Richard Wagner.

Beethoven, dit-il, était appelé à écrire dans ses œuvres l'*Histoire universelle de la Musique.*

Avec une crainte respectueuse, il évita de se jeter de nouveau dans cet océan du désir inassouvi, illimité. Il dirigea ses pas vers les hommes joyeux et contents de vivre, qu'il apercevait sur les fraîches prairies, campés à la lisière de la forêt parfumée, sous le ciel ensoleillé, riants, jasants et dansants. Là-bas, à l'ombre des arbres, au murmure du feuillage, au ruissellement familier du ruisseau, il conclut avec la nature un pacte de félicité; alors il se sentit homme et son désir comprimé dans son sein, devant la toute-puissance d'une apparition bienheureuse. Et si reconnaissant fut-il envers cette apparition, que fidèlement, loyalement, en toute humilité, dans les différentes parties de son œuvre, créées dans cette situation enthousiaste, il copia les tableaux animés dont la contemplation l'avait inspiré, et intitula le tout : *Souvenirs de la vie des champs*[1].

Concluons, pour ne pas tomber dans les redites, sur une dernière citation, empruntée à l'un des récents commentateurs, et non des moins éloquents, de Beethoven, M. Camille Bellaigue :

Paysage unique et, dans l'œuvre presque tout intérieur de

[1] R. WAGNER, *Gesamm. Schrift.*, III, in-12, p. 93-94.

Beethoven, seule vision du monde objectif, la *Symphonie pastorale* en est une vision subjective encore. On sait l'épigraphe de la partition... On sait aussi comment Beethoven a suivi son programme et tenu sa promesse. Excepté le chant des oiseaux — qui n'est peut-être qu'un jeu, — la danse des paysans et l'orage, la *Symphonie pastorale* est beaucoup plus expressive d'un sentiment qu'imitatrice des choses. Ce sentiment est simple : entendons par là qu'il n'y a pas dans la *Symphonie pastorale* trace d'une interprétation philosophique ou d'un « système » de la nature. Elle ne cherche à traduire que des impressions à la fois élémentaires et immédiates. Entre la nature et l'homme, elle n'interpose ni doctrine ni théorie. En outre, ce sentiment est doux. Des grandes symphonies de Beethoven, la *Pastorale* est incontestablement la moins pathétique, la moins violemment émue. L'orage même ne la trouble qu'un instant, et d'un double extérieur, physique dont les profondeurs de l'âme ne sont pas agitées. Et cela est admirable. Il est admirable, il est presque touchant qu'une âme aussi passionnée, ardente et douloureuse, une âme qui dans les précédentes symphonies venait de vivre une vie morale aussi intense, qu'une telle âme, au spectacle de la nature, se soit ainsi rafraîchie et apaisée[1].

Œuvres composées par Beethoven entre la IVe et les Ve et VIe Symphonies.

1806. Concerto pour violon et orchestre, op. 61. 1re audition le 23 décembre 1806 (Bureau des Arts et d'Industrie, Vienne & Pesth, mars 1809).

3 (7e, 8e & 9e) Quatuors à cordes, op. 59. 1re audition en février 1808 (Schreyvogel & Co. Pesth, janvier 1808). Dédiés au comte Rasoumofsky.

1807. Concerto pour piano & orchestre, arrangé par l'auteur d'après le 1er Concerto pour violon (Bureau des Arts & d'Industrie, Vienne & Pesth, août 1808). Dédié à Mme von Breuning.

Ouverture de *Coriolan*, op. 62 (Bureau des Arts & d'In-

1 C. Bellaigue, *Etüdes musicales*, p. 209.

dustrie, Vienne, janvier 1808). Dédiée à von Collin.
32 Variations pour piano, en *ut mineur* (Bureau des Arts & d'Industrie, Vienne, avril 1807).
Messe en *ut majeur*, op. 86. 1re audition, le 8 septembre 1807, à Eisenstadt, chez le prince Esterhazy de Galantha. (Breitk. & Härtel, Leipzig, novembre 1812). Dédiée au prince.

(?). *In questa tomba oscura*, ariette, paroles de Carpani (Mollo, Vienne, sept. 1808).
Ouverture de *Léonore*, n° 3 (désignée communément sous le n° 1), en *ut majeur*, op. 138 (T. Haslinger, Vienne, 1832).

(?). *Sehnsucht*, de Gœthe, quatre mélodies pour soprano et piano (n° 1, appendice au n° 3 de *Prométhée*, avril 1808) (Kunst und Industrie Comptoir, Vienne, 22 sept. 1810).

1808. Sonate pour piano et violon, op. 69 (Breitkopf & Härtel, avril 1809). Dédiée « à mon ami le baron Gleichenstein ».
Ve Symphonie, op. 67 (*Id.*, *ib.*, avril 1809). Dédiée au prince Lobkowitz et au comte Rasoumofsky.
Symphonie pastorale, op. 68 (*Id.*, *ib.*, avril 1809). Dédiée aux mêmes. G. Fischer publia en 1810 un arrangement pour sextuor (2 violons, 2 violes et 2 violoncelles).

CHAPITRE VII

VIIe SYMPHONIE en LA Majeur, *op.* 92 (1812).

Les six premières Symphonies s'échelonnent à intervalles irréguliers sur une période de huit à neuf années. Quatre ou cinq ans séparent ce premier groupe des œuvres symphoniques de Beethoven des *VII*^{e} et *VIII*^{e}; et celles-ci ne sont suivies par la *IX*^{e} et dernière qu'après plus de dix ans. On dirait qu'après la prière sublime l'hymne de reconnaissance des bergers, qui termine la *Pastorale*, la Muse de Beethoven se repose et laisse errer ses regards sur le merveilleux paysage qu'elle vient de peindre.

Mais, l'effort qui a produit, coup sur coup, l'*Ut mineur* et la *Pastorale*, ne l'a pas épuisée, et, presque en même temps, voici venir cette *Apothéose de la Danse*, comme Wagner a baptisé l'orgiastique *VII*^{e}, et la délicate *VIII*^{e}, dont la grâce rappelle la *Symphonie* en *si mineur*, la symphonie de Thérèse de Brunswick.

On se rappelle l'engagement qui, depuis l'été de 1806, liait Beethoven avec cette jeune comtesse. On sait aussi, — mais non dans quelles circonstances, — qu'il fut rompu, en mai 1810. Le coup fut rude.

Pauvre B., écrit un jour Beethoven à son ami Gleichenstein, il n'est point de bonheur pour toi en ce monde. Dans les régions de l'idéal seulement, tu peux trouver la paix et le bonheur[1].

Mais Beethoven qui, suivant le mot de Wegeler, ne vécut « jamais sans amour », venait à peine de rompre avec Thérèse de Brunswick, qu'il faisait la connaissance de la jeune Elisabeth Brentano, la Bettina de Gœthe. C'était en ce même mois de mai 1810, qui vit consommer la rupture avec la comtesse. Bettina a raconté elle-même, dans une lettre à Gœthe, sa première entrevue avec le maître :

Lorsque j'entrai, sans être annoncée, dit-elle, il était au piano, je dis mon nom, il fut très aimable et demanda si je voulais entendre un lied qu'il venait de composer. Il chanta alors d'une voix ferme et tranchante, dont la mélancolie se communiqua à l'auditeur : *Connais-tu le pays?* « N'est-ce pas, c'est beau? dit-il avec conviction, admirable : je veux chanter encore une fois. » Mon assentiment empressé lui plut... il chanta un lied de toi, qu'il venait de composer le jour même : *Ne séchez pas les pleurs de l'amour éternel.*

La connaissance de la fantasque et presque excentrique Bettina une fois faite, Beethoven prit plaisir à lui rendre souvent visite.

Depuis lors, écrit-elle à Gœthe, le 28 mai 1810, il vient tous les jours ou bien je vais chez lui. Et cela me fait négliger les réunions, les galeries, les théâtres, et même la tour de Saint-Etienne. Beethoven dit : « Eh! que voulez-vous

[1] Lettre de 1808, à Gleichenstein, trad. par CHANTAVOINE, p. 69.

donc aller voir là? J'irai vous chercher et nous nous promènerons le soir dans l'allée de Schœnnbrunn. »

La lettre de Bettina commence par ces mots :

Lorsque je vis pour la première fois celui dont je vais te parler, j'oubliai l'univers entier, et l'univers même s'écroule sous moi, — oui, s'écroule, quand le souvenir m'en saisit... C'est de Beethoven que je veux te parler, et près de lui, j'ai oublié le monde et Toi-même[1].

Qu'on pense ce que l'on voudra de ces expressions fantastiquement enthousiastes, dit un biographe de Beethoven[2], il n'en est pas moins vrai que celui-ci produisit sur Bettina une expression extraordinaire. Beethoven, de son côté, semble avoir été très heureux de la diversion que la jeune femme (devenue l'année suivante Mme von Arnim), venait apporter dans sa triste existence. Trois lettres furent adressées par Beethoven à Bettina, en 1810, 1811 et 1812, et publiées par elle

[1] Voir *Gœthe's Briefwechsel mit einem Kinde* (1835). Cette longue lettre est reproduite par Mme A. Audley (*Beethoven*, p. 263-272). Dans le même ouvrage (p. 99-113), on trouvera une longue discussion relative à l'authenticité des lettres de Beethoven à Bettina. L'original de la troisième n'a pas encore été retrouvé.

Née à Francfort le 4 avril 1785, mariée en avril 1811, veuve en 1831, Elisabeth Brentano mourut à Berlin le 20 janvier 1859. Voir, sur les rapports de Beethoven avec sa famille, les *Lettres de Beethoven à la famille Brentano*, que j'ai publiées dans le *Mercure musical* (15 nov. 1905, p. 514 et suiv.). Rappelons en passant que Franz Brentano naquit à Ehrenbreitstein, patrie de la mère de Beethoven. Il nous paraît fort vraisemblable que Beethoven avait déjà vu Bettina dans sa famille, avant l'entrevue sensationnelle qu'elle raconte à Gœthe.

[2] Wasielewski, I, 190.

dans sa *Correspondance de Gœthe avec une enfant*, puis dans *Ilius Pamphilius und die Ambrosia*[1].

Très chère Bettina !

Pas de printemps plus beau que celui de cette année, fait-on dire à Beethoven dans la première, du 11 août 1810, je vous le dis et je le sens aussi, parce que j'ai fait votre connaissance. Vous aurez vu vous-même que je suis en société comme un poisson sur le sable, qui se retourne, se retourne et ne peut s'en aller, jusqu'à ce qu'une bienfaisante Galathée le rejette dans la puissante mer. Oui, j'étais bien au sec, très chère Bettina, j'ai été surpris par vous dans un instant où le découragement était tout-à-fait maître de moi ; mais vraiment il disparut à votre aspect, j'en ai été aussitôt débarrassé[2].

Et lorsqu'il reçut l'annonce du mariage de Bettina avec le comte von Arnim :

Vous vous mariez, chère Bettina, ou bien c'est déjà fait, lui écrit-il le 10 février 1811, et je n'ai pas pu vous voir une fois encore auparavant ? Que vers vous et votre mari coule tout le bonheur dont l'hymen bénit les époux... Maintenant, rien de plus, chère bonne Bettina, je suis revenu ce matin à quatre heures seulement d'une bacchanale, où il m'a fallu rire beaucoup, pour pleurer presque autant aujourd'hui. Souvent la joie enivrante me rejette avec violence en moi-même[3]...

Il sera question plus loin, de la troisième lettre à Bettina, datée de Téplitz.

Une passion plus sérieuse occupa bientôt Beethoven après le départ d'Elisabeth Brentano pour Ber-

[1] Publié en 1848.
[2] A. AUDLEY, p. 103, CHANTAVOINE, p. 83.
[3] A. AUDLEY, p. 105, CHANTAVOINE, p. 88.

lin. Beethoven avait été introduit dans la famille Malfatti par son ami le baron Gleichenstein, qui devait bientôt épouser la plus jeune des deux filles, Anna Malfatti. Thérèse, son aînée de onze mois, était fort agréable, bonne musicienne, et les lettres que Beethoven lui adressa (à partir de 1807), attestent combien il l'aima véritablement. En 1811, une union fut projetée entre elle et lui; mais, au dire d'une nièce de Theresa, bien que celle-ci aimât Beethoven et qu'elle désirât l'épouser, les parents ne donnèrent jamais leur consentement. La rupture se fit sans éclat, sinon sans douleur, de part et d'autre; Beethoven continua de fréquenter la famille Malfatti, comme si rien ne s'était passé[1]...

Sa vie matérielle semblait alors assurée par la pension annuelle de 4,000 florins (environ 10,000 francs), que l'archiduc Rodolphe, les princes Lobkowitz et Kinsky lui avaient faite pour le retenir à Vienne[2].

[1] Wasielewski, II, p. 161.

[2] En réalité, jamais Beethoven ne toucha cette pension régulièrement ou sans difficultés : Kinsky d'abord, se trouva empêché de donner ses 1,800 florins, dès 1809, par suite de la guerre. Beethoven reçut la part de ce prince, à Tœplitz, fin août 1811. Ensuite, la valeur de l'argent, fixée par les règlements financiers des 22 février et 11 mars 1811, fit réduire les 4,000 florins à 1,612 3/4, d'après les calculs de Thayer. L'archiduc Rodolphe se montra disposé à réparer le dommage causé par la baisse de l'argent à la fortune de Beethoven ; il l'en assura par écrit, le 18 février 1812 ; Lobkowitz fit de même pour ses 700 florins (lettre de Kinsky, du 30 décembre 1812). Par l'intermédiaire de Varnhagen von Ense, alors officier en garnison à Prague, le prince lui fit remettre 60 ducats, en 1812, à Tœplitz.

Tout semblait donc s'arranger de ce côté, lorsque de nouveaux malheurs vinrent troubler la courte quiétude de Beethoven. Des affaires de famille empêchèrent Lobkowitz de verser sa quote-part, à partir de septembre 1811, et, l'année

Mais sa santé laissait toujours à désirer. La surdité, supportable jusque-là, empirait de jour en jour, avec des accalmies momentanées.

Je serais heureux pourtant, écrit Beethoven à Wegeler, le 2 mai 1810, peut-être un des hommes les plus heureux, si le démon de la surdité n'avait pas établi son séjour dans mes oreilles[1].

Et vers le même temps, s'adressant à Bettina :

Combien chers me sont les quelques jours où nous bavardions, ou plutôt correspondions ensemble; j'ai gardé tous les petits papiers où sont vos spirituelles, chères, très chères réponses, ainsi je dois donc à mes mauvaises oreilles que la meilleure partie de ces causeries passagères soit écrite[2].

Dès 1810, il fallait donc recourir parfois à l'écriture pour communiquer avec lui. Vers la fin de cette année-là, autant pour rétablir sa santé que pour se procurer une distraction, Beethoven projeta un voyage au delà des Alpes.

On dit que M. van Beethoven voudrait faire un voyage

suivante, dans les premiers jours de novembre, Kinsky mourait d'une chute de cheval, sans laisser de dispositions écrites pour que sa succession payât à Beethoven sa pension dans son intégrité. Ce n'est que trois ans plus tard, en 1815, que Lobkowitz put se libérer envers le compositeur, par un versement de 2,508 florins ; la succession de Kinsky paya, vers le même temps, une somme de 2,479 florins, correspondant à un versement annuel de 1,200 florins au lieu de 1,800. Beethoven n'éprouva donc qu'un déficit de 600 florins, mais les années 1812 et 1813 avaient été très pénibles à traverser, et, plus d'une fois, le maître songea à quitter Vienne (Voir ses lettres du 12 février 1812, des 5 avril 1813 et 27 mai de la même année). Cf. WASIELEWSKI, II, p. 107-113.

[1] RIES et WEGELER, *Notices*, p. 66-67.

[2] Lettre du 11 août 1810 (CHANTAVOINE, p. 83-84).

en Italie au printemps prochain, pour rétablir sous le ciel méridional sa santé fort compromise depuis plusieurs années, lit-on dans *l'Allgemeine musikalische Zeitung*, en janvier 1811. Qui ne désire de toute son âme que ce voyage atteigne le but recherché[1]?

Ce projet n'eut pas de suite, non plus que celui d'une visite à Paris, que le jeune baron de Trémont avait décidé Beethoven à entreprendre, en sa compagnie[2].

[1] *Allg. musik. Zeit.*, 30 janv. 1811, col. 88.

[2] Le baron de Trémont, alors auditeur au Conseil d'Etat, était à Vienne en 1809 et 1810. Il y fréquenta assidument Beethoven, sur lequel il a laissé de curieux souvenirs. « Je lui demandai, écrit Trémont, s'il ne désirait pas connaître la France? « Je l'ai vivement souhaité, me répondit-il, avant « qu'elle ne se fût donnée un maître. Maintenant, cette envie « m'est passée. Pourtant je voudrais entendre à Paris les « symphonies de Mozart (il ne nomma pas les siennes ni celles « de Haydn), que le Conservatoire exécute, dit-on, mieux que « partout ailleurs. Au reste, je suis trop pauvre pour faire « un voyage de simple curiosité et qui devrait être très « prompt. » — « Faites-le avec moi, je vous emmène. » — Y « pensez-vous? je ne puis accepter que vous fassiez pour moi « cette dépense. » — « Rassurez-vous, elle sera nulle ; les « frais de poste me sont payés, et je suis seul dans ma voi- « ture. Si vous vous contentez d'une seule petite chambre, « j'en ai une à votre disposition. Allons, dites oui. Paris vaut « bien d'y passez quinze jours ; vous n'aurez à supporter que « vos frais de retour, et moins de 50 florins vous ramèneront « chez vous. » — « Vous me tentez ; j'y penserai. »

« Je le pressai plusieurs fois de se décider. Son incertitude venait toujours de son humeur morose. « Je serai assiégé de « visites? » — « Vous ne les recevrez pas. » — « Accablé d'in- « vitations. » — « Que vous n'accepterez pas. » — « On me « pressera de jouer, de composer. » — « Vous répondrez que « vous n'en avez pas le temps. » — « Vos Parisiens diront « que je suis un ours. » — « Qu'est-ce que cela vous fait? « On voit que vous ne les connaissez pas. Paris est le séjour « de la liberté et de l'indépendance des liens de la société. « Les hommes remarquables y sont acceptés tels qu'il leur « convient de se montrer, et si l'un d'eux, étranger surtout, « est quelque peu *excentrique*, c'est une cause de succès. »

« Enfin, il me tendit un jour la main et me dit qu'il viendrait avec moi. Je fus ravi ; c'était sans doute encore l'amour-

Beethoven était destiné à ne quitter sa ville d'adoption que pour faire son séjour habituel d'été, aux environs de la capitale autrichienne, à Heiligenstadt, à Baden ou à Mœdling.

En 1811, cependant, il resta à Vienne beaucoup plus tard que de coutume, et, à la fin d'août, il se rendit aux eaux de Téplitz, en Bohème. Dans cette station mondaine par excellence, il se trouvait au milieu de la plus brillante société de l'Allemagne. Varnhagen von Ense, et sa femme Rahel, les Sébald, de Berlin, Varenna, gubernialrath à Gratz, l'acteur Ludwig Löwe, le philosophe Fichte, le poète Tiedge, d'autres encore, formaient dans la petite ville d'eaux une réunion rare d'hommes d'esprit, au contact desquels Beethoven prit un entrain, une bonne humeur dont la composition de la *VII*^e^ *Symphonie* se ressentit indubitablement.

C'est à Téplitz que, par l'intermédiaire de la com-

propre. Conduire Beethoven à Paris, le loger chez moi, le promener dans le monde musical, c'était une sorte de triomphe, mais pour me punir de sa jouissance anticipée, la réalité ne devait pas la suivre!

« L'armistice de Znaïm (12 octobre 1810) nous fit occuper la Moravie. Je fus envoyé comme intendant. J'y passai quatre mois ; le traité de Vienne ayant rendu cette province à l'Autriche, je revins à Vienne où je trouvai Beethoven toujours dans les mêmes dispositions ; je m'attendais à recevoir l'ordre de mon départ pour Paris, lorsque je reçus celui de me rendre immédiatement en Croatie... J'y restai un an et y reçus ma nomination à la préfecture de l'Aveyron, avec l'ordre de terminer une mission dont j'étais en outre chargé à Agram, et de venir ensuite en toute hâte en rendre compte à Paris avant d'aller à ma nouvelle destination. Je ne pus donc ni passer par Vienne, ni revoir Beethoven. » (Bibl. nat., ms. fr., 12,576). Trémont était de retour à Paris le 19 mars 1811.

tesse Elise von der Recke, Beethoven fit connaissance de la jeune Amalie Sebald. Douée d'une admirable voix de soprano, chanteuse de la Singakademie de Berlin, elle retint à tel point l'attention de Beethoven, que celui-ci conçut pour elle une vive inclination, « qui l'occupa plusieurs années, bien qu'il n'eût jamais projeté une union durable avec elle »[1].

Tu ne saurais être un homme, non pour toi, mais seulement pour les autres, écrit-il un jour, pour toi il n'y a plus aucun bonheur, que dans toi-même, dans ton art — ô Dieu ! donne-moi la force de me vaincre, car rien ne saurait te retenir à la vie. De cette façon, avec A[malie] tout est conservé.

Cette note est écrite sous l'influence de la passion que Beethoven entretint pour la cantatrice berlinoise; en 1816 encore, écrivant à Ries, il lui disait, à la fin d'une lettre :

Toutes [mes] amabilités à votre femme; malheureusement je n'en ai pas; je n'en trouvai qu'une seule, que je ne posséderai jamais; et pourtant je ne suis pas un misogyne[2].

En avril 1816, Beethoven publia son cycle de mélodies *A la Bien-aimée absente;* il était dédié dans sa pensée à Amalie Sebald, qui fut sa dernière passion

Beethoven retourna à Téplitz en 1812, par ordre du médecin. Il y arriva le 7 juillet, et c'est alors que, par l'intermédiaire de Bettina, ou plutôt, de Varnhagen von Ense, il fit la connaissance de Gœthe[3].

1 Wasielewski, II, p. 161.
2 Lettre du 8 mars 1816.
3 La *Liste des Etrangers* le nomme à cette date.

Mon ami Beethoven, écrivait Varnhagen au poète, le 5 juillet 1812, me charge de présenter ses hommages à V. Excellence; il ira de nouveau aux eaux de Téplitz chercher le remède contre sa malheureuse surdité, qui n'est que trop favorable à sa sauvagerie naturelle et le rend presque insociable pour ceux dans l'amour desquels il n'a pas confiance; il conserve néanmoins un léger sentiment des sons musicaux, et dans la conversation, il n'entend même pas les paroles, ni la mélodie[1].

Peut-être Beethoven était-il lui-même porteur de ce billet, puisqu'il était à Téplitz deux jours après qu'il fut écrit.

Arrivons maintenant à la dernière des trois lettres de Beethoven à Bettina. Que faut-il retenir de l'anecdote suivante? A-t-elle été inventée de toutes pièces ou paraphrasée et développée exagérément? On peut le supposer sans invraisemblance, tant qu'on n'en connaîtra pas, comme pour les précédentes, le texte autographe. Le début, tout au moins, a donné lieu à de trop importantes discussions pour ne pas être reproduit ici :

Très chère, bonne amie!

Rois et princes peuvent bien faire des professeurs, des conseillers intimes et y accrocher titres et rubans, mais ils ne peuvent faire des grands hommes, des esprits qui s'élèvent au-dessus de la tourbe du monde; il leur fait laisser à d'autres ce soin, et c'est par là qu'il faut les tenir en respect. Quand deux hommes tels que Gœthe et moi se trouvent ensemble, ces grands seigneurs doivent remarquer ce qui, chez nous autres, peut passer pour grand. Hier en rentrant, nous rencontrâmes toute la famille impériale; nous les voyions venir de loin, et Gœthe se dégagea de mon bras, pour se

[1] *Gœthe-Jahrbuch*, 1893, p. 60-61.

mettre de côté; j'eus beau dire tout ce que je voulus, je ne pus le faire avancer d'un pas; j'enfonçai mon chapeau sur ma tête, boutonnai mon paletot, et je donnai, les bras derrière le dos, au beau milieu du tas; princes et courtisans ont fait la haie, l'archiduc[1] Rodolphe m'a tiré son chapeau, madame l'impératrice m'a salué la première. Ces messieurs me connaissent; je vis avec une vraie joie la procession défiler tout du long devant Gœthe, il se tenait de côté, chapeau bas et profondément courbé; alors je lui ai lavé la tête, je ne lui ai pas donné son pardon, je lui ai reproché tous ses péchés surtout contre vous, très chère amie, de qui nous avions justement parlé[2].

Gœthe, de son côté, écrivait à son fidèle Zelter :

J'ai fait la connaissance de Beethoven, à Töplitz. Son talent m'a étonné; mais c'est par malheur un intraitable personnage; qui n'a pas tout-à-fait tort de trouver le monde détestable *(detestabel)* mais qui, à vrai dire, ne s'évertue guère à l'embellir ni pour soi ni pour les autres. Il est pourtant très excusable et très à plaindre à cause de sa surdité qui semble affecter le côté social de son être plus encore peut-être que le côté musical. Et lui déjà laconique de sa nature, le devient deux fois plus par suite de cette infirmité[3].

Ces quelques lignes sont tout ce que Gœthe a jamais écrit sur Beethoven...

Le compositeur, se remémorant, quelque dix ans plus tard, le séjour de Téplitz, disait à Rochlitz :

Je n'étais pas encore aussi sourd qu'aujourd'hui, mais j'en-

[1] Le texte de 1848, dans *Ilius Pamphilus*, imprime « duc » au lieu de « archiduc ». Remarquons en outre que ce prince ne pouvait être à Téplitz le 14 août, puisque Beethoven lui écrivait le 12, de Franzensbad ; il lui dit, entre autres choses : « J'ai été souvent avec Gœthe. »

[2] De Téplitz, 15 août 1812.

[3] Lettre de Gœthe à Zelter, du 2 septembre 1812.

tendais déjà difficilement. Combien le grand homme a eu d'indulgence pour moi ! Que n'a-t-il pas fait pour moi ! Comme alors il m'a rendu heureux ! Je me serais fait assommer pour lui, et dix fois. Depuis l'été de Carlsbad [Töplitz], je lis Gœthe tous les jours, quand je lis. Il a tué pour moi Klopstock[1].

Beethoven ne cessa toute sa vie de vénérer le grand poète allemand, qui ne lui rendit pas la pareille, loin de là ! En ces mêmes années où se place la composition des *VII*e et *VIII*e *Symphonies*, souvent son inspiration va puiser à la source gœthienne. Gœthe et Schiller sont alors ses « poètes favoris, de même qu'Ossian et Homère », écrit-il le 8 août 1809, aux Breitkopf, en leur demandant un exemplaire des œuvres des deux grands Allemands. De 1810 seulement datent une dizaine de mélodies sur des paroles de Gœthe et la musique pour *Egmont*. Plus tard (en 1815), c'est *le Calme de la mer (Meeresstille und glückliche Fahrt)*, qu'il dédie à l'auteur du poème, « à l'immortel Gœthe » ; puis, le *Chant du soir* (1820), le *Chant d'alliance* (1822), une *Page d'album* (1823), etc.

Sans vouloir assigner une date précise aux esquisses de la *VII*e *Symphonie*, retrouvées par Nottebohm, on peut affirmer, selon toute vraisemblance, qu'elles sont antérieures à 1811, voire même à 1810. Elles peuvent être en partie contemporaines du premier séjour de Beethoven à Téplitz. Elles sont assez nombreuses dans

1 ROCHLITZ, *Für Freunde der Tonkunst* (1832), cité par FRIMMEL, *Gœthe und Beethoven*, p. 9. Cf. l'article de M. Karl-Wilhelm SCHMIDT, *Gœthe und Beeth.*, *Sonntagsbeiblatt* n° 33 zur *Vossischen Zeitung*, n° 381 (16 août 1903).

le *Skizzenbuch* ayant appartenu à M. Petter de Vienne[1].

Plusieurs, (A), (B), (C), (D), se rapportent au 6/8,

1 Quelques feuillets manquent à ce carnet, tel que l'a analysé Nottebohm. (*Zweite Beethov.*, p. 101-110.)

vivace, du premier mouvement (f°s 7 et suivants du manuscrit). Voici maintenant (folio 23), deux esquisses pour le second mouvement (E), (F), entre-

mêlées avec des phrases du Quator en *ut majeur* (op. 59, n° 3, dédié en 1808 au comte Rasoumoffsky). Plus loin (folio 26), c'est une esquisse pour le scherzo (G), en *fa* d'abord, puis en *ut*, avec l'indication : *2ter*

Theil (deuxième partie), puis celle-ci (H), ressem-

blant, par son allure générale, au début de la danse des paysans de la *Symphonie pastorale*, ce qui la fit peut-être rejeter par Beethoven. Quant au finale, il paraît dès la page 9 du manuscrit, (I), (J), (K). Au-

geht zuerst in fis moll. dann in cis moll.

dessous de ce dernier exemple, Beethoven a écrit : *geht zuerst in fis moll dann in cis moll* (va d'abord en *fa dièze mineur*, puis en *ut dièze mineur*), modulation qu'il a conservée, mais sans utiliser le motif noté. Enfin un autre motif du finale (L) se retrouve

dans l'air irlandais *Nora Creina*, dont Beethoven écrivit l'accompagnement[1].

Selon toute vraisemblance, Beethoven se mit au travail durant l'hiver de 1811-1812 et, au mois de mai suivant, il rédigeait ainsi la suscription de son manuscrit :

Sinfonie *L. v. Bthvn 1812 13ten M(ai)*[2].

[1] GROVE, p. 261. Grove doit cette indication à M. V. Stanford.

[2] Le couteau d'un relieur maladroit ayant rogné de trop près le papier, on ne voit guère que le premier jambage de l'*M.*; ce qui a fait longtemps hésiter entre les mois de mai, juin et juillet. Le ms., de 128 ff, appartenant à M. Ernst Mendelssohn, à Berlin, a figuré à l'Exposition de Bonn, en 1890, sous le n° 205.

De Téplitz, le 19 juillet, il écrivait à son ami Varenna :

Je vous prie de dire aux dignes Ursulines [de Graz], mille choses agréables en mon nom; au reste, point n'est besoin de remerciements; je remercie qui me met en état de me rendre, ici et là, utile par mon art; aussitôt que vous voudrez faire usage de mes faibles forces, au profit de ces respectables dames, vous n'avez qu'à m'écrire; une nouvelle symphonie est déjà prête pour cela; l'archiduc Rodolphe l'ayant fait copier, vous n'aurez aucun frais[1].

Et l'*Allgemeine musikalische Zeitung* du 2 septembre 1812 publiait cette note :

L. v. Beethoven, qui était aux eaux de Töplitz, puis à celles de Carlsbad et est maintenant à Eger, a donné avec Polledro un concert au profit des incendiés de Baden. Il a écrit de nouveau deux symphonies, dont nous nous réjouissons d'avance[2].

Quinze mois plus tard seulement, le 8 décembre 1813, avait lieu la première audition de la Symphonie en *la majeur*, sous la direction de Beethoven.

II

I. Introduction. *Poco sostenuto (fa majeur*, C). — Une longue introduction, la plus longue que Beethoven ait encore écrite pour une symphonie, précède le premier mouvement proprement dit. L'accord de *la majeur*, frappé sur le premier temps, « à plein orchestre, *distille* une mélodieuse phrase de hautbois tour à

[1] Chantavoine, p. 90.
[2] *Allg. musik. Zeit.*, 2 sept. 1812, col. 596-597. Ainsi que le fait remarquer Nottebohm (*Zweite Beethov.*, p. 118), l'annonce de la *VIII*e *Symphonie*, qui ne fut terminée qu'en octobre 1813, est prématurée à cette date.

tour imitée par la clarinette, le cor et le basson[1] ». Cette phrase est hachée par un second tutti, sur l'accord de dominante (1). A la cinquième mesure, après

un troisième accord, en *la majeur*, le cor, puis la flûte se joignent aux hautbois et clarinettes; à la septième, l'accord de sous-dominante, frappé par le tutti, introduit une modulation en *la mineur*. Des traits de violons *pianissimo* (2), auxquels répondent les cors et

clarinettes, continuent ; ils traversent tout l'orchestre ; tantôt à l'harmonie, tantôt aux basses, tantôt aux violons seuls, tandis que le motif (1) est répété lentement, *sf*, par les autres instruments. Ces deux motifs amènent à la 22e mesure le ton d'*ut majeur*, dans lequel est exposé, *dolce*, par le hautbois et le basson, le dernier motif de l'introduction (3). Les violons le répètent,

1 **Grove, p. 241. L'expression est du Dr W. Pole.**

à la septième mesure, dans le même ton, sous l'accompagnement des hautbois, bassons et des cordes graves. Il module en *la mineur*, ramenant à ces derniers instruments le motif (2), tandis que le motif (1) est repris par le reste de l'orchestre, y compris les timbales, *fortissimo.* Neuf mesures plus loin, le motif (3) reparaît *dolce* en *fa*, à l'harmonie, ensuite au quatuor *pianissimo*, avec la même modulation que la première fois, l'accord de *mi*, dominante du ton de *la*, frappé *ff* (4),

suivi d'un murmure des violons qui introduisent une phrase brève à l'harmonie, analogue à (1), répétée deux fois. La note *mi*, répétée d'abord en doubles-croches, en croches, puis en noires, par les flûtes, hautbois et violons, au milieu du silence du reste de l'orchestre, prépare l'explosion du *vivace*.

Vivace, 6/8. — Quatre mesures durant, sur la même note *mi*, les flûtes et hautbois, auxquels se joint le reste de l'harmonie, marquent le rythme ternaire du motif qui bientôt occupe la flûte, *piano*. Les violons répondent à la douzième et à la quinzième mesures, d'abord, puis avec les bassons, répètent le rythme, *sf*. Un point d'orgue arrête l'unisson, qui s'est peu à peu établi, sur l'accord de septième dominante. Alors les violons, après un trait rapide, redisent *ff* le motif (5),

rythmé violemment par les trombones, timbales, violoncelles et contre-basses qui entraînent tout l'orchestre dans une ronde folle. Et, lorsque le tutti est venu, comme la première fois, s'arrêter, non plus sur l'accord de dominante du ton de *la*, mais sur celui du ton de *si majeur*, une variante en *ut dièze mineur* est introduite par le premier violon (5 *bis*). La première par-

tie du mouvement se termine par un développement de (5) et de (5 *bis*), où le rythme du début persiste obstinément, dans un *crescendo* suivi de deux mesures de silence.

Le développement débute d'une façon analogue à cette terminaison, par un court dialogue, *fortissimo*, entre le quatuor et l'harmonie venant à l'unisson s'arrêter sur le *sol bécarre*. Après deux mesures de silence, le rythme du début reparaît *pianissimo* (6) aux

violons d'abord; puis les cordes graves et les bassons répètent le premier motif, le variant en une gamme ascendante qui, des profondeurs du quatuor, monte jusqu'à l'aigu des violons ; toujours *pianissimo*, le hautbois, la flûte, le basson reprennent, puis, s'arrêtent sur les notes aiguës ; le quatuor reprend le rythme qui s'élève en six mesures du *sol* à l'*ut*, pour redescendre, *forte*, au grave; et c'est entre les deux groupes principaux de l'orchestre une sorte de jeu dans lequel ils se repassent le rythme qui domine le mouvement tout entier, dans une variété incessante de tonalités et de sonorités (7), jusqu'à ce qu'enfin un trait des cordes ra-

(7)

mène le motif principal (8). Il est repris par le hautbois

d'abord, puis par l'harmonie entière, sous l'accompagnement du quatuor, déformé, disloqué par la clarinette, le basson, le hautbois et la flûte, tandis que les timbales marquent le rythme, dans un *crescendo* qui le ramène au violon, en *la mineur.* Enfin, le premier motif revient aux violons, *fortissimo*, en *la majeur;* après des alternatives de *pianissimo* et de *fortissimo* et après deux mesures de silence, comme à la fin de la première partie, les violoncelles et contre-basses marquent le rythme sur la note *la bémol;* les flûtes et les bassons suivent; les premiers et seconds violons se repassent alternativement les premières notes de (5), en *la bémol*, puis en *la mineur*, en *fa majeur*, les cors et bassons et flûtes en *la majeur*, *pianissimo.* Cette tonalité finit par éclater dans un *crescendo* de l'orchestre, que domine toujours le rythme remplissant à lui seul toute cette *coda* de son mouvement invincible, et d'une joie formidable.

II. *Allegretto (la mineur*, 2/4). — Le second mouvement de la symphonie en *la* est d'une allure plus rapide que celle du mouvement correspondant, dans les symphonies antérieures. A l'*andante* ou à l'*adagio* accoutumé, Beethoven substitue un *allegretto*, sur un rythme de marche très lente au rythme composé d'un dactyle et d'un spondée.

A l'accord de *la mineur* tenu deux mesures, *decrescendo*, du *ff* au *p*, par l'harmonie, succède immédiatement aux cordes graves le rythme choisi par Beethoven; un premier thème s'en dégage (9) aux altos, que

reprennent les seconds violons à la 25ᵉ mesure; tandis qu'un contre-chant (10) se fait entendre aux altos et violoncelles. Les premiers violons reprennent ensuite le premier thème (9), et les seconds le (10), le reste du quatuor faisant entendre un accompagnement *crescendo*. Cette reprise se termine *forte*, puis une autre par l'harmonie, les premiers violons faisant entendre le thème (10), suit immédiatement, accompagnée par

le reste du quatuor. Cette reprise se termine *piano ;* les deux dernières mesures sont répétées *tenuto* par l'harmonie moins la flûte, et par le violon. Le ton change et passe de *la mineur* en *la majeur.* Sur l'accompagnement des cordes, les clarinettes et bassons font entendre un nouveau motif (11), qui module en

mi majeur à la cinquième mesure; alors paraît, dialogué entre la clarinette et le cor, un motif secondaire qui amène bientôt le ton d'*ut majeur* et qui, repris dans ce ton, par les flûtes et bassons, se termine au quatuor *fortissimo* (12) sur l'accord de *mi majeur* qui introduit

sans retard une reprise du thème (9), *pizzicato*, aux seconds violons, violoncelles et contre-basses, et de (10) aux flûtes, hautbois et bassons; les seconds violons et altos se partagent alors un accompagnement en doubles-croches, *pizzicato*. Les deux motifs se développent en animant un instant l'orchestre où, seules, les voix de la clarinette et du cor se taisent; puis *pianissimo*, au quatuor resté seul apparaît un nouveau motif qui devient le sujet d'un *fugato* (13) ; les premiers

violons en exposent le sujet, de quatre mesures, puis les seconds, avec les violoncelles et contre-basses, enfin l'alto s'en emparent. Les premières notes de ce thème parcourent les différentes voix du quatuor; l'harmonie le reprend *pianissimo*, s'animant en quelques mesures jusqu'au *fortissimo* pendant lequel le quatuor et les cuivres répètent le premier thème, sous les traits rapides de l'harmonie. Une reprise du motif (11) apparaît aux cors et bassons, accompagnés par le quatuor dont les voix graves redisent le rythme initial. Une nouvelle modulation ramène le ton d'*ut majeur*, et son relatif *la mineur* dans lequel, en une alternative de *piano* et de *forte*, du tutti, se perdent les dernières notes, sur le rythme dactylique qui domine ce sublime *allegretto*.

III. *Presto* (*fa majeur*, 3/4). — Le *presto* qui succède à cette marche funèbre contraste violemment avec elle. Beethoven ne l'a intitulé ni scherzo, ni menuet; il s'est borné à une indication de mouvement. Le premier motif (13), composé de deux mesures d'introduction

(un unisson *forte* du tutti), se développe d'abord aux flûtes, bassons et violons, puis au quatuor seul, et module dans un *crescendo* rapide, en *la majeur*, dont l'accord est arpégé par tout l'orchestre. Après une reprise de ces 24 mesures, le quatuor, en *la*, se repasse, du grave à l'aigu, les deux mesures préliminaires ; *piano*, les flûtes et clarinettes redisent en *ré*, les mesures 12ᵉ et suivantes de (13), la 12ᵉ et la 15ᵉ se trouvant identiques à la 15ᵉ de (13) : *ré, ut dièze;* elle est répétée cinq fois *pianissimo ;* les violons et altos répondent, puis le cor et le basson, par (14). Le même effet se

répète en *fa majeur ;* les hautbois et bassons, auxquels bientôt se joint la flûte, reprennent alors, *dolce* en *si bémol*, le motif (13); enfin, *fortissimo*, les violons qui, pendant ce temps, se sont bornés à un accompagnement rythmique, reprennent le motif dans le ton original, accompagnés par tout l'orchestre. Celui-ci se le partage jusqu'à ce qu'un tutti le redise *forte*, à l'unisson, amenant une reprise de toute la première partie du *presto*.

Assai meno presto (*ré majeur*, 3/4). — Le trio contraste absolument par son calme avec cette première partie. Les cors, clarinettes et bassons introduisent d'abord un nouveau motif (16) *piano*, *dolce*, sur la pédale

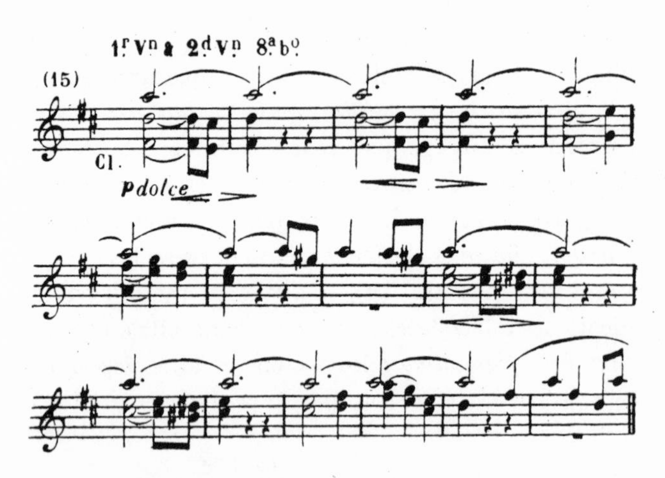

la, tenue par les violons, qui répondent, comme en écho (7e et 8e mesures). Ce motif, de seize mesures, est repris avec l'adjonction des flûtes et hautbois ; l'harmonie développe alors le motif, pendant que le cor fait entendre deux notes uniques, toujours les mêmes, *la, sol dièze* (16), qui donnent une teinte très mélancoli-

que à ce passage. Ces deux notes résonnent seules un moment, tandis qu'autour d'elles se forme, *crescendo*, un tutti qui va répéter le motif (16) *ff*, avec un roulement de timbales sur la pédale *la*, que donnent également les trombones. Ce fragment de 40 mesures est repris *da capo*. Viennent ensuite quatorze mesures *sempre dim.* jusqu'au *pp*, où le cor toujours seul sous les tenues du quatuor, fait entendre obstinément ses deux notes, *la*, *sol dièze*. Aux deux dernières, il laisse le quatuor moduler seul, *pp*, sans transition, l'accord de septième dominante, du ton de *fa*, et aussitôt, *forte*, la première partie est reprise par le tutti de l'orchestre, identique à la première version (moins les reprises). L'*assai meno presto* suit avec sa reprise ; enfin, le *presto* reparaît avec le motif principal terminé par une *coda* brillante. Mais avant de conclure, quatre mesures laissent reparaître deux fois les deux premières mesures du motif des clarinettes, cors et bassons (15), en *la majeur* d'abord, puis en *la mineur*. En cinq mesures, cinq notes, — *presto fortissimo*, le tutti termine énergiquement.

IV. *Allegro con brio* (*la majeur*, 2/4). — Il semblerait qu'avec ce *presto*, Beethoven ait atteint le comble de la gaieté, de la joie exubérante, « déboutonnée », comme il disait. Dans le dernier mouvement, cette joie s'anime encore et devient réellement orgia-

Cette explosion de l'orchestre sur ce thème tranquille, n'est pas sans analogie avec un passage de l'*andante* de l'*Ut mineur*, lorsque le motif (13) revient *fortissimo* au tutti.

que. Après quelques accords préliminaires (17), les

premiers violons marquent tout de suite un rythme rapide, accentué sur le troisième temps de la mesure, et ponctué sur le quatrième d'accords du tutti (18).

Ce sont d'abord deux sections de huit mesures chacune, répétées deux fois. Puis *fortissimo*, l'harmonie, accompagnée par tout le reste de l'orchestre, accentuant les premiers et troisième temps, fait entendre un rythme nouveau (19), plus lourd, que le quatuor re-

prend, et conserve seul, en empruntant quelques notes au premier motif (18). Une mêlée furieuse de tous les instruments s'ensuit, mais bientôt, s'apaisant, laisse entrer une nouvelle figure (20) aux violons. Le ton de *mi majeur* s'établit, dans lequel les flûtes et hautbois

développent ce motif, dans le même rythme, puis en *ré majeur*, le quatuor revient alors arpégeant l'accord de septième de *ré majeur*, ton dans lequel le tutti reparaît, *fortissimo* et ne tarde pas à ramener le ton de *mi majeur*, précurseur de la reprise de la première partie du mouvement. C'est après cette reprise un retour du rythme du premier motif (18), qui vient tour à tour à sa quatrième mesure s'arrêter, comme suspendu, tantôt sur un *fa* naturel[1], tantôt sur un *sol*, etc., puis c'est une lutte entre tous les éléments de l'orchestre, lutte de rythme, lutte de sonorité, qui, se calmant soudain, laisse la flûte seule redire *pianissimo* le motif en *si bémol*, avec un arrêt inattendu sur le *si* naturel, dominante du ton de *mi*, dans lequel reviennent les deux accords préliminaires (17). Vient alors une reprise de la première partie. Les motifs (18), (19), (20), (21) en

[1] Voir plus haut, p. 293, exemple (L).

forment les éléments, et, dans une allure vertigineuse, *sempre piu forte*, l'orchestre s'anime, s'essouffle jusqu'à un *fff*, aux dernières limites du paroxysme. Un *piano* subit est ménagé, comme pour accentuer la force de cette tempête sonore, mais un *crescendo* prodigieux ramène en huit mesures le *fff*. Une dernière fois, au milieu des éléments déchaînés, les premiers violons, doublés par les seconds, redisent, non pas le motif (18) tout entier, mais un rappel de son rythme, qu'un trait rapide termine sous un roulement de tonnerre.

Deux accords brefs concluent cette « apothéose de la danse », ainsi que Wagner a qualifié la *VII*e *Symphonie*.

III

Terminée au milieu de 1812, la *Symphonie* en *la* ne fut exécutée que dix-huit mois plus tard, le 8 décembre 1813, à Vienne, dans la grande salle de l'Université. Le concert avait été organisé par le fameux mécanicien Mälzel, « au profit des guerriers autrichiens et bavarois blessés à la bataille de Hanau » (30-31 octobre). La pièce de résistance était la *Wellington's Sieg bey Vittoria (la Victoire de Wellington à Vittoria)*, écrite par Beethoven à l'instigation de Mälzel, l'inventeur du métronome, du Panharmonicon et d'un grand nombre d'automates, d'horloges, etc., à musique. Cette symphonie militaire en deux parties, avec accompagnement d'engins sonores imitant la canonnade, avait été terminée au commencement d'octobre pour célébrer la victoire remportée à Vittoria par les troupes de Wellington sur l'armée française d'Espagne, le 21 juin 1813. Parmi les exécutants de cette production semi-musicale, telle qu'on en voit surgir une infinité à l'époque de la grande guerre de l'Indépendance *(Befreiungskrig)*, on remarquait deux des premiers kapellmeister de Vienne (note de la partition), Salieri et Hummel, faisant des parties de canon. Meyerbeer, le jeune Meyerbeer, tenait aussi, et fort mal, au dire de Beethoven, une partie de grosse caisse[1]. Spohr et Mayseder étaient aux deuxième et troisième pupitres des violons, ayant à leur tête Schuppanzigh, le chef du célèbre quatuor. L'œuvre guerrière et patriotique de Beethoven, où se mêlent le *Rule Britannia*, et l'air de *Marlborough* symbolisant les armées ennemies (à la fin triomphe le *God save the King)*, obtint le plus grand succès, cela va sans dire, de la part du grand public. Elle tenait le troisième et dernier rang dans le programme. La Symphonie en *la* venait en tête; le

[1] « Ce jeune homme, disait un jour Beethoven à Tomaschek, tenait une partie de grosse caisse. Ha! ha! ha! — Je ne fus pas du tout content de lui; il ne frappait pas en mesure, et arrivait toujours trop tard, et je dus l'interpeller rudement. Ha! ha! ha! — Ça a dû lui faire de la peine. Il n'y a rien à faire avec lui; il n'a pas le courage de frapper en mesure! » (WASIELEWSKI, I, p. 331.)

second numéro était composé de « deux marches jouées par le Trompette mécanique de Maelzel, avec accompagnement de « l'orchestre complet », l'une de Dussek, l'autre de Pleyel.

Le public viennois s'était rendu en foule à ce concert de bienfaisance patriotique. Quatre jours plus tard, le 12 décembre, le même programme dut être répété, et la recette totale fut de 4,006 florins, qui furent remis aux autorités militaires chargées de distribuer cette somme. Un jeune Autrichien, Franz Glöggl, devenu plus tard directeur d'une gazette musicale, put assister à la seconde exécution grâce à Beethoven lui-même. Il eut l'honneur de l'accompagner de chez lui à l'Université. Il avait assisté aux répétitions des œuvres nouvelles; à l'une d'elles, il fut témoin d'une petite scène entre le maître et les premiers violons. Ceux-ci, trouvant beaucoup trop difficile un passage de la symphonie, essayé déjà trois fois, s'arrêtèrent, déclarant que ce n'était pas jouable. Beethoven, étonné, hors de lui, et avec une urbanité inaccoutumée, pria « ces messieurs d'emporter leurs parties chez eux », assurant que le passage en question irait bien, avec un peu d'exercice. Ce qui fut fait. A la répétition suivante, tout se passa à la perfection : excuses, éloges et compliments réciproques remplacèrent les récriminations. Mais Glöggl désirait ne pas manquer la seconde audition, comme la première, toutes les places étant louées, dit-il (ce que les faits contredisent). Beethoven le fit appeler le matin à dix heures et demie. Tous deux allèrent de chez lui au concert dans une voiture, emportant les partitions de la *Bataille* et celles de la *Symphonie en la*. Fort intimidé par la présence du maître, le jeune homme (Glöggl était à peine âgé de dix-sept ans) restait silencieux dans son coin, tandis que Beethoven, absorbé par la préoccupation de l'événement, battait la mesure avec la main... Arrivé à la salle, Beethoven dit à Glöggl de prendre la musique dans ses bras et de le suivre; celui-ci ne se fit pas prier et, une fois entré, il sut bientôt trouver une place d'où il entendit le concert à son aise[1].

Ces répétitions, au dire d'un autre témoin, Spohr, ne se passèrent pas sans difficultés. La surdité croissante de Beethoven était un obstacle, parfois insurmontable, à la bonne exécution de ses œuvres, qu'il dirigeait encore...

Beethoven, dit Spohr, avait pris l'habitude d'indiquer les nuances à l'orchestre par de singuliers mouvements du corps. Pour marquer les *piano*, il se baissait d'autant plus bas qu'il les voulait plus accentués. Arrivait un *crescendo*, alors il se relevait peu à peu, et se dressait de toute sa hauteur à l'entrée du *forte*. Il criait même parfois, au milieu du *forte*, pour le renforcer, et sans s'en apercevoir... Il n'est pas douteux que le maître infortuné, sourd, ne pouvait plus entendre les *piano* de sa propre musique. Ce fut surtout frappant dans un passage de la seconde partie du premier *allegro* de la symphonie. Il y a deux points d'orgue l'un à la suite de l'autre, dont le second est *pianissimo*. Beethoven avait sans doute oublié celui-ci, car il recommença à battre la mesure, alors que l'orchestre n'était pas encore parvenu au second. Il était donc, sans le savoir, en avance de dix à douze mesures sur l'orchestre, lorsque celui-ci commença le *pianissimo*. Beet-

[1] GROVE, p. 235-236, d'après THAYER, III, 259-261.

hoven, pour avertir les musiciens, selon son habitude, s'était donc blotti derrière son pupitre. Mais, lorsqu'il crut le moment du *crescendo* venu, se redressant peu à peu, il surgit de toute sa hauteur, lorsque le moment arriva où, à son estime, le forte devait commencer. Et comme celui-ci tardait, il regarda, furieux, autour de lui, fixa l'orchestre, étonné qu'il jouât toujours *pianissimo*, et se retrouva en mesure quand, le *forte* étant survenu, il se retrouva capable d'entendre. Par bonheur, cette scène comique ne se renouvela pas à l'exécution publique[1].

Le chevalier Ignaz von Seyfried, qui habita avec Beethoven dans les premières années du siècle[2], racontait un jour à son élève Krenn, que, répétant la *VIIe Symphonie* avec son orchestre, lorsqu'on arriva au passage du finale où les timbales disharmonisent, il crut qu'il y avait une faute de copie dans les parties d'orchestre. Mais, après avoir comparé celles-ci avec la partition de piano, il les trouva conformes. Avec une circonspection prudente, il dit à Beethoven :

« Cher ami, il me semble qu'il y a ici une erreur, les timbales ne sont pas d'accord.

Beethoven se récriant aussitôt :

— Mais ça n'a jamais été mon intention. »

Et lorsque Seyfried eût découvert l'idée poétique incluse dans cette symphonie, il dit à Krenn :

« Je comprends maintenant que les timbales ne puissent pas être d'accord[3]. »

1 WASIELEWSKI, II, p. 120.

2 A l'époque de la composition du *Christ aux Oliviers*, des symphonies en *mi bémol*, en *ut mineur*, et en *fa*. D'après Thayer, cette donnée serait inexacte, en partie. (WASIELEWSKI, I, p. 315.)

3 Interview de Krenn par Thayer, 29 août 1859. Pub. dans l'*Allgemeine Musik-Zeit.*, 12-19 mai 1899, p. 314.

Les deux concerts de décembre 1813 eurent non seulement un résultat matériel satisfaisant, mais le succès artistique en fut très grand.

Les nouvelles compositions de Beethoven plurent extraordinairement, dit Spohr, surtout la Symphonie en *la* (la *VIIe*); son admirable deuxième mouvement fut bissé *da capo;* il fit également sur moi une impression profonde et durable. L'exécution fut tout-à-fait magistrale, malgré la direction incertaine et souvent risible de Beethoven[1].

Par une lettre rendue publique, le maître considéra comme « un devoir » d'exprimer ses remerciements « à tous les artistes estimables qui ont bien voulu prêter leur concours aux deux concerts donnés les 8 et 12 décembre », et il terminait par ces mots :

C'est Mälzel, en particulier, qui mérite tous nos remerciements. A lui incombe la première idée de cette académie et c'est lui qui s'est occupé très activement de l'organisation de l'ensemble dans tous les détails. Je lui dois particulièrement des remerciements pour m'avoir procuré l'occasion d'offrir mes compositions pour un but d'utilité publique, et de remplir ainsi le vœu ardent que j'ai fait depuis longtemps, de déposer sur l'autel de la patrie les fruits de mon labeur[2].

Le correspondant viennois de l'*Allgemeine musikalische Zeitung* écrivait à son journal, le 7 janvier 1814 :

L. v. Beethoven, qui depuis longtemps était estimé comme l'un des plus grands compositeurs de musique instrumentale, vient d'obtenir un éclatant triomphe par l'exécution de ses deux importantes compositions... L'orchestre, dirigé par

[1] SPOHR, *Selbstbiographie*, I, p. 201.
[2] D'après Ch. Malherbe, Programme du Concert-Colonne, 11 décembre 1904.

Beethoven, excita un véritable enthousiasme par sa précision et l'ensemble de son exécution. Mais c'est surtout la nouvelle symphonie qui obtint un succès extraordinaire. Il faut entendre la nouvelle œuvre du génie de Beethoven aussi bien exécutée qu'elle l'a été ici, pour pouvoir apprécier toutes ses beautés, et en jouir pleinement. Le rédacteur tient cette symphonie, après une seconde audition, — sans qu'il y manque ni ce solide développement ni cette élaboration des pensées principales que nous sommes habitués à trouver dans toutes les œuvres de ce maître, — pour la plus riche en mélodies, la plus agréable et la plus compréhensible de toutes les symphonies de Beethoven. Bien exécutée, elle ne peut susciter partout et de tout le monde que des desiderata personnels. L'*andante (la mineur)* dut cette fois être bissé et enchanta connaisseurs et profanes[1].

Reprise avec la *VIIIe Symphonie*, le 27 février 1814, avec un succès toujours grandissant, la *VIIe* reparut aux concerts donnés lors du congrès de Vienne, les 29 novembre et 2 décembre.

A la demande générale, écrivait le correspondant de la *Gazette musicale* de Leipzig, M. Louis van Beethoven donna le 29 un concert à son bénéfice, dans la grande salle des Redoutes[2].

Le programme était composé de la « nouvelle grande symphonie », de la nouvelle cantate, le *Moment glorieux (der glorreiche Augenblick*, ouvrage de circonstance composé à l'occasion du Congrès de Vienne), et de la *Wellington's Sieg*. « Notre opinion précédente ne peut qu'être confirmée par cette reprise », ajoutait le

[1] *Allg. musik. Zeit.*, 26 janvier 1814, col. 70, de Wien, d. 7ten Jan.
[2] *Allg. musik. Zeit.*, 21 déc. 1814, col. 867.

compte rendu. Les impératrices d'Autriche et de Russie, la reine de Prusse, ainsi qu'un grand nombre de personnages du plus haut rang assistèrent à ce concert. Beethoven pouvait donc espérer un succès pécuniaire notable, car l'immense salle était absolument comble, du moins au premier concert (le 2 décembre, le même programme ne faisait qu'une salle demi-pleine[1]).

Les partitions de la *Victoire de Wellington* et des « deux nouvelles grandes symphonies » (œuvres 92 et 93), parurent en même temps, au mois de mai 1816, chez les éditeurs viennois, Steiner et Cie, qui les firent annoncer en ces termes dans l'*Intelligenz-Blatt* de l'*Allgemeine musikalische Zeitung* :

Le nom du génial M. van Beethoven est en quelque sorte un sûr garant de la haute valeur des deux nouvelles grandes symphonies annoncées ci-dessus. Mais sans la garantie de son nom, aucun amateur initié à l'art musical ne pourrait ne pas deviner le créateur de ces chefs-d'œuvre. Car, de même que M. van Beethoven est connu comme le plus grand compositeur de notre époque, de même ces symphonies, — qui ont été exécutées ici à Vienne dans des concerts de bienfaisance, organisés sous la direction de ce célèbre compositeur, avec un succès extraordinaire, — sont parmi les créations les mieux réussies de son génie profond et riche d'idées.

L'originalité est leur principal caractère, et les alternatives systématiques d'une harmonie abondante, de douceur et de

1 *Allg. musik. Zeit.*, *id.*, *ib.* On lit dans les *Wiener Friedensblätter*, du 24 décembre : « Les frais de ses deux dernières académies produisirent, d'après un compte exact, 5,102 florins, valeur viennoise. On peut, après déduction des billets gratuits, compter ce qui peut, dans ces conditions, rester net à l'organisateur. Il aurait été réduit au minimum sans le généreux présent de 200 ducats fait par l'impératrice de Russie. » (Cité par NOTTEBOHM, *Zweite Beethoveniana*, p. 311.)

force, de suavité et de modulations saisissantes par leur hardiesse, de mélodies issues du cœur et de sonorités frappantes, les marquent du cachet des *grandes* œuvres d'art. Souvent, l'oreille exercée elle-même s'étonne aux profonds mystères de leurs rares fantaisies, une émotion enthousiaste la saisit quand, après plusieurs auditions, la phrase musicale se dégage pure comme du cristal, dans une clarté céleste[1].

Simultanément, parurent : la partition d'orchestre, les parties, et six arrangements (pour harmonie à neuf parties; pour quintette à cordes; pour trio, piano, violon et violoncelle; pour piano à quatre mains; pour piano seul, et enfin, pour deux pianos), tous revus par Beethoven lui-même.

La partition d'orchestre forme un volume in-4° de 224 pages, lithographié; elle est bien inférieure, sous le rapport de l'édition et de la correction, à celle des *V*e et *VI*e *Symphonies*. Elle est intitulée :

Siebente grosse Sinfonie in A dur von Ludwig van Beethoven. 92tes Werk. Vollständige Partitur. Eigenthum der Verleger. Preis 12 Fl. Wien im Verlag bei S. A. Steiner und Comp. So wie auch zu haben...

A la seconde page, on lit la dédicace au comte de Fries :

Dem Hochgeborenen Herrn Moritz Reichsgrafen von Fries, Sr k.k. Apost : Majestät wirklichen Kämmerer &c., &c., &c. in Ehrfurcht zugeeignet von Ludw. van Beethoven. N° 2560.

La partition réduite pour piano était dédiée à l'impératrice de Russie :

[1] *Intelligenz-Blatt* de l'*Allg. musik. Zeit.*, mars 1816.

Jhren Majestät der Kaiserin Elisabeth Alexievna, Selbstherrscherin aller Russien &c., &c., &c. in tiefster Ehrfurcht gewidmet von Ludwig van Beethoven[1].

La partition d'orchestre et ses multiples arrangements allaient permettre d'exécuter un peu partout, en Allemagne et à l'étranger, l'œuvre nouvelle. L'*Allgemeine musikalische Zeitung* y contribua pour sa part en en publiant une analyse détaillée.

Cette symphonie, y lisait-on, nous donne une nouvelle preuve du talent inépuisable de Beethoven... Bientôt toute l'Allemagne, la France et l'Angleterre confirmeront notre jugement et nous feront un reproche de n'en avoir pas montré assez toute la beauté et de n'en avoir pas dit assez de bien[2].

Vers le même temps, à Vienne, dans la salle des Redoutes, la *VII*e *Symphonie* était redonnée, le 26 décembre, au concert annuel au profit de Bürgerspital[3]. Le 12 décembre 1816, elle paraissait à Leipzig, aux concerts hebdomadaires. Le rédacteur de la *Gazette* parlait avec éloge de l'exécution de « cette œuvre géniale pleine d'art et d'âme, dont nous plaçons l'andante et le scherzando parmi les plus belles choses qui existent en ce genre, et dont ce journal a donné récemment une excellente analyse[4] ».

Une seconde audition, « à la demande générale et jouée et accueillie à souhait », était donnée le 23 avril 1817, aux mêmes concerts hebdomadaires et une troi-

[1] Thayer, *Chronolog. Verzeichniss*, p. 91, nº 169.
[2] *Allg. musik. Zeit.*, 27 nov. 1816, col. 817-822.
[3] *Id.*, 22 janv. 1817, col. 65.
[4] *Id.*, 26 février 1817, col. 163.

sième aux Concerts d'hiver[1]. Ces trois auditions en une seule saison semblent infirmer le témoignage de F. Wieck (le père de Clara Schumann), qui était présent à la première ; d'après lui, musiciens, critiques, amateurs et même le public non-musicien, furent unanimes dans l'opinion que cette symphonie (en particulier les premier et dernier mouvements) avait dû être composée dans un lamentable état d'ivresse *(trunkenen Zustand)* ; elle était pauvre en mélodie, etc., etc.

C'était sans doute une honnête opinion, ajoute G. Grove, mais « la toupie du temps amène sa revanche[2] ! »

On connaît aussi le jugement attribué à Weber ; Beethoven, aurait-il dit après une audition de la symphonie en *la*, était « mûr pour les petites-maisons ».

Cette opinion a été rapportée par tous les commentateurs, et Grove lui-même, malgré ses investigations, n'a pu en retrouver l'origine. Il se borne à rappeler les attaques de Weber contre la *IV*e *Symphonie*. On pourrait rapprocher du dialogue humoristique du *Künstlerleben*, certains passages des lettres intimes de l'auteur du *Freyschütz*. Est-ce une preuve que Weber ne comprit jamais Beethoven ? Il serait téméraire de l'affirmer, Weber ayant fort probablement pu changer d'avis de 1815 à 1826; il eut plusieurs fois l'occasion de diriger des symphonies de Beethoven, et la dernière fut précisément cette symphonie en *la*, qu'il fit

1 *Allg. musik. Zeit.*, 21 mai 1817, col. 355.
2 Grove, p. 237, F. Wieck, *Clavier und Gesang*, p. 117.

entendre à Londres, le 3 avril[1]. Quant à ses rapports avec Beethoven, ils furent de la plus grande et, rien ne prouve le contraire, de la plus franche cordialité, lorsque, en 1823, Weber alla voir Beethoven à Baden, et que l'auteur de *Fidelio* ouvrit tout grands ses bras à l'auteur du *Freyschütz*, poussant d'énergiques et joyeuses exclamations.

Une autre anecdote relative à la symphonie en *la* est rapportée par Hiller dans son livre sur Mendelssohn. Se trouvant un jour avec celui-ci chez André, à Offenbach, « la critique la plus violente qu'il (André) se permettait sur ce grand homme portait surtout sur sa manière de composer, méthode que le savant théoricien d'Offenbach avait eu l'occasion d'entrevoir. Il nous affirma par exemple avoir tenu dans ses mains le manuscrit de la symphonie en *la majeur :* il contenait des feuilles entières laissées en blanc, précédées et suivies de pages écrites qui n'avaient aucune espèce de rapport entre elles. Beethoven lui dit qu'il allait remplir ces espaces blancs; « mais », prétendait André, « quelle suite logique dans les idées pouvait donc avoir une musique ainsi composée! » « Mendelssohn ne supportait point d'entendre dire de pareilles énormités : il continuait de jouer, avec son puissant style orchestral, des morceaux entiers ou de simples fragments de ces œuvres, jusqu'à ce que André, tombé lui-même sous le charme, se trouvât forcé de suspendre un instant ses critiques. En effet, comment songer à

[1] GROVE, p. 238.

faire des observations caustiques ou à chercher quelque subtile chicane en entendant Félix jouer l'Allegretto de la symphonie en *la*[1]? »

Hors d'Allemagne, la Philharmonic de Londres fut bien certainement la première société de concerts qui fit entendre la *Symphonie* en *la*. Guettant sa publication, dit Grove, elle s'en procura tout de suite la partition, et, dès le 9 juin 1817, elle en donnait la première exécution en Angleterre. Excepté l'*allegretto*, dont le *Morning Chronicle* du 14 juin disait que c'était « un des morceaux de musique les plus exquis que nous connaissions et une véritable pierre précieuse », l'œuvre n'était, pour ce journal, « comparable à aucun autre ouvrage du même auteur ». Beethoven, qui lisait alors ou se faisait lire les journaux britanniques, avait déjà remarqué, l'année précédente, dans la « gazette nommée *Morning Cronigle (sic)* », du 22 mars 1816, une notice sur l'exécution d'une symphonie, celle en *la*, croyait-il, et il en faisait part, le 15 mai, à Neate, alors à Vienne, mais il se trompait évidemment, et l'œuvre exécutée par la Philharmonic, le 11 mars précédent, était, soit la *III*e, soit la *V*e *Symphonie*[2]. Une note manuscrite de William Ayrton, l'un des fondateurs de la Philharmonic et du journal musical *the Harmonicon*, donne une opinion contemporaine de cette première audition : « Tout, excepté le mouvement en *la mineur*, n'est que du *caviare;* mais d'autres beautés s'y révèlent

1 F. Hiller, *F. Mendelssohn-Bartholdy*, trad. Grenier, p. 110-111.
2 Grove, p. 268-269. Chantavoine, p. 131. L'original de la lettre à Neate est en français.

par degré; il lui faudrait seulement être abrégée des dix dernières minutes. » Tel était le jugement d'un musicien des moins réactionnaires, en 1817. Sept ans plus tard, la *Symphonie* en *la* reprise plusieurs fois à partir de 1821, on lit dans l'*Harmonicon :* « La symphonie en *la* de Beethoven a déjà été mentionnée dans cet ouvrage. De fréquentes auditions ne nous réconcilieront pas avec son vague et ses dissonances, mais nous reconnaissons cependant que le mouvement en *la mineur* est un chef-d'œuvre, et cela aide, à notre avis, à entendre les autres parties de cette composition. » *(Harmonicon*, 1834, p. 122[1].) Reprise le 26 février 1821, la *VII*e *Symphonie* fut dès lors fréquemment entendue à la Philharmonic.

A Paris, elle ne put être exécutée aux Exercices des élèves du Conservatoire, la Restauration, qui traitait un peu en suspecte la création révolutionnaire, malgré son nouveau nom d'Ecole royale, comme ci-devant, ayant supprimé ces exercices, et réservant toutes ses faveurs pour l'Ecole royale de Musique religieuse, fondée par Choron.

Aux Concerts spirituels de l'Opéra, elle parut plusieurs fois à partir de 1821, à l'état de fragment. On y jouait souvent la *Symphonie* en *ré* et, comme le public en trouvait le *larghetto* peu attrayant, Habeneck le remplaçait par l'allegretto de la *VII*e. Public et critiques faisaient grand succès à cet *andante* « charmant » (*Courrier des Théâtres*, 26 mars 1826), qui

[1] Grove, p. 268-269.

« seul », parmi les morceaux de la symphonie de Beethoven, « est remarquable », déclare la *Pandore* (même date)[1]. Ce fut, jusqu'en 1829, le seul morceau de la *Symphonie* en *la*, exécuté à Paris. Une audition intégrale au piano, à huit mains, en fut offerte cependant aux dilettantes parisiens, en 1828. Le dimanche soir 20 avril, dans les salons de Pape, elle fut jouée par Bertini, l'auteur de cet arrangement, Liszt, Sowinski et Louis Schuncke, à la fin du concert donné au bénéfice de ce dernier[2].

La première audition par l'orchestre de la Société des Concerts ne date que de l'année suivante; le 1er mars, à la deuxième séance de sa deuxième session, la jeune société l'exécuta sous la direction d'Habeneck.

Le premier morceau, déclarait Castil-Blaze, le fameux XXX des *Débats*, est remarquable par des dispositions originales et savantes, l'auteur a fait une belle broderie sur une étoffe de peu de prix; l'idée principale de ce morceau n'est pas exempte de trivialité. L'*andante* est un chef-d'œuvre merveilleux : rhythme, mélodie, harmonie, beauté du plan, richesse de dessin, élégance des détails, artifice des contrastes et des effets, cet *andante* renferme tout ce que la musique a de plus puissant et de plus séducteur. Je lui trouvais d'abord une physionomie antique, et qui se rapprochait de l'idée que l'on se fait sur la musique des anciens Grecs; cette première entrée des violoncelles posant une mélodie noble et gracieuse sur la marche des basses qui conserve son rhythme adopté, a des formes religieuses et solennelles; en examinant avec attention le motif de cet *andante*, j'ai découvert qu'il procédait comme l'hymne de saint Jean, hymne fameuse dans

1 La Symphonie en *ré* fut jouée trois fois sur quatre concerts, les 22, 24 et 26 mars.
2 *Revue musicale*, avril 1828.

l'histoire de la musique, puisqu'elle a fourni les noms des notes, et dont la mélodie s'est unie aux vers d'Horace, et peut-être à ceux d'Anacréon et de Sapho.

Le menuet qui suit cet andante est d'une piquante originalité; ses cadences en tons de *dièze* annoncent que ce morceau écrit en *fa* était destiné à faire partie d'une symphonie en *la*. Si Beethoven avait dû encadrer ce menuet dans une composition en *ut* ou en *si bémol*, il aurait modulé d'une autre manière, bien que le menuet forme un tout indépendant.

Je dois faire observer néanmoins que les transitions fréquentes du ton de *fa* naturel à *ré* naturel ne sont pas d'un effet agréable. Le finale est inférieur en mérite à ces deux morceaux : c'est une folie musicale plus bizarre que gaie. L'exécution symphonique du Conservatoire est toujours merveilleuse; l'*andante* de Beethoven a été redemandé et reçu avec de nouveaux transports d'admiration. Cette épreuve était dangereuse pour un *andante*. Le géant de la symphonie en est sorti victorieusement[1].

Dans la *Revue musicale*, Fétis s'exprimait ainsi :

Le début en est beau, large, rempli de nouveauté; mais bientôt des traits vagues et de peu d'intérêt laissent dans l'incertitude sur le plan de l'auteur. Un changement de mouvement d'un effet neuf et piquant, ranime alors l'auditeur; malheureusement cet effet n'est pas de longue durée. Un travail long, fastidieux, et plus bizarre qu'original, sur un motif très court, se représente sous toutes les formes jusqu'à satiété, y succède et conduit l'auditeur jusqu'à la fin du premier morceau, après avoir plus fatigué que satisfait son attention. Telle est du moins l'impression que m'a fait éprouver la première audition de ce morceau, que je ne connaissais que par la partition. On m'assure que je changerai d'opinion après l'avoir entendu plusieurs fois. Cela peut être, et je le dirai sans détour : cependant je puis affirmer que j'en avais jugé de même à la lecture..

[1] *Journal des Débats*, 9 mars 1829.

L'*andante* est un morceau parfait sous tous les rapports. Nouveauté du sujet, expression mélancolique et passionnée, détails élégans, instrumentation piquante, tout s'y trouve réuni. Quoique déjà connu, puisqu'il avait été exécuté plusieurs fois aux concerts spirituels de l'Opéra, ce bel *andante* a produit tant d'effet, que le public l'a redemandé avec enthousiasme.

Rien de plus original que le menuet ou *scherzo* : c'est aussi un morceau où Beethoven a donné une libre carrière à sa brillante imagination, sans tomber dans le bizarre et l'extravagant. Je n'y trouve qu'un seul défaut, c'est le passage continuel du ton de *fa majeur* à celui de *ré majeur*, et le retour de celui-ci au premier, défaut rendu plus sensible par la répétition du trio, qui me paraît non seulement inutile, mais nuisible à l'effet.

Le finale est une de ces créations inconcevables qui n'ont pu sortir que d'un cerveau sublime et malade. Qu'il y ait un plan, une idée première dans l'ensemble de ce morceau, c'est ce qui est vraisemblable; mais les saillies extravagantes y sont jetées avec tant de profusion que ce plan échappe à l'attention la plus scrupuleuse. Toutefois, telle est la puissance d'un grand caractère d'originalité, que, malgré la fatigue que fait éprouver le mélange de ravissantes inspirations et de bouffonneries ridicules, malgré le regret de voir tant de génie gâté par un goût si dépravé, nul n'est sorti sans rendre hommage à l'homme extraordinaire qui enfanta de pareilles choses; car tel est l'effet des défauts mêmes de Beethoven, qu'ils peuvent contrarier, impatienter, mais non laisser indifférent[1].

Après la seconde audition, donnée, « à la demande générale », le 29 mars, Fétis écrit encore :

J'attendais avec impatience la seconde audition, pour fixer définitivement mon opinion. Je dois avouer qu'elle n'a point changé, malgré tout ce qu'on m'avait promis. Certes, l'*andante* est une création admirable : mais pourquoi parler de

[1] *Revue musicale*, tome V, 1829, p. 131-132.

l'*andante?* Que dirais-je qui n'affaiblisse ce que tout le monde a senti? Ce morceau est du petit nombre de ceux qu'il suffit de nommer pour faire leur éloge. Quand la musique émeut jusqu'à faire répandre des larmes, elle atteint les dernières limites de sa puissance : c'est ce que fait l'*andante* de la symphonie en *la.* Tout est dit par ce peu de mots. Mais ce n'est pas de lui qu'il s'agit, puisqu'il ne peut y avoir deux opinions sur ce qui le concerne. Ce qui est en question, c'est le premier morceau, c'est le finale.

... L'encens que brûle sur l'autel de Beethoven celui qui manifeste le même enthousiasme pour la symphonie en *ut mineur* et pour la symphonie en *la,* est un encens impur. Non, non! quelques traits heureux, épars dans cette symphonie en *la* n'empêchent pas que ce ne soit un ouvrage fort inférieur aux belles productions de Beethoven; ceux qui les assimilent insultent à son génie. Le premier et dernier morceaux de cette symphonie sont de longues improvisations d'un homme de talent qui n'est pas dans ses jours d'inspiration. De temps en temps le grand artiste se retrouve; plus souvent il se perd. J'aurais trop d'observations critiques à faire sur les deux morceaux dont il s'agit; je me bornerai à signaler dans la seconde reprise du premier un enchaînement de dissonances qui se résolvent en montant, et qui déchirent l'oreille. Un effet heureux absout une incorrection; mais une monstruosité la rend inexcusable[1].

Une troisième audition eut lieu au dernier concert de 1829, le 3 mai; Fétis[2] se contenta alors de louer l'*allegretto,* qu'il nomme *adagio :* « Ce même morceau à lui seul vaut une symphonie. » La quatrième eut lieu le 9 avril 1830; la cinquième, le 24 avril 1831; la sixième, le 17 mars 1833. Les Concerts spirituels de l'Opéra ne tardèrent pas à imiter le Conservatoire, et, le 11 avril 1830, Castil-Blaze note la « même foule au

[1] *Revue musicale,* tome V, p. 235-236.
[2] *Id., ib.,* p. 347.

second concert spirituel (9 avril), et même transport d'enthousiasme, après avoir entendu chaque morceau de la symphonie en *la* de Beethoven. L'*andante* (c'est-à dire l'*allegretto*), sublime et ravissant, a été dit deux fois, à la demande générale, et deux fois couvert d'applaudissemens »[1].

En 1833, Joseph d'Ortigue, qui rédigeait la revue musicale de *la Quotidienne*, donnait ainsi son impression sur la symphonie en *la* :

Dans la *VII*e symphonie, écrivait-il le 23 mars, Beethoven s'est proposé un plan tout différent [de ceux de la *V*e et de la *VI*e]. Cet ouvrage n'est pas, comme les autres, composé sous une seule et grande inspiration. C'est une œuvre de pure imagination. La marche du compositeur est ici libre et capricieuse. Chacune des quatre parties de la symphonie se détache des autres auxquelles elle n'est pas liée par un sens logique et rigoureux. Ce n'est point un drame en quatre actes, mais en quatre tableaux qui diffèrent entre eux de genre et de caractère. Pour s'en convaincre, il suffit de comparer entre elles les impressions particulières que nous laissent ces divers morceaux. L'introduction et le premier allegro, l'andante et le scherzo, le finale, ne nous transportent-ils pas successivement dans un monde inconnu, dans une région nouvelle, sans transition et sans plan arrêté? Tel est le génie. Tantôt c'est tout un ordre d'idées, tout un ensemble de réalités qu'il déroule à notre esprit; sa marche, sinon tracée d'avance, du moins indiquée de distance en distance par des jalons correspondans au point de départ, et qui affermissent la direction de sa course. Tantôt, il quitte la terre, s'élance d'un bond dans l'espace, et poursuit son rêve poétique à travers ces mondes fantastiques que son imagination conçoit et qu'elle crée au moyen de l'art, ce magique instrument. C'est sous ce dernier

[1] *Journal des Débats*, 11 avril 1830. Cf. *Revue musicale*, 2e série, tome Ier, p. 322.

aspect qu'il faut considérer la symphonie en *la*. Si une pensée mère et une ne plane pas sur l'ensemble de cette merveilleuse composition; si on n'y rencontre pas d'un bout à l'autre cette couleur méditative, ce caractère d'importante grandeur que nous avons observé dans les ouvrages déjà signalés, et que nous aurons l'occasion de remarquer dans la symphonie en *ut mineur*, et dans la plus gigantesque de toutes, la *symphonie avec chœurs*, il est vrai de dire pourtant, que ce que Beethoven a fait ailleurs pour chacune de ces épopées, il l'a fait ici pour chacun des morceaux de la symphonie, en sorte que tous, pris isolément, forment un tout parfait, une création à part, variée et complétée par les détails qui, pareils aux rouages d'une machine, se meuvent d'après une loi générale, et pivotent autour d'un point fixe. C'est pour cela même qu'il y a dans cette symphonie plus d'images, de tableaux, de ces effets soudains, et de cette étonnante magie qui ont fait de Beethoven, considéré comme artiste, un être surnaturel.

... Cette symphonie est un miracle de génie. Partout des idées, des tableaux, des images, de l'inspiration, des effets sublimes, de la poésie. Point de longueurs, point de froid, point de ces momens où l'on pourrait dire que l'Homère musical dort[1].

Un an plus tard, après la septième audition (9 mars 1834), d'Ortigue revenait presque dans les mêmes termes, à la *Gazette musicale*, cette fois, sur la symphonie en *la*[2]. Quant à Berlioz, parlant dans le même journal du concert du vendredi-saint (la symphonie en *la*, redemandée, y avait été exécutée pour la huitième fois), il en analysait ainsi les « merveilles », — ou, plus simplement, deux morceaux :

Premier morceau : force cadencée irrésistible, caractère

[1] *La Quotidienne*, 23 mars 1833. Cf. *l'Europe littéraire*, 6 mars, article de Castil-Blaze.

[2] *Gazette music.*, 16 mars 1834.

d'une joie agreste et communicative, caprices délicieux, assombris, par intervalles, d'une légère teinte de mélancolie. *Adagio :* le miracle de la musique moderne, où l'art, le disputant au génie, la science à l'inspiration versent à flots les plus puissans effets de la mélodie, de l'harmonie, de l'instrumentation et du rhythme. Le morceau commence par un profond soupir qu'exhalent les instruments à vent; alors la sublime plainte s'élève en accens d'une souffrance immense et sans bornes, comme celle du prophète des Lamentations. Ecartant un instant le voile sombre qui couvre sa pensée, le *poète* nous apparaît jetant sur ce passé ce regard doux et triste de *la patience souriant à la douleur;* puis Beethoven redevient Jérémie, rentre dans sa Vallée de larmes, et, après l'avoir parcourue, laisse échapper de nouveau, en la quittant, cet ineffable soupir, que l'aspect du tissu de douleur qu'il allait dérouler lui avait arraché en commençant. L'effet de cette miraculeuse élégie sur le public est presque incroyable. Après trois salves foudroyantes d'applaudissements la fatigue a ramené un instant le silence, mais l'enthousiasme bouillonnait trop fortement; il a fait une nouvelle explosion, et toute la salle, se levant, a redemandé à l'orchestre une seconde preuve de l'existence de cette merveille. Cet adagio est le seul que j'aie jamais vu faire recommencer[1].

Deux ans plus tard, après la dixième audition, Berlioz revenait brièvement, le 31 janvier 1836, sur ce « riche poème musical qu'on ne se lasse pas d'entendre »[2].

Pendant longtemps, la Société des Concerts garda à Paris le monopole presque exclusif des exécutions symphoniques. Lorsque Pasdeloup, à partir de 1861, dirigea ses Concerts populaires, il donna, au premier concert de sa seconde saison (19 octobre 1862), la *Symphonie* en *la* de Beethoven. Il la reprit plusieurs

[1] *Gazette music.*, 27 avril 1834. Cf. *A travers Chants.*
[2] *Id.*, 31 janv. 1836, compte rendu du concert du 24.

fois, l'inévitable succès du deuxième morceau lui permettant de la faire goûter de son public, entre autres, au dixième concert de 1866 (23 décembre). La *Gazette musicale*, qui énumère les différents morceaux joués ce jour-là, donne à la *VIIe Symphonie* le titre de *Noce villageoise*, avec le « programme » suivant :

1er morceau : Arrivée des villageois; — 2e morceau : marche nuptiale; — 3e morceau : danse des villageois; — 4e morceau : le festin, orgie. — *N.-B.* Le programme de cette symphonie émane de Beethoven[1].

On chercherait en vain, dans les documents authentiques émanant de Beethoven, la trace d'un « programme » quelconque adapté à la *VIIe Symphonie;* ce programme ne pouvait qu'être l'œuvre d'un des nombreux « glossateurs » qui se sont acharnés à trouver, quand même, un sens concret aux neuf *Symphonies.* Mais l'auteur de cette *Noce villageoise,* dans laquelle l'*allegretto,* généralement considéré comme une sorte de marche funèbre, devient un cortège nuptial, l'auteur de ce programme fantaisiste, n'est autre que M. von Lenz, l'auteur du célèbre *Beethoven et ses trois Styles.*

« Je ne puis répondre à votre question concernant la *VIIe Symphonie,* qui devrait être considérée comme une seconde Pastorale, lui disait Schindler en 1855; car c'est un non-sens flagrant de le supposer. J'en entends parler pour la première fois. » Lenz n'en rédigea pas moins un programme tout-à-fait pastoral. Pour

[1] *Gaz. music.*, 23 déc. 1866, p. 4?6.

lui, le thème du premier mouvement possède un « caractère campagnard, pastoral »; l'idée du poète est « pastorale, ou, si l'on préfère, idyllique ». Puis voici que les sonorités « pastorales » du hautbois et de la clarinette nous transportent « dans une prairie, avant que le soleil dissipe les nuages brumeux de l'aurore, parmi les arbres qui s'agitent à la lumière ». Dans le *vivace*, c'est « la vie affairée du village qui s'éveille ». Dans l'*allegretto*, se place « le moment élégiaque, l'arrière-plan du destin... souvenirs de l'entrée à l'église d'un couple sur lequel le destin a noué ses liens... visite aux tombes du cimetière, etc. » Le scherzo célèbre par des danses l'union consacrée à l'église. Le cortège nuptial est figuré par le passage en *ré majeur*... « Le mouvement final caractérise la joie débordante de la vie[1]. »

Innombrables sont les interprétations auxquelles ont donné lieu ces différents mouvements de la *Symphonie en la.* Alberti, dans la *Gazette musicale* de Berlin, y voyait le pendant de l'*Ut mineur*, une expression de la joie de l'Allemagne enfin libérée du joug français; Nohl une fête chevaleresque; Oulibicheff se représente le scherzo « comme une mascarade, entrée dans le programme de la fête, qui est l'idée poétique générale de la symphonie »; le finale devient alors la sortie de ce bal masqué : « une multitude ivre de joie et de vin », entraîne dans son courant le poète[2]. Marx, le

[1] V. dans le livre de A.-B. Marx (p. 171-173), une longue critique de l'interprétation de Lenz.
[2] OULIBICHEFF, p. 235-237.

critique de Lenz, y voyait l'image d'un peuple méridional, guerrier et brave, tel que les anciens Maures d'Espagne. Dans l'*allegretto*, d'Ortigue se figurait une procession dans les catacombes, et Dürenberg, le songe d'une belle odalisque... *Tot capita*...

La plus célèbre de ces interprétations, celle qui est devenue pour ainsi dire classique, aujourd'hui, a été donnée par Wagner, dans son *Œuvre d'art de l'Avenir* :

Cette symphonie, dit-il, est l'*Apothéose de la Danse* elle-même : elle est la danse dans son essence supérieure, l'action bienheureuse des mouvements du corps incorporés en même temps à la musique. Mélodie et harmonie s'enchaînent sur les pas moelleux du rhythme comme à de véritables êtres humains qui, tantôt avec des membres gigantesques, souples, tantôt avec une douce et élastique docilité, forme la ronde svelte et voluptueuse, *presque sous nos yeux*, ronde pour laquelle retentit çà et là, tantôt aimable, tantôt hardie, tantôt sérieuse, tantôt abandonnée, tantôt sensuelle, tantôt hurlante de joie, la mélodie immortelle, jusqu'au moment où, dans un suprême tourbillon de plaisir, un baiser de joie scelle l'embrassement final.

Et pourtant ces danseurs bienheureux n'étaient que des hommes, représentés par des sons imités par des sons ! Comme un nouveau Prométhée, qui de l'*argile (Thon)* formait des hommes, Beethoven a cherché à les créer avec le *son (Ton)!* Non de l'argile ou du son, mais de ces deux éléments ensemble devait être créé l'homme, fait à l'image de Zeus, dispensateur de la vie. Les créations de Prométhée n'étaient sensibles qu'au *regard seul*, celles de Beethoven qu'à *l'oreille* seule. *Et là seulement où l'œil et l'oreille s'assurent réciproquement de son apparition, l'homme vraiment artiste est satisfait.*

Mais, où Beethoven trouverait-il les hommes auxquels il pourrait tendre la main par-dessus l'élément sublime de sa musique? Les hommes dont le cœur fût assez large pour qu'il pût y jeter le torrent tout-puissant de ses sons harmonieux? dont la stature fût assez belle pour que ses rhythmes mélodiques pussent les *porter*, non les *briser?* — Hélas, de nulle part ne vint un fraternel Prométhée à son aide, pour lui montrer ces hommes! Lui-même, il dut se mettre en route, *en quête du pays des hommes de l'avenir!*

Des rives de la danse, il se rejeta dans l'Océan sans limites, d'où il s'était sauvé vers ce rivage, dans la mer de son désir inassouvi. Mais ce fut sur un navire gigantesque, solidement charpenté, qu'il entreprit la course orageuse; d'un poing ferme il saisit le puissant gouvernail : il *connaissait* le but du voyage, il avait résolu de l'atteindre. Ce n'est point d'imaginaires triomphes qu'il voulait se préparer, ni regagner le hâvre oisif de la patrie, après les fatigues surmontées : non, il voulait mesurer les limites mêmes de l'Océan, découvrir la terre qui devait se trouver au-delà du désert liquide[1].

Telle est l'interprétation poético-philosophique en laquelle se complaisait Wagner, trouvant en Beethoven un précurseur de l' « œuvre d'art de l'avenir » qu'il rêvait.

L'interprétation matérielle de la *VIIe Symphonie*, son exécution orchestrale, a donné lieu à une assez longue polémique entre Schindler et Spohr, après que celui-ci l'eut dirigée, en 1840, au festival bas-rhénan d'Aix-la-Chapelle[2]. On trouvera les pièces de ce procès dans la brochure de Schindler, *Beethoven in Paris*[3].

La première audition publique d'une symphonie de Beethoven eut lieu à Madrid, en avril 1866, par la Société des

[1] R. WAGNER, *Gesammelte Schriften*, 3e édit., III, p. 94-95.

[2] La *VIIe Symphonie* fut exécutée huit fois aux Festivals bas-rhénans, de 1823 à 1869.

[3] *Beethoven in Paris, nebst anderen den unsterblichen Tondichter betreffenden Mittheilungen*, p. 127-145.

Concerts, sous la direction de Barbieri. C'était la Symphonie en *la*. Le même directeur avait fait connaître, cinq ans auparavant, le *Septuor*, qui est resté une des œuvres les plus populaires du maître de Bonn à Madrid.

Avant de mettre au programme la Symphonie de Beethoven, Barbieri avait voulu faire goûter au public une de Haydn en 1864, ce qui était alors *risqué*, au dire d'un critique de l'époque; mais l'épreuve réussit à merveille[1].

La première audition en Russie, de la *VIIe Symphonie*, eut lieu à Saint-Pétersbourg, le 6 mars 1840; à Moscou, elle date du 28 décembre 1860.

En Italie, la Società orchestrale romana l'a exécutée sept fois pendant ses vingt-cinq premières années (1874-1898), du 13 avril 1880 (21e concert) au 24 février 1894 (142e concert), à la Sala Dante[2].

Enfin, à Paris, l'orchestre de l'Association artistique, sous la direction de M. Edouard Colonne, a fait entendre vingt fois la *Symphonie* en *la*, du 9 novembre 1873 à la fin de 1905[3]; et l'Association des Concerts Lamoureux, trente-cinq fois, depuis le 23 octobre 1881 jusqu'au 17 mars 1906.

[1] Communication de M. Suarez Bravo, de Barcelone.

[2] E. Pinelli. *La Società Orchestrale romana.*

[3] Signalons, entre autres, l'audition donnée au Trocadéro en 1904, sous la direction du second chef de l'Association artistique, M. Laporte, et qui fut « dansée » par miss Isadora Duncan.

CHAPITRE VIII

VIIIe SYMPHONIE en FA Majeur, *op.* 93 (1812).

Presque contemporaine de la *Symphonie* en *la*, conçue peut-être vers la même époque, écrite et terminée moins de cinq mois après la « symphonie-sœur », exécutée presque en même temps qu'elle, la *VIIIe Symphonie* date des années relativement heureuses de Beethoven, des années où les rayons d'une gloire universelle commençaient à venir jeter quelques éclaircies sur le front attristé du grand homme. Beethoven s'était, comme on sait, rendu aux eaux de Bohême en 1811 et 1812. Cette dernière année, il quitta Vienne dans les premiers jours de juillet : il y était encore le 4, et le 7, la *Liste des Etrangers* de Tœplitz indique qu'il était descendu au n° 62, « au Chêne », *in der Eiche*[1]. Napoléon, se rendant en Russie, venait de quitter la petite ville d'eaux de Bohême, et là, Beethoven se trouvait avec la société la plus brillante de son temps, qui commentait les grands événements de l'heure présente, tout en passant agréablement le temps. Les princes Kinsky et Lichnowsky, Varnhagen von Ense, Bettina von Arnim, son frère Clemens Brentano et leur sœur, Mme de Savigny, s'y rencontraient; Gœthe y était aussi[2]. Le 6 août, eut lieu un concert de bienfaisance, donné au profit des victimes d'un grand incendie qui avait éclaté à Baden, l'une des villégiatures viennoises préférées de Beethoven; le maître y prit part ainsi que le violo-

[1] Thayer, III, p. 203.
[2] Voir l'étude sur la *VIIe Symphonie.*

niste italien Polledro. « Ce fut un *pauvre concert pour les pauvres* », écrit Beethoven à l'archiduc Rodolphe, le 12 août; la recette ne fut que de 1,000 florins (valeur viennoise).

Dès le lendemain, semble-t-il, Beethoven partait pour Karlsbad, où il dut arriver le 8, et le 9, il était déjà à Franzensbrunnen (Franzensbad), d'où il écrivait à l'archiduc Rodolphe, à la date du 12. Il était de retour à Tœplitz au milieu de septembre.

« Sur ces données, en contradiction avec la lettre attribuée à Beethoven par Bettina, et d'après laquelle Beethoven aurait été à Tœplitz dès le 15 août, se base l'hypothèse que Beethoven devait être à Karlsbad au mois d'août et vraisemblablement encore au début de septembre 1812[1]. »

En route, soit à l'aller soit au retour du long voyage entre Tœplitz et Franzensbad (deux cents kilomètres environ), Beethoven note sur son carnet la sonnerie du cor du postillon qui le conduit. Peut-être lui rap-

pelle-t-elle les appels de trompette qu'il a placés à la fin des ouvertures (n°s 2 et 3) de *Fidelio?* Par rapport aux esquisses de *la VII*e *Symphonie*, en *la*, ce court souvenir de voyage se trouve placé au milieu

[1] NOTTEBOHM, *Zweite Beethoven.*, p. 290, note. « De T., écrit-il à l'archiduc Rodolphe, de Franzensbad, le 12 août, mon médecin Staudenheim, m'a ordonné d'aller à Karlsbad, et de là ici, et sans doute je reviendrai encore une fois à Töplitz d'ici, quels voyages! et de moins en moins la certitude d'améliorer ma santé! » (NOHL, *Neue Briefe Beeth.*, p. 62.)

d'elles, à la page 87 d'un carnet, analysé par Nottebohm[1]. De nombreuses feuilles de ce carnet, qui appartenait jadis à G. Petter, de Vienne, présentent des phrases qu'on retrouve dans les différents mouvements de la Symphonie. C'est d'abord un début en *la* (A), que Thayer a copié[2], mais que Nottebohm

n'a pas reproduit ; puis, une première esquisse (page 71) du premier mouvement en *fa* (B); une

1 NOTTEBOHM, *Zw. Beethoveniana*, XIV, p. 101-119.
2 THAYER, *Chronolog. Verzeichniss.*

esquisse beaucoup plus longue, dont nous ne reproduisons que le début (C), donne, à la page 97, les prin-

cipaux motifs du premier mouvement, d'une façon quasi-définitive. Le thème du second mouvement (D)

se retrouve dans un canon écrit pour Maelzel, en 1812; le motif donné par la page 104 du carnet n'infirme pas cette supposition, au contraire, car l'esquisse de l'*allegretto* qu'elle présente semble n'être qu'une transformation du canon à quatre voix dédié au « cher Maelzel » (D).

La première mélodie du second mouvement est présentée page 106 (E) ; deux pages plus loin on la

retrouve longuement développée, avec la précédente,

en *fa*, et la réplique en *ut* (F). Le trio se trouve à la page précédente 105 (G). Le finale est noté pages 82, 113, 115, 104 et 113 en *fa* et en *ut* (H, I, J). Selon une

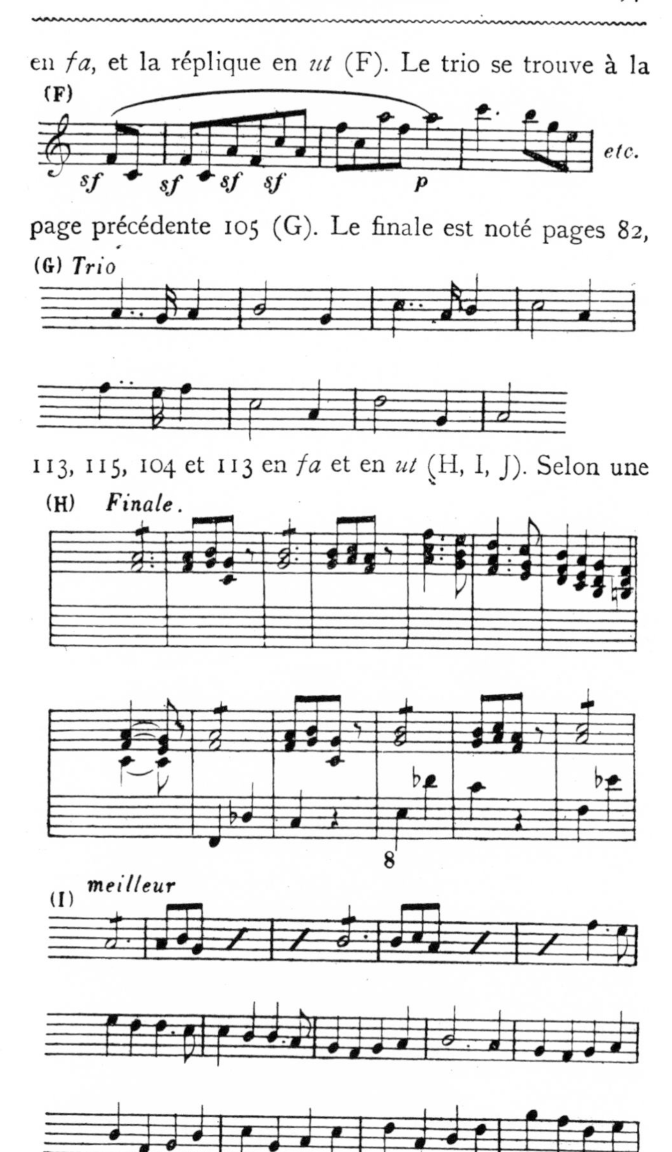

de ses habitudes, Beethoven note par le mot français *meilleur*, la version à laquelle il s'arrêtera. Le « Postillon de Carlsbad », dont la sonnerie est notée à la page 87, permet de dater à peu près ces esquisses des mois d'août et septembre 1812.

A son retour à Tœplitz, vers le milieu de septembre, la symphonie était sans doute arrêtée dans sa forme définitive. A Tœplitz, Beethoven retrouva ses amis allemands, autrichiens, hongrois, entretint une assez active conversation épistolaire avec la cantatrice berlinoise, Amalie Sebald, qui fut son dernier amour... Il reste un certain nombre de ces billets, que Beethoven

[1] NOTTEBOHM, *Zweite Beethoven.*, p. 289-290 : *Ein Skizzenbuch aus dem Jahre 1812*, et p. 111-117 : *Skizzen zur 7. und 8. Symphonie.* On ne saurait être très affirmatif, ne connaissant pas directement les manuscrits originaux. Ce carnet de papier à musique in-4°, à 16 portées par page, doit être assez en désordre : Nottebohm y a remarqué des feuillets (17 et 18) interpolés ; d'autres ont pu être déchirés. En outre, on n'en connaît pas le possesseur actuel. Nottebohm, dont les essais parurent de 1873 à 1879, dit simplement que ces feuilles « appartenaient autrefois » à G. Petter, de Vienne.

écrivait lorsqu'il ne pouvait sortir de chez lui, et qui montrent l'état précaire de sa santé, pendant l'été de 1812. Le 17 septembre il écrit :

Ma promenade d'hier, avant le jour, dans les bois où il y avait beaucoup de brouillard a aggravé mon indisposition et peut-être retardé mon rétablissement.

Le même jour, il mandait à Breitkopf :

Couché dans mon lit, je vous écris, la nature elle aussi a son étiquette. Tandis que je suis de nouveau ici pour prendre des bains, il m'arriva hier matin, avant le lever du jour, de me promener dans les bois, malgré le brouillard; pour cette *licentia poetica*, je fais pénitence aujourd'hui. — Mon Esculape m'a positivement enfermé dans un cercle, cela vaut mieux ici; les gaillards [les médecins] ne s'entendent pas sur l'efficacité, je pense que dans notre art nous sommes plus avancés qu'eux [dans le leur].

Un autre jour, il adresse ce billet à Amalie Sebald :

Je ne puis encore rien vous dire de précis sur moi; tantôt il semble que j'aille mieux, et tantôt que cela reprenne le vieux chemin, et que je doive faire une longue maladie. Si je pouvais exprimer mes pensées sur ma maladie par des signes aussi distincts que mes pensées en musique, je me tirerais bientôt d'affaire moi-même — aujourd'hui encore il faut que je garde toujours le lit. Adieu, et réjouissez-vous de votre bonne santé, chère Amalie.

Votre ami,

BEETHOVEN.

Dans ces circonstances, il fallait donc un motif bien puissant pour déterminer le compositeur, au lieu de rentrer directement à Vienne, à entreprendre le long voyage de Tœplitz à Linz (environ 440 kilomètres par les lignes de chemin de fer actuelles), où son frère l'apothicaire était installé depuis quatre ans.

Nikolaus Johann van Beethoven, né le 2 octobre 1776, était, au dire de Czerny, un « bel homme, grand, aux cheveux noirs, un dandy accompli », — « un peu fou, mais ayant très bon cœur », dit Mme Karth, — l'antithèse de son frère Karl, roux et laid. Aide-pharmacien à Vienne, de 1796 à 1807, il avait économisé un certain pécule, qui lui permit d'acheter, vers la fin de 1807, une pharmacie à Linz et de payer comptant une partie du prix de vente (25,000 florins). Il s'y installa en mars 1808. Commerçant habile, ses affaires prospérèrent rapidement, surtout en 1809, année pendant laquelle il fut le fournisseur de l'armée française. Célibataire, il avait pris, pour s'occuper de son intérieur, la fille de son propriétaire, le médecin Obermayer, et bientôt Thérèse Obermayer devint la servante-maîtresse de l'apothicaire. La liaison durait depuis deux ou trois ans, lorsque le bon Ludwig, qui ne badinait pas avec la morale, crut de son devoir d'aîné d'aller mettre de l'ordre dans la vie privée de son jeune frère. Des scènes violentes et pénibles résultèrent de cette intervention, et Beethoven, ne pouvant avoir raison de son frère, ni par la persuasion, ni par la violence, résolut de porter plainte auprès des autorités civiles et ecclésiastiques de Linz, pour obtenir l'expulsion de Thérèse Obermayer. Enfin, tout s'arrangea par le mariage de Johann avec sa compagne, qui lui apporta en dot une fille née avant leur liaison (novembre 1812).

Quelques années plus tard, en 1819, les affaires de la pharmacie avaient assez prospéré pour que Johann pût se retirer à Vienne. Beethoven n'eut pas toujours à se louer du « bon cœur » de son jeune frère. On sait qu'un jour, — à l'occasion du 1er janvier 1823, — celui-ci, devenu propriétaire à la campagne lui adressa avec ses souhaits une carte portant ces mots : *Johann van Beethoven, Gutsbesitzer* (propriétaire foncier) ; Ludwig la lui retourna sans retard, avec ces mots écrits au dos : *Ludwig van Beethoven, Hirnbesiter* (propriétaire d'un cerveau)[1]. Une autre anecdote, mois connue, et vraisemblablement antérieure, puisque Beethoven y paraît encore comme chef d'orchestre, est rapportée par les *Signale*, quelques mois après la mort de Johann :

Un jour que Beethoven donnait un concert à l'Augarten, il aperçut son frère Johann dans la salle. Aussitôt, il sort précipitamment, et dit à l'agent de police qui se trouvait à l'entrée : « Chassez immédiatement ce monsieur en habit vert, le troisième au quatrième rang : c'est mon frère, et si cet animal prosaïque reste là, le diable m'emporte, je ne fait pas exécuter ma musique ! » En vain l'agent représenta à l'artiste courroucé qu'il n'avait pas le droit de mettre à la porte un spectateur ayant payé sa place; mais Beethoven insistant, l'agent appela le monsieur en habit vert et le pria poliment de s'éloigner, ou tout au moins de se cacher, car s'il restait, son frère était absolument décidé à faire un esclandre. Le propriétaire Beethoven dut obtempérer, et le concert put commencer sans lui[2].

[1] Beethoven cependant ne lui gardait pas rancune, car le 19 août de la même année 1823, il lui écrivait : « Si peu que tu le mérites, je n'oublierai jamais que tu es mon frère. » Dans cette lettre, datée de Baden, Beethoven invective violemment sa belle-sœur et la fille de celle-ci : il les traite l'une de « souillon », l'autre de « bâtarde ». (CHANTAVOINE, p. 226.)

[2] *Signale*, 22 juin 1848, p. 205. Johann était mort le 21 janvier 1848.

Et cependant, la *VIII*e *Symphonie* est datée de Linz, octobre 1812[1]. C'était au milieu de scènes pénibles, de discussions violentes, de démarches auprès de la police et du clergé de la cité danubienne, que Beethoven termina ce poème si gai, qui est comme un retour vers le passé, à la manière de la *II*e *Symphonie.*

De même que la *Symphonie* en *la*, la *VIII*e ne fut exécutée que longtemps après avoir été terminée (environ seize mois) ; elle parut avec la *VII*e et la *Wellington's Sieg*, en 1816[2], en un volume in-4°, lithographié de 89 pages, sous le titre : « *Achte grosse Sinfonie (in F dur) für 2 Violinen, etc., etc. von Ludwig van Beethoven. 93tes Werk. Eigenthum der Verleger. Wien, im Verlage bey S. A. Steiner und Comp.* »

Les parties séparées parurent sans doute vers la même époque, chez les mêmes éditeurs.

Tobias Haslinger en donna une seconde édition, in-folio de 133 pages, gravé (n° 7060), en 1827, en même temps que celle de la *VII*e. En France, Troupenas faisant annoncer, en 1828, la publication des neuf Symphonies par souscription, offrait gratuitement les deux dernières aux souscripteurs des sept premières[3].

[1] Le manuscrit, aujourd'hui à la Bibliothèque royale de Berlin, porte ce titre manuscrit :

« *Sinfonia. — Lintz im Monath October 1812.* »

Il fut exposé à Bonn, en 1890, sous le n° 206, ainsi qu'un arrangement fait par Haslinger et corrigé par Beethoven, intitulé : « Sinfonie in F dur (Op. 93) pour le Pianoforte. » Ce manuscrit, exposé sous le n° 251, appartenait à Johannes Brahms.

[2] *Intelligenz-Blatt* de l'*Allg. musik. Zeit.*, mars 1816.

[3] *Revue musicale*, mai 1828, p. 358. Cf. *la Pandore*, 5 juin

II

La durée d'exécution de la Symphonie est de 26 minutes (1er mouvement, 9; 2e, 4; 3e, 6; 4e, 7).

I. *Allegro vivace con brio* (*fa majeur*, 3/4). — Le premier thème éclate *forte* à tout l'orchestre, sans être précédé d'aucune introduction (1); à la cinquième mesure,

les clarinettes répondent *piano dolce;* puis, *forte,* le quatuor répète cette seconde partie du motif initial, d'un élan impétueux; à la treizième mesure, les premiers violons, sous le bruissement continu des autres cordes et des instruments à vent, font entendre pendant vingt mesures un rythme saccadé (2) dont, à la fin, il ne reste

1828. C'est Fétis qui dirigeait cette publication des *Symphonies,* dont Berlioz corrigea les épreuves.

que deux notes essentielles, *si bémol, ré*, sur le troisième et le premier temps de chaque mesure; le tutti accompagne. Un silence; puis une subite modulation en *ré; piano*, les violons font entendre *pizzicato* les deux notes *ut dièze, la*, sur les premier et troisième temps; à la troisième mesure, le basson donne de même les deux notes *la, sol, la*, puis commence seul avec les cordes graves à accompagner, *pizzicato*, les violons chantant un gracieux motif, *sempre piano* (3). Les flûtes, haut-

bois et bassons le reprennent à l'unisson en *ut*, accompagnés par le quatuor *pizzicato*. Au *ritardando* de la dernière mesure succèdent au quatuor des arpèges *pianissimo*, sur l'accord de septième diminuée du ton de *si bémol*. Après huit mesures, l'orchestre, s'animant, module en *ut*. Un rythme violent l'emplit pendant trois mesures à peine, auquel succède une douce phrase confiée aux flûtes, hautbois accompagnés par le quatuor (4). A la huitième, le tutti reprend *fortissimo ;*

la phrase de flûte revient aux altos, violoncelles et contrebasses. A peine est-elle achevée, qu'un nouveau tutti éclate : la timbale roule sous les arpèges rapides des cordes qui se joignent bientôt à elle, martelant la note *ut, sf* pendant les quatre dernières mesures. La première partie est terminée, elle est répétée. Après la reprise, cette batterie (5) est répétée pendant huit mesures par les altos, tandis qu'à l'harmonie, du grave

à l'aigu, revient en *si bémol* la première mesure du thème (1). A peine la flûte a-t-elle terminé, qu'un *fortissimo* éclate, comme à la fin de la première partie; il dure quatre mesures; la batterie d'alto reprend aussitôt (5), le motif du début reparaît à l'harmonie, mais sur l'accord de septième du même ton de *si bémol;* retour du *fortissimo* de quatre mesures, en *si bémol majeur;* une troisième fois, l'alto reprend ses *ut* obstinément, *piano;* une troisième fois l'accompagnement de basse reparaît, mais sur le *si bémol*, puis, sans transition, sur le *la*, aux violoncelles et aux contrebasses, tandis que le quatuor donne l'accord de septième du ton de *ré mineur*, sur lequel l'harmonie, comme tout à l'heure, répète la première mesure de (1). Un nouveau *fortissimo* gronde sur l'accord de *la majeur.* Tout l'orchestre répète à l'unisson la note *la* (5) pendant quatre mesures ; puis les violoncelles et les contrebasses, accompagnés par des traits du premier violon et des tenues de l'harmonie, *sf*, répètent le début de (1) en *ré bémol* (1 *bis*) d'abord, et le variant trois et quatre fois, le repassent aux altos, aux clarinettes, aux bassons, flûtes et hautbois. Chaque fois, le motif prend plus de place à l'orchestre qui s'anime, module en *la bémol*. Pendant quatorze mesures, les premiers

violons tiennent obstinément le rythme initial, qui finit par se perdre dans un triple *forte*. Alors, avec cette intensité, les cordes graves et le basson, sous les trémolos du quatuor et les accords de tout l'orchestre, redisent en entier, en *fa majeur*, le thème (1). Aussitôt ce thème exposé un *piano dolce* succède, laissant à découvert la flûte et la clarinette le répéter, en entier, haché à la quatrième mesure par un trait *forte* et *decrescendo* du quatuor ; les contrebasses et violoncelles en répètent la seconde partie (mesures 5 et suivantes). Aux violons reparaît le motif (2), légèrement varié et *forte*. Il remplit, comme la première fois, vingt mesures. Puis, un silence général... Des violons aux flûtes, voltigent quelques notes légères, *mi*, *ré bémol*, *mi*, *ut*, *sol*, *fa*, pendant que le motif (3) revient en *si bémol* aux premiers violons, altos; qui l'abandonnent ensuite aux hautbois et bassons, en *fa;* les arpèges réapparaissent aux flûtes et violons, violoncelles et contrebasses (accord de septième d'*ut mineur*). Après un *crescendo* de tout l'orchestre, la phrase tout à l'heure confiée aux flûtes et hautbois (4) reparaît aux hautbois et clarinettes *dolce*, deux fois de suite, encadrant le tutti, en *fa;* enfin, au *ff*, aux *sf* du tutti (5) succède la batterie du basson sur la note *fa* (5). *Piano*, le premier motif repasse à la clarinette, en *ré bémol* tandis que les altos font entendre obstinément cette note (5); douze mesures, le quatuor *pizzicato* module en *fa majeur*. Les premières notes de (1) sonnent alors *fortissimo* aux clarinettes et bassons. Tout l'orchestre accompagne d'un roulement sonore le rythme répété, et vient s'arrêter sur l'accord de septième dominante du ton de *fa*. La *coda* s'élève en huit mesures du *piano* au *forte*, le quatuor varie le premier motif; puis huit mesures plus loin, au *fff* sur l'accord de septième d'*ut mineur*, le rythme reparaît avec cette intensité à l'harmonie que dominent les flûtes suraiguës; après l'accord de septième du ton de *si bémol*, répété trois fois par le tutti, un silence général d'une mesure, puis l'accord de *si bémol majeur* est répété trois fois et suivi d'un nouveau silence général. Alors, *pizzicato* et *piano*, le quatuor répète trois fois l'accord de septième du ton de *fa;* le reste de l'orchestre répond par le même accord; même effet sur l'accord tonique, *diminuendo*, celui-ci est répété deux fois, un silence sur le troisième temps de la mesure; l'harmonie répond par le même accord répété deux fois; cet effet est reproduit comme le précédent. Alors, l'harmonie seule tient deux mesures *pianissimo*, l'accord tonique, et les violons redisent ensuite *pianissimo*, au grave, les premières notes du motif (1). Le morceau s'achève dans un silence plein de mystère[1].

[1] Le premier mouvement était, à l'origine, moins long de

II. *Allegretto scherzando* (*si bémol*, 2/4). — L'*allegretto* de la *VIII*e *Symphonie* n'est pas, comme celui de la *VII*e, un quasi-*andante*, au rythme grave et mesuré ; il est dans le caractère général de l'œuvre, gai et sautillant, tout en restant relativement lent. L'orchestre y est réduit au quatuor, aux cors, bassons et clarinettes, hautbois et flûtes. Sous un accompagnement de l'harmonie *pianissimo*, *sempre staccato*, les violons exposent le début du premier motif, que terminent les violoncelles et contrebasses, modulant en *sol mineur* (6) ;

les violons reprennent les premières notes, tout le quatuor les suit, *ff*, avec les flûtes à l'unisson, s'arrêtant un instant sur la sous-dominante *mi bémol*, puis venant conclure *piano* dans la tonalité de *si bémol*. C'est alors, entre les différentes voix du quatuor ou de l'harmonie, toujours *piano*, avec quelques éclats *forte* et *sf*, comme un court divertissement où les premières notes du motif

34 mesures. M. Malherbe possède le manuscrit autographe de la *coda* nouvelle, pour le premier violon. Cf. Nottebohm, *Beethoveniana*, p. 35.

passent d'un instrument à l'autre, jusqu'à ce que, à la dixième mesure (7), un nouveau motif apparaisse, exposé à l'unisson, *ff* et *sf* par les violons et altos, sous la batterie de l'harmonie (moins la flûte). Au trémolo en *fa*, sous lequel grondent les bassons, *ff*, succède un

piano très court, suivi du même effet *ff*, après lequel le quatuor fait entendre un *pizzicato*. Les hautbois, clarinettes et bassons exposent une nouvelle phrase, *crescendo*, à laquelle répondent les violons, avant que le quatuor la reprenne à l'unisson, en *fa;* l'harmonie la varie en tierces, et bientôt *pianissimo*, reparaît le premier motif (6) en *si bémol*, que le violon conserve, en y enchaînant le second motif (7, deuxième et troisième mesures), *f*. *Forte*, les clarinettes et bassons recommencent ce motif, achevé par les flûtes et hautbois, violons et altos à l'unisson. Tels sont les différents éléments de ce morceau. La *coda* ne tarde pas à rassembler tout l'orchestre, qui termine dans une alternative de *pp* et de *ff* ce gracieux divertissement.

III. *Tempo di minuetto (fa majeur*, 3/4). — Au *scherzando* du deuxième mouvement succède un menuet, ou mieux, un *tempo di minuetto*, très court, qui prend la place du scherzo des symphonies précédentes. Le quatuor et le basson à l'unisson, marquent la mesure, *forte*, avant que les violons, bientôt doublés par les bassons, n'exposent *piano* un thème de quatre mesures (8) répété tout de suite *sf* et retombant sur la

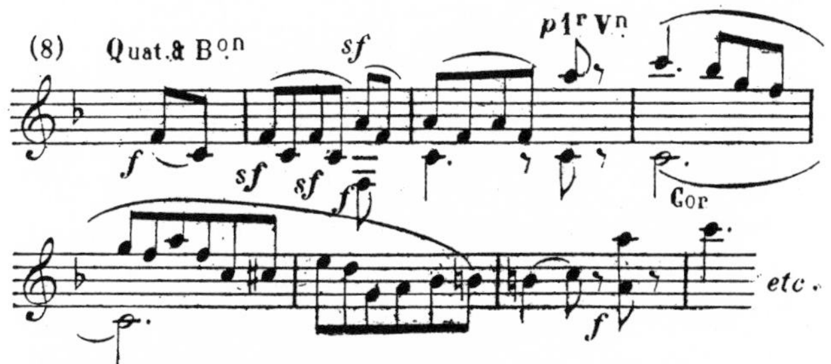

tonique. Ce début (dix mesures) est bissé. Les violons reprennent alors ce thème par fragments, et le varient. en *ut majeur*, *sf;* à la neuvième mesure, la flûte et la clarinette s'en emparent en *si bémol*, dialoguant avec les violons; puis le basson *pp*, tandis que le quatuor marque le rythme initial accompagnant cette rentrée en *si bémol*, où les violons s'unissent aux bassons; l'orchestre s'anime jusqu'au *ff*, et la première partie, qui est répétée, se termine quelques mesures après. Le trio commence par un dialogue entre le cor et la clarinette accompagné par un *pizzicato* des violoncelles (9). Le quatuor répète ce motif, tantôt

dialoguant avec les cors et clarinettes, tantôt les accompagnant. Très court, cet intermède est suivi d'une reprise du *minuetto da capo al fine*.

IV. *Finale* (*Allegro vivace*, *fa majeur*, C barré). — Beaucoup plus important est le finale, aussi long à lui seul (503 mesures) que les mouvements précédents réunis. Un rythme, vif *pianissimo*, qui n'est pas sans analogie avec celui du second mouvement, se fait entendre aux violons d'abord, puis aux seconds et altos, tandis que les premiers exposent un thème animé, *pizzicato*

(10), qui va se terminant en *ut ppp*, mais qu'un vigoureux *ut dièze*, que presque tout l'orchestre fait entendre *ff*, relève subitement. « Après quoi, le motif reprend, comme si de rien n'était »[1], au tutti, dans le registre aigu, et ponctué par les *pizzicati* des contre-basses et violoncelles. Puis le bruissement des cordes dialogue

[1] « Vous causez tranquillement et gaiement avec quelques amis. Tout à coup, l'un d'eux se lève, pousse un cri, vous tire la langue, se rassied et reprend la conversation juste au point où il l'avait laissée. C'est ainsi que j'ai compris la chose, c'est-à-dire que la chose s'est présentée à moi pendant l'audition. M. de Lenz la comprend d'une manière toute différente. » (OULIBICHEFF, p. 248-24.) Pour Lenz, c'est une note d'épouvante *(Schreckensnote)*.

avec l'harmonie; les instruments à vent et les cuivres arpègent des accords dans le ton de *fa*, puis, modulant en *ut*, préparent l'entrée d'un second thème (11).

exposé en *la bémol* par le premier violon. La transition, une seule note, un *sol* répété deux fois, suffit à l'effectuer. Les flûtes et hautbois, *dolce* et *piano* reprennent ce second sujet, accompagnés par le reste de l'orchestre; celui-ci s'anime, atteint le *ff;* les cordes bruissent et viennent s'arrêter sur l'accord de *fa majeur*. Alors un court silence et les triolets du début (10) reprennent au quatuor : les altos et violons se répondent, puis le premier thème (10) revient aux premiers violons, développé *sempre pp*, puis *f* en des imitations par mouvement contraire (12) et (13). Les premières

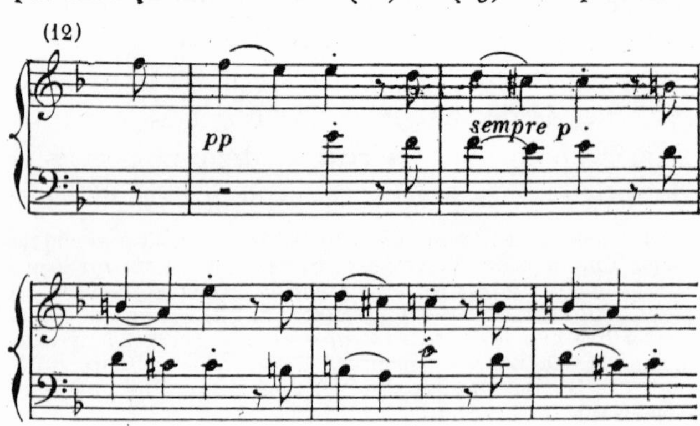

mesures du thème (10), reprises en *la*, sont interrompues subitement, les violons répètent la note *mi*, puis les timbales la note *fa* (14) sur chaque temps de la mesure,

pendant que le début du motif revient en *fa;* quand soudain, éclate en *fa majeur* à tout l'orchestre, une reprise du thème entier. A son développement succède, *piano*, une reprise en *ré bémol* du second sujet (11) aux premiers violons, une seconde reprise du même motif la suit, *piano* en *fa*, aux flûtes. L'orchestre s'anime de nouveau, module en *si bémol*. Après l'accord de *si bémol* répété *ff* deux mesures, un silence, auquel succède encore une reprise du début de (10), au quatuor, en *fa*, et en *si*. Un point d'orgue ; et c'est au milieu du *pianissimo* de l'orchestre, qui se borne à faire une gamme très lente, que commence la *coda*, par une répétition incessante, au quatuor, du triolet initial de (10) pendant 23 mesures. Un *forte* marque ensuite le rythme à l'harmonie, en augmentation, en noires, tandis que le quatuor monte et descend lentement par mouvement contraire les degrés de la gamme (15). Un

fortissimo ramène le motif initial en *ré* suivi d'un martèlement, comme plus haut (14), *piano*, introduit encore une reprise *pianissimo*, en *fa*, du premier motif tout entier (10). Le rythme ne quitte plus l'orchestre. Un moment, à l'harmonie, reparaît en *fa* le motif (11), que répète le premier violon, quand, à l'orchestre, après un vigoureux tutti où le rythme ternaire reparaît sans cesse aux violoncelles et altos, un *pianissimo* subit s'établit : les instruments à vent, de l'aigu au grave, et du grave à l'aigu, sur le murmure du quatuor (accord de *fa majeur)* répètent lentement, en rondes, la tierce majeure (16). Une dernière fois, les violons re-

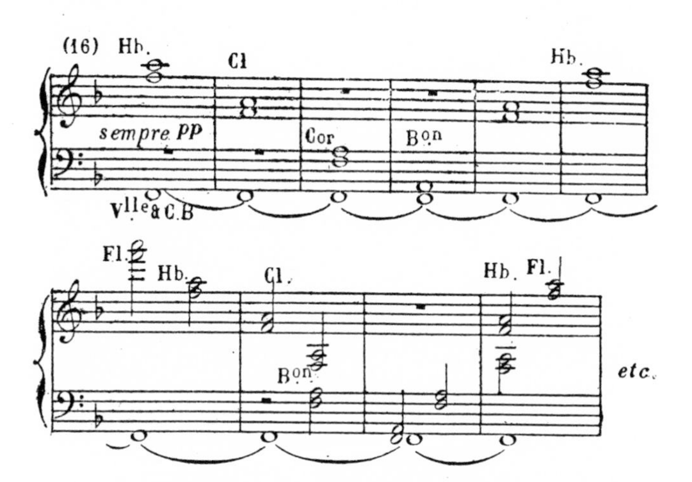

commencent le thème du début, les instruments à vent le poursuivent, les cordes l'achèvent, et pendant 23 mesures, le tutti, du *forte* au *fortissimo*, répète en guise de conclusion, l'accord de *fa majeur.*

III

Après son retour de Linz, dans les premiers jours de novembre 1812, Beethoven passa, comme d'habitude, l'hiver à Vienne. Vers le mois de janvier 1813, le violoniste français Rode, alors en tournée à travers l'Allemagne et l'Autriche, jouait une de ses sonates pour piano et violon (l'op. 96, dédié à l'archiduc Rodolphe), chez le prince Lobkowitz[1]. Terminée récemment, cette sonate est contemporaine des 62 arrangements de chants écossais que Beethoven avait terminés en 1812, pour l'éditeur Thomson, d'Edimbourg[2].

Beethoven composa peu en 1813. Sa santé n'était pas encore rétablie, malgré ses séjours en Bohême.

Ma santé n'est pas des meilleures, écrit-il à Varenna, au printemps de 1813, et, sans que je l'aie mérité, ma situation est en outre plus malheureuse que jamais dans ma vie. Au reste cela (ni rien au monde) ne m'empêchera pas de venir en aide, autant que possible, par mon œuvre modeste, à votre couvent de femmes qui souffre innocemment[3]. Je tiens donc à votre disposition deux symphonies toutes nouvelles, un air pour voix de basse avec chœur, plusieurs petits chants séparés; si vous avez besoin de l'ouverture du *Bienfaiteur de la Hongrie*, que vous avez déjà exécutée l'an dernier, je la tiens aussi à votre disposition... Pour ce que vous dites de l'indemnité qui me serait donnée par un tiers, je crois pouvoir bien deviner qui c'est[4]. Si j'étais dans ma situation ordinaire, je vous dirais simplement : « Beethoven ne prend rien là où il s'agit du profit de l'humanité »; mais maintenant ma grande bienfaisance m'a mis moi-même dans un état qui, par ses causes, n'a pas à me rendre honteux; de même, les autres circonstances qui l'ont amené sont dues à des hommes sans honneur, et sans foi; je vous dis que je ne refuserais pas cela venant d'une *tierce personne riche;* mais il n'est pas ici question d'exigences. S'il n'advenait rien de toute cette affaire

[1] *Neue Briefe Beethoven's*, n°s 86 et 87.

[2] Voir la lettre en français qu'il lui adresse. (CHANTAVOINE, p. 101-105.)

[3] Varenna avait demandé à Beethoven plusieurs compositions pour donner un concert au bénéfice des Ursulines de Gratz. Beethoven proposa ses deux dernières symphonies, en *la* et en *fa*, des fragments des *Ruines d'Athènes*, et l'ouverture du *Roi Etienne*.

[4] Cette tierce personne n'est autre que l'ancien roi de Hollande, Louis Bonaparte, alors retiré à Gratz.

avec un tiers, soyez persuadé que, même alors, et sans la moindre indemnité, je suis tout aussi disposé que l'an passé à pouvoir faire quelque bien à mes amies, les respectables dames, comme je le serai en tout temps pour l'humanité souffrante en général jusqu'à mon dernier souffle.

Dans ces lignes, Beethoven montre en toute ingénuité la bonté de son âme, à laquelle on ne fit jamais appel en vain. Les concerts qu'il donnera un an plus tard, l'hiver 1813-1814, après son séjour d'été à Baden, auront tous pour but une action charitable ou patriotique. Les « académies » dans lesquelles il fit exécuter pour la première fois la *Symphonie* en *la* et la *Bataille de Vittoria*, en décembre 1813, celle du 2 janvier 1814, dans laquelle on entendit la *Bataille* pour la troisième fois, étaient des concerts de bienfaisance, et deux ans plus tard, la ville de Vienne, en reconnaissance de ces services charitables, qui popularisaient son nom, décernait à Beethoven le titre de bourgeois honoraire[1].

Le concert du 27 février 1814 était, au contraire, donné à son profit. La *Wiener Zeitung* l'annonçait ainsi, le jeudi 24 :

Séance musicale. — Encouragé par l'accueil de l'honorable public, et par le désir exprès de plusieurs amateurs considérables, le soussigné aura l'honneur de faire exécuter dimanche prochain 27 courant dans la grande salle des Redoutes, sa composition sur la Victoire de Wellington à la

[1] L'*Allgemeine musikalische Zeitung*, du 21 février 1816, après avoir enregistré cette nomination, ajoute : « Ce grand compositeur est bien à plaindre, car il perd de plus en plus l'ouïe, cette circonstance funeste le rend presque incapable de conduire lui-même l'exécution de ses ouvrages. » (*All. mus. Zeit.*, 21 févr. 1816, col. 121.)

bataille de Vittoria, avec une nouvelle symphonie qui n'a jamais encore été entendue, un trio vocal tout nouveau, qui n'a pas encore été entendu, avec le concours des meilleurs artistes musiciens d'ici. Le détail sera comme d'habitude donné par l'affiche.

Ludwig VAN BEETHOVEN[1].

Le programme du 2 février se composait de :

1° La Symphonie en *la*, qui obtint un succès plus vif qu'à la précédente audition; « l'*andante (la mineur)* est le couronnement de la musique instrumentale moderne », déclare l'*Allgemeine musikalische Zeitung*.

2° Le trio *Tremate, empi, tremate.*

3° La « toute nouvelle symphonie » en *fa majeur.*

La plus grande attention des auditeurs sembla se concentrer sur cette production *toute nouvelle* de la muse de Beethoven, dit la *Gazette;* elle fut bientôt satisfaite après une *seule* audition, et le succès qu'il en retira ne fut pas accompagné de cet enthousiasme par lequel se fait remarquer une œuvre qui plaît généralement : en un mot, elle ne fit pas *furore*, comme disent les Italiens. L'opinion du rédacteur est que la cause n'en gît nullement dans un travail plus faible ou moins artistique (car ici, comme dans toutes les œuvres du même genre, de Beethoven, respire cet esprit original par lequel sa personnalité s'affirme) : mais, cela tient en partie à une disposition trop peu réfléchie qui a fait succéder cette symphonie à celle en *la majeur*, en partie aussi dans la satiété

[1] Voir la lettre par laquelle Beethoven prie la cantatrice, Milder-Hauptmann de le chanter : « Recevez mes plus vifs remerciements pour vos excellents procédés, à mon égard, lui dit-il ; j'espère que bientôt ma situation s'améliorera (car vous savez sans doute que j'ai à peu près tout perdu), et que ma première occupation doit être d'écrire un opéra pour *notre unique Milder*, et de m'efforcer de me rendre digne d'elle. » (*Catal. de l'Exposit.* de Bonn, 1890, n° 299.)

produite par une réunion de choses belles et remarquables, de sorte que naturellement un relâchement d'attention devait en être la conséquence. A l'avenir cette symphonie sera donnée *seule*, aussi ne doutons-nous nullement de son meilleur succès.

Pour terminer, la *Victoire de Wellington à Vittoria;* la première partie dut être bissée. L'exécution ne laissa rien à désirer; aussi bien l'assemblée était très nombreuse[1].

Au rapport de Schindler, cette académie avait attiré 5,000 auditeurs; peut-être le chiffre est-il quelque peu exagéré; quoi qu'il en soit, le succès fut considérable et le résultat matériel se traduisit par une recette appréciable pour le bénéficiaire.

Ainsi, écrivait Beethoven au comte de Brunswick, en l'invitant à venir à Vienne le 27 février, je me tire peu à peu de ma triste situation. Car de ma pension, je n'ai pas touché un seul kreutzer[2].

Dès son apparition, la *VIII*e *Symphonie* était jugée, sinon défavorablement, du moins, sans qu'on y attachât autant d'importance qu'aux œuvres symphoniques qui s'étaient succédé depuis l'*Eroica.* Longtemps, dit Hanslick, on désigna la *Pastorale* par sa tonalité; c'était elle la seule « symphonie en *fa* » de Beethoven; la *VIII*e n'existait pour ainsi dire pas, et cela jusque vers 1850; il n'y avait pas de confusion possible entre la *VI*e et la *VIII*e : celle-là seule semblait digne de Beethoven[3].

[1] *Allg. musik. Zeit.*, 16 février 1814, col. 117.
[2] *Neue Briefe Beethoven's*, n° 99, de « Wien, dem 13ten Februar 1814 ».
[3] Hanslick, *Aus dem Concertsaal*, p. 319.

Après Vienne, Leipzig fut la première ville allemande où elle parut, le 11 janvier 1818.

De Beethoven, dit le rédacteur, de l'*Allgemeine musikalische Zeitung* après cette audition au Gewandhaus, la nouvelle symphonie en *fa* fut donnée deux fois. Elle le fut, surtout la seconde fois, tout-à-fait à souhait, et fit plaisir, moins cependant que les autres de ce maître. Les second et troisième mouvements surtout reçurent un bon accueil[1].

Dans le même journal, la partition avait été analysée le mois précédent[2].

La « petite » symphonie, comme Beethoven appelait lui-même la *VIII*e par comparaison avec la précédente, « une des plus importantes »[3], resta en effet pendant longtemps, pour les amateurs et pour la critique, la « petite symphonie », et aujourd'hui encore, elle est assez rarement exécutée. La Philharmonic de Londres qui, dès 1817, s'était emparée de la *Symphonie* en *la*, ne donna la suivante qu'en 1826, le 29 mai.

Son exécution, dit Grove, fut toujours accueillie par le rédacteur de l'*Harmonicon*, comme une chose désagréable. Les démonstrations de son aversion sont même particulièrement accentuées; la raison en peut être trouvée dans l'exhubérante gaieté de cette musique; les auditeurs se trouvent en présence, non seulement d'un morceau de musique, mais encore d'un homme. Non seulement l'humour domine chaque mouvement, mais chacun a son expression particulière d'allégresse; et cela par les personnes dont l'esprit était plein des mouvements nobles de l'*Eroica* et de l'*Ut mineur*, devait être plus dif-

[1] *Allg. musik. Zeit.*, 8 avril 1818, col. 259-260.
[2] *Id.*, 4 mars 1818, col. 161-167.
[3] Lettre de Beethoven à Salomon, à Londres, 1er juin 1815.

ficilement pris au sérieux que par le compositeur. Nous devons appeler l'attention sur ce fait que, malgré la gaieté qui règne dans cet ouvrage, Beethoven s'y est contenté de l'orchestre le plus simple — un seul trombone y est employé, sans trompettes ni timbales, sauf dans le *Finale*, où la timbale joue en octaves pour la première fois, si l'on excepte J.-S. Bach[1].

A Paris, la *VIIIe Symphonie* parut la dernière de toutes les grandes œuvres de Beethoven, même après la *Symphonie avec chœurs*. La Société des Concerts ne l'exécuta qu'à la seconde séance de sa cinquième « session », le 19 février 1832. Elle ne fut reprise que trois ans plus tard, le 25 février 1835, puis le 20 mars 1836, le 19 mars 1837, le 24 février 1839, etc.

La symphonie de Beethoven, écrivait Fétis après la première audition, est en quelques parties si différente des autres compositions du même auteur, qu'il y a lieu de croire qu'elle a été écrite sous certaines conditions qui nous sont inconnues et qui seules pourraient expliquer pourquoi Beethoven, après avoir écrit déjà quelques-uns de ses grands ouvrages, et particulièrement sa symphonie héroïque, est sorti tout à coup de cette manière grande et large analogue à sa manière de sentir, pour mettre des bornes à l'élan de son génie. Ce n'est pas que je n'y trouve des choses admirables, malgré l'exiguïté de leurs proportions; mais j'en constate la singularité, à cause de l'époque où elle fut écrite, et de l'impulsion qu'avait alors reçue la manière de Beethoven.

Le premier morceau est, à l'exception du trio du menuet, le moins remarquable de l'ouvrage. Les idées y sont vagues, et leur mérite principal consiste à être arrangées et présentées avec une admirable connaissance des effets de l'orchestre. Ce morceau n'est point suivi d'un adagio, ni d'un andante comme savait les faire Beethoven, mais d'un *allegretto* délicieux où l'on retrouve les gracieuses inspirations naturelles

[1] GROVE, p. 280.

des premiers ouvrages de ce grand artiste traitées avec l'habileté qu'il avait acquise dans un âge plus avancé. On sait que personne ne sait tirer un parti aussi avantageux des instruments à vent que Beethoven. La manière dont il les a groupés dans ce morceau, pour accompagner l'idée principale placée dans les violons et les basses, est du plus heureux effet. Il y a un charme inexprimable dans l'ensemble de ce morceau, dont le caractère est d'ailleurs absolument neuf, quoique simple et naturel. Qu'on ne s'y trompe; non seulement c'est là le véritable but de l'art, mais c'est aussi ce qu'il y a de plus difficile à faire, être neuf et simple! c'est le comble de l'art et la plus haute portée du génie. Les idées forcées, le travail pénible qui se montrent dans de laborieuses combinaisons qu'on voudrait présenter comme le libre élan d'une imagination qui ne connaît de règles ni d'entraves, tout cela n'impose à personne, et de plus le plaisir qu'on éprouve est souvent négatif. Il n'y a qu'un certain esprit de coterie qui fait mettre ces choses au-dessus de ce qui est simple et naturel.

Ce que j'appelle le naturel n'est pas le vulgaire; ainsi, autant j'admire l'*allegretto* de la symphonie en *fa,* autant j'ai de regret que Beethoven ait écrit le trio du menuet de cette symphonie dans le style plat d'une symphonie concertante de cor et de basson. Beethoven est de tous les musiciens celui auquel on peut le moins appliquer ce passage connu : *Quandoque dormitat Homerus,* car lorsqu'il n'était pas bien inspiré, il ne dormait pas : sa pensée était toujours énergique; mais il n'y a rien de lui dans ce trio.

Son imagination s'est bien réveillée dans la *(sic)* finale de sa symphonie : c'est là de la fantaisie aussi libre, aussi riche qu'on puisse la désirer. Quelques écarts comme il y en a toujours au milieu des plus beaux ouvrages de Beethoven, s'y font bien remarquer; mais au résumé la finale est un morceau excellent et digne du talent colossal de son auteur. Je ne doute pas qu'une seconde audition de la symphonie dont je viens de parler n'y fasse découvrir les beautés qui ont échappé à la première[1].

[1] *Gazette musicale,* 26 mars 1837, p. 102-103.

Berlioz, cinq ans plus tard, s'exprimait en termes plus élogieux dans la *Gazette musicale* :

Il est convenu de traiter un peu cavalièrement, dit-il, cette composition d'un style si neuf et si varié en la désignant sous le nom de *petite symphonie;* nous ne comprenons guère ce qui peut avoir motivé cette épithète. La naïveté, la grâce, la douce joie, pour être les charmes principaux de l'enfance, n'excluent point la grandeur dans la forme d'art qui les reproduit. Lawrence, n'eût-il fait que deux ou trois de ces blondes têtes que nous admirons, n'en serait pas moins un grand peintre, et une foule de barbouilleurs qui exposent des toiles immenses couvertes de mannequins plus grands que nature n'en doivent pas moins être rangés parmi les infiniment petits. Cette symphonie nous paraît donc tout à fait digne de celles qui l'ont précédée et suivie, et d'autant plus remarquable qu'elle ne leur ressemble en rien. L'*andante scherzando* est une des plus délicieuses choses qui existent en musique; le premier allegro et le finale nous paraissent deux chefs-d'œuvre de verve et d'élégante originalité; en outre, dans les développemens et l'instrumentation de ces deux morceaux, Beethoven s'est montré aussi riche et puissant que partout ailleurs; il n'y a donc rien de petit dans la symphonie en *fa*, et cette manière de la désigner manque tout à fait de justesse.

Analysant, l'année suivante, les neuf *Symphonies*, dans la même *Gazette*, l'auteur de la *Symphonie fantastique* déclarait « le second morceau, le plus remarquable selon nous » :

On dirait, à entendre ce caprice mélodique, que l'auteur, disposé aux douces émotions, en est détourné tout à coup par une idée triste qui vient interrompre son chant joyeux.

L'*andante scherzando* est une de ces productions auxquelles on ne peut trouver ni modèle ni pendant : cela tombe du ciel tout entier dans la pensée de l'artiste; il l'écrit tout d'un trait, et nous nous ébahissons à l'entendre... Un menuet, après la coupe et le mouvement des menuets d'Haydn, remplace ici le *scherzo* à trois temps brefs que Beethoven inventa, et dont il a fait dans toutes ses autres compositions symphoniques un emploi si ingénieux et si piquant. A vrai dire, ce morceau est assez ordinaire, la vétusté de la forme semble avoir étouffé la pensée.

Le finale, au contraire, étincelle de verve, les idées en sont brillantes, neuves et développées avec luxe. On y trouve des progressions diatoniques à deux parties en mouvement contraire, au moyen desquelles l'auteur obtient un *crescendo* d'une immense étendue et d'un grand effet pour sa péroraison[1].

Comme à la *VIIe Symphonie*, les commentateurs se sont acharnés à chercher un sens, un « programme » à la Symphonie en *fa*. Pour Lenz, l'une et l'autre, jointes à la *Bataille de Vittoria*, forment une « trilogie militaire », et cette trilogie est évidemment comme la contre-partie de la *Symphonie héroïque*. Il voit dans le finale une « poétique retraite », et interprète, d'après son compatriote Séroff, les triolets obstinés du dernier mouvement comme « une espèce d'idéalisation des roulements du tambour ».

Il considère l'œuvre tout entière comme « le point qui unit les splendeurs de la symphonie, sans délimitations réelles, mais resplendissantes toujours de clartés de la seconde manière, au sombre Léviathan de la *IXe Symphonie* qui garde l'autre rive, qui franchit le pont, mais pour s'arrêter au seuil de l'infini ».

Oulibicheff, au contraire, qui la juge « la moins réussie et très probablement la moins goûtée de toutes

1 *Gazette musicale*, 1838. Cf. *A travers Chants*.

les symphonies », ayant « tous les défauts » de la *VII*e « sans aucune des grandes beautés qui y font compensation », Oulibicheff y trouve « quelques tours de mélodie et de modulation, appartenant à la musique italienne en général et à celle de l'époque (1814) en particulier. Or, on le sait, Beethoven avait la musique italienne en horreur, et il détestait la musique de Rossini... Voulait-il flatter le goût contemporain aux dépens de sa conscience d'artiste? » se demande ensuite Oulibicheff. « Non, car il s'appelait Louis van Beethoven. Son propre goût s'était-il modifié dans le sens de la musique italienne? Non, sa chimère l'éloignait plus que jamais de cette musique, dont il demeure toujours l'antipode par nature et par principe. Admettrons-nous que Beethoven voulut donner le *scherzando* comme un échantillon de ce qu'il pourrait faire en grand, pour la mode, s'il daignait s'abaisser jusqu'à elle? Non, car il a souvent accompagné les gracieuses mélodies et le charmant babil du *scherzando*, avec des accords de troisième manière, qui n'ont jamais été et jamais ne seront à la mode de son temps. Que supposer alors? Force nous est de revenir à l'hypothèse déjà mise en avant dans l'article qui précède, la seule qui s'offre à mon esprit avec une ombre de vraisemblance et de raison. De même que le finale de la Symphonie en *la*, le second morceau de celle en *fa* ne me paraît pas autre chose qu'une satire ou une parodie musicale[1]. » Oulibicheff ne pouvait pas savoir

[1] Oulibicheff, p. 244-246.

que la *VIII*e *Symphonie* datait de 1812, d'une époque où Rossini n'avait pas encore triomphé à Vienne; il ne connaissait pas non plus le canon à Maelzel. Cette date et ce petit document musical ruinent son ingénieuse hypothèse de commentateur quand même...

Wagner plaçait avec infiniment plus de raison sur le même niveau les deux symphonies-sœurs :

> Dans aucun art, dit-il, il n'a été donné au monde des œuvres d'une aussi sérieuse placidité que ces deux symphonies; leur audition fait respirer avec plus de liberté[1].

> Beethoven avait alors quarante-deux ans, écrit Grove à la fin de son étude. Dans tout son œuvre, n'existe aucun autre exemple de ce cœur d'enfant dans celui d'un homme, comparable à cette symphonie. On peut se réjouir de constater que, au sein d'une période longue et difficile de sa vie, il lui fut donné de jouir un temps d'une félicité aussi parfaitement cordiale et innocente, que celle qui est dépeinte dans la *VIII*e *Symphonie*[2].

Aux Concerts populaires de Pasdeloup, la Symphonie en *fa* parut pour la première fois à la sixième séance de la première année, le 1er décembre 1861. Aux Concerts-Colonne, elle n'a été exécutée, comme la *II*e, que quatorze fois, du 24 février 1878 au 26 novembre 1905. Les Concerts-Lamoureux l'ont, au contraire, fait entendre beaucoup plus fréquemment, vingt-sept fois, du 22 octobre 1882 au 25 mars 1906.

A Budapesth, la Société philharmonique hongroise en a donné dix auditions de 1858 à 1898, la huitième

[1] R. Wagner, *Gesamm. Schriften*. Cf. *L'Art de diriger*.
[2] Grove, p. 308.

(3 juin 1895), sous la direction de M. Siegfried Wagner[1].

En Russie, les premières auditions, à Saint-Pétersbourg et à Moscou, datent respectivement du 27 mars 1846 et du 7 avril 1861[2].

A Rome, la Società orchestrale romana, du 4 mars 1876 au 3 mars 1894, l'a fait entendre cinq fois[3].

En Espagne, la *VIII*e *Symphonie* n'a guère paru qu'avec le cycle entier des Symphonies, au théâtre du Principe Alfonso, à Madrid, en 1878 et 1885, sous la direction de MM. Mariano Vazquez et Mancinelli, au Lirico de Barcelone, en 1880 et 1897, sous la direction de MM. Buonaventura Frigoli et Nicolau; enfin, deux fois depuis cette époque, sous la direction de ce dernier, aux Novedades et au Liceo de Barcelone[4].

Œuvres composées par Beethoven entre la Symphonie pastorale et les VIIe et VIIIe Symphonies.

1808. Deux Trios pour piano, violon et violoncelle, op. 70 (Breitkopf et Härtel, 1809). Dédiés à la comtesse Marie von Erdödy.
Fantaisie pour piano, op. 77 (*Id.*, *ib.*, déc. 1810). Dédiée à Franz von Brunswick.
Sonatine pour piano, op. 79 (*Id.*, *ib.*, déc. 1810).
Fantaisie pour piano, chœurs et orchestre, op. 80. 1re audit., 22 décembre 1808 (Breitkopf & Härtel, juillet 1811). Dédiée au roi de Bavière Maximilien-Joseph.

1 Coloman d'Isoz. *L'Histoire de la Société philharmonique hongroise, 1858-1898.*
2 Communication de M. Findeisen.
3 E. Pinelli, *I venticinque Anni della Società orchestrale romana.*
4 Communication de M. le Dr Felippe Pedrell.

Als die Geliebte sich trennen wollte, lied pour une voix et piano, paroles trad. du français (de Gentil-Bernard), par St. von Breuning (*Allg. musikal. Zeit.*, 22 novembre 1809).

1808-1809. Variations pour piano, op. 76 (Breit. & Härtel, décembre 1810). Dédié « à l'ami Oliva ».

1809. Concerto pour piano, n° 5, op. 73 (Breit. & Härtel, mai 1811). Dédié à l'archiduc Rodolphe.

Quatuor à cordes, op. 74 (*Id.*, décembre 1810). Dédié au comte Lobkowitz.

Sonate pour piano, op. 78 (*Id.*, *ib.*). Dédiée à la comtesse de Brunswick.

Sonate pour piano, op. 81 *a*, *les adieux, l'absence et le retour* (Breitk. et Härtel, juillet 1811). Dédiée à l'archiduc Rodolphe.

L'amante impaziente, ariette pour une voix et piano, op. 82, n° 4 (*Id.*, mai 1811).

Aus der Ferne, lied pour une voix et piano (Breitkopf & Härtel, mai 1810).

Die laute Klage, *id.* (*Diabelli*, avril 1837).

6 Chants pour une voix et piano, op. 75, n°s 1, 2 & 3, paroles de Gœthe, n°s 4, 5 et 6, par. de Halem et Reissig. Le n° 4, publié dans l'*Allg. musik. Zeit.*, octobre 1810 ; n°s 5 et 6, publiés dans les *Deutsche Gedichte* (Artaria, juillet 1810) ; les 6 n^{os} publiés ensemble, op. 75 (Breitkopf et Härtel, décembre 1810).

Sextuor pour instruments à cordes et deux cors, op. 81 *b* (Simrock, Bonn, 1810).

Gedenke mein! ich denke dein, lied pour une voix et piano.

Der Jüngling in der Fremde, lied pour une voix et piano, paroles de Reissig. Ces deux lieder furent publiés dans *18 Deutsche Gedichte* (Kühnel, Leipzig, 1810).

3 Chants, d'après Gœthe, pour une voix et piano, op. 83 (Breitkopf et Härtel). Dédiés au prince Kinsky.

Marche pour musique militaire, en *fa majeur* (Cappi et Czerny, Vienne, avril 1827). Dédiée à l'archiduc Anton.

Ouverture et entr'actes pour *Egmont*, op. 84 (Breitkopf & Härtel : l'ouverture en 1811 ; le reste en avril 1812).

Ecossaise pour musique d'harmonie.

1810. 2 Marches (Zapfenstreich) en *fa majeur* pour un carrousel dans le jardin du château de Laxenbourg. Dédiées à l'archiduc Anton.

Polonaise pour musique d'harmonie.

Quatuor à cordes, op. 95 (Steiner, Vienne, décembre 1816, en parties). Dédié « à mon ami D. Zmeskall von Domanowetz ».
Chants populaires irlandais.

1809-1810. 4 Ariettes et un duo.

1811. Trio pour piano, violon et violoncelle, op. 97 (Steiner, Vienne, 1816, en parties).
Musique pour *les Ruines d'Athènes*, paroles de Kotzebue ; chœurs et orchestre ; ouverture et 8 nos ; op. 113. 1re audition, le 9 février 1812 (Artaria, Vienne, 1846). Dédié au roi de Prusse. Cf. Variat, op. 76, pour le no 4.
Musique pour *le Roi Etienne*, op. 117. Ouverture et 9 nos. 1re audition le 9 février 1812 (Ouvert. chez Haslinger, Vienne, 1815 ; le reste dans la grande édition Breitkopf).
An die Geliebte, lied pour une voix et piano.

1812. *VIIe Symphonie*, op. 92 (Steiner, Vienne, 21 décembre 1816). Dédiée au comte de Fries.
Réduction pour piano à 2 mains, par Beethoven. Dédiée à l'impératrice de Russie. Pour les autres arrangements, voir ci-dessus, p. 318.
Trio pour piano, violon et violoncelle, en *si majeur* (en un seul mouvement).
VIIIe Symphonie, op. 93 (Steiner, Vienne, 21 décembre 1816). Dédiée au comte de Fries.
Réduction pour piano à 2 mains, par Beethoven.

CHAPITRE IX

IXᵉ SYMPHONIE (avec chœurs), **en RÉ Mineur**

op. 121 (1824).

I

1814 fut l'apogée de la fortune de Beethoven, dit M. Romain Rolland. Au Congrès de Vienne, il fut traité comme une gloire européenne. Les princes lui rendaient hommage; et il se laissait fièrement faire la cour par eux, comme il s'en vantait à Schindler.

Il s'était enflammé pour la guerre d'indépendance. En 1813, il écrivit une symphonie de la *Victoire de Wellington*, et, au commencement de 1814, un chœur guerrier : *Renaissance de l'Allemagne (Germanias Wiedergeburt)*. Le 29 novembre 1814, il dirigea, devant un public de rois, une cantate patriotique : *Le Glorieux Moment (Der glorreiche Augenblick)*, et il composa pour la prise de Paris, en 1815, un chœur : *Tout est consommé (Es ist vollbracht!)*. Ces œuvres de circonstance firent plus pour sa réputation que tout le reste de sa musique[1].

A cette courte période de gloire vont succéder pour Beethoven de longues années d'ennuis et de soucis de toutes sortes. Faut-il en voir la conséquence dans ce fait que plus de dix ans séparent la *VIIIᵉ* de la *IXᵉ Symphonie ?* Peut-être; en tout cas, ce n'est que bien longtemps après avoir fait applaudir la *Sym-*

[1] R. ROLLAND, p. 34-35.

phonie en *fa* que Beethoven se mit à composer sa gigantesque *IX*e.

Le Congrès de Vienne dispersé après le retour de l'île d'Elbe (connu le 11 mars 1815), et la capitale autrichienne ayant repris son calme d'antan, Beethoven se trouva dans une situation des plus pénibles[1]. Trois ou quatre procès, coup sur coup, l'empêchèrent de faire quoi que ce soit de musical. « Ces choses-là, disait-il à son avocat, m'épuisent plus que le plus grand effort pour composer. »

Ce fut d'abord, contre les héritiers du prince Kinsky (mort le 3 novembre 1812), un procès qui se termina en 1814. Dans les premiers mois de 1815, Beethoven toucha 4,987 florins, au dire de Schindler, dont 2,479, le 26 mars, provenant de la succession Kinsky, chiffre fixé par le tribunal de Prague, le 18 janvier; et 2,508 pour l'arriéré de la part de Lobkowitz, à partir du 1er septembre 1811[2]. Beethoven acheta alors sept actions de banque, de 1,000 florins, qu'il conserva jalousement jusqu'à sa mort, pour son neveu. La représentation de *Fidelio*, donnée à son bénéfice, le 18 juillet 1814 (la reprise était du 23 mai), et le grand concert du 29 novembre suivant n'avaient pas été

[1] Il existe, sur le Congrès de Vienne, un livre intéressant, de De Lagarde, intitulé *Fêtes et Souvenirs du Congrès de Vienne* (Paris, 1843). Il y est question de tous les événements mondains de la vie viennoise à cette époque unique dans l'histoire. Mais nulle part, nous n'y avons vu seulement une mention de Beethoven ou de ses concerts. Le Congrès se prolongea officiellement jusqu'au 10 juin.

[2] Lichnowsky était mort en 1814, Lobkowitz mourut le 21 décembre 1816 ; Beethoven fut désormais privé des 600 florins qu'il recevait annuellement de ce dernier.

sans rapporter quelque argent au compositeur. Il semble donc que, sous ce rapport, il n'eût guère de motif de se plaindre à cette époque.

Vint alors le grand procès avec Maelzel, au sujet de la *Bataille de Vittoria*. Cet ouvrage, écrit d'abord pour le Panharmonicon, avait été ensuite arrangé pour orchestre, sous l'inspiration du célèbre mécanicien. Un voyage à Londres avait été projeté avec Beethoven, toujours hanté du désir de visiter l'Angleterre. Le concert du 8 décembre 1813 fut donné dans ce but, au profit de Maelzel. Celui-ci annonça d'abord que la symphonie lui appartenait. Beethoven ayant protesté énergiquement, la mention « par amitié pour le voyage à Londres », remplaça la première sur l'affiche du concert. Après le concert, Beethoven fit remarquer à Maelzel qu'il avait omis, dans ses remerciements imprimés par la *Wiener Zeitung*, d'y rappeler cette mention de l'affiche. Puis, Maelzel sous prétexte de se payer des appareils acoustiques qu'il avait fabriqués pour Beethoven, et d'une somme de 400 ducats qu'il lui aurait prêtée, s'appropria, aussitôt après le concert, le plus grand nombre de parties d'orchestre qu'il put recueillir, fit en deux ou trois jours reconstituer tant bien que mal la partition, et partit pour Munich la faire exécuter[1]. Dès que Beethoven eut connaissance des auditions de Munich, il saisit de l'affaire les tribunaux de Vienne, mais

[1] Les 16 et 17 mars 1814. Voir l'*Allgem. musik. Zeit.*, col. 291.

sans résultat, Maelzel étant absent et son représentant faisant traîner l'affaire par tous les artifices de la procédure. Dans un long mémoire, Beethoven établit les faits avec sa brutale franchise. La *Bataille*, dit-il, a été écrite à la propre instigation de Maelzel, d'abord pour le Panharmonicon, puis pour grand orchestre. Quant à la dette contractée par lui envers le mécanicien, elle est de 50 et non de 400 ducats; il lui a offert en garantie un chèque sur un éditeur anglais. Après le concert, Maelzel s'est vanté d'avoir payé la partition 400 ducats.

Je voulus faire insérer ce qui suit dans un journal, mais le journaliste ne l'inséra pas, car M. est bien avec tout le monde. Aussitôt après le premier concert, je rendis à Maelzel ses 50 ducats et lui déclarai qu'ayant appris à connaître son caractère, je ne voyagerais jamais avec lui, justement indigné de ce que, sans me le demander, il eût mis ce qui précède sur le programme; je lui dis aussi... que je ne lui donnerais pas non plus l'œuvre pour Londres qu'à la condition que je lui ferais connaître. Il soutint alors que c'était un *cadeau d'amitié*, fit mettre ces expressions dans le journal après le second concert, sans me le demander le moins du monde. Comme Maelzel est un homme grossier, sans éducation, sans culture, on peut penser comment il s'est conduit envers moi pendant ce temps et comme il m'a ainsi toujours plus indigné. Et qui voudrait faire par contrainte un cadeau musical à un tel homme?

... Mettons que, eu égard aux machines acoustiques, je me sente en quelque sorte son obligé, nous sommes quittes, puisqu'à Munich, avec la *Bataille* qu'il m'avait volée ou dont il avait reconstitué les fragments, il s'est fait au moins 500 florins de m. c. [monnaie conventionnelle]. Il s'est donc payé lui-même... Que M. Maelzel, comme il l'a fait entendre, ait retardé son voyage à Londres à cause de la

Bataille, c'était pure plaisanterie. M. Maelzel est resté jusqu'à ce qu'il eût achevé son ravaudage, dont les premiers essais n'avaient point réussi.

BEETHOVEN.

Vers le temps où il rédigeait cette « déposition », Beethoven adressait une protestation aux musiciens de Munich et à ceux de Londres. Cette dernière réussit, et Maelzel ne put ou n'osa faire exécuter la *Bataille* en Angleterre. Enfin, il faisait signer au baron de Pasqualati (chez lequel il demeurait alors), et à von Adelsberg, avocat et notaire de la Cour, une pièce attestant qu'il n'y avait pas eu d'arrangement entre lui et Maelzel (25 juillet 1814). Le procès traîna en longueur pendant plus de trois ans, et lorsque Maelzel revint à Vienne, dans les derniers mois de 1817, une réconciliation eut lieu entre lui et Beethoven[1], qui se désista. Tous deux payèrent les frais de justice. Ce fut le résultat que Beethoven retira de ce malheureux procès, entrepris dans un moment de mauvaise humeur. La paix se fit entre les deux anciens amis, et nous voyons, le 26 décembre 1817, l'inventeur du métronome occupé à faire un nouvel appareil acoustique pour Beethoven, auquel il écrit l'année suivante de Paris, le 19 avril, en l'appelant « son cher ami »; il lui mande que la lettre écrite par lui à von Mosel a été publiée par ses soins à Paris, et l'interroge sur les deux symphonies (la

[1] Schindler et les anciens biographes de Beethoven, A. Audley entre autres, prétendent à tort que Maelzel n'osa pas revenir à Vienne après le procès.

*IX*e et la *X*e) projetées pour le voyage en Angleterre, qui a été remis à l'année 1818[1].

Ce voyage, toujours projeté et toujours remis, d'année en année, Beethoven ne devait jamais le faire[2].

1 En mai 1818, parut une *Notice sur le métronome de Maelzel*, à la fin de laquelle se trouve une approbation signée : « Louis de Beethoven, Ant. Salieri, J.-N. Hummel. » Cf. dans la *Corresp.*, p. 156-157 : une lettre de 1817 ; Beethoven y loue vivement l'invention du métronome, qui remplacera « cette désignation du mouvement, qui nous vient de la barbarie de la musique » ; si Maelzel veut mettre plusieurs de ses appareils en souscription, « à des prix plus élevés, pour être en état, dès que ce nombre sera couvert, de donner les autres métronomes nécessaires aux besoins de la nation à si bon marché que nous en puissions attendre sûrement la plus grande généralité et l'expansion », il s'engage à être l'un des premiers souscripteurs. On voit que Beethoven ne gardait pas rancune à son ancien adversaire.

2 Voir les lettres adressées à Ries. Ries était alors à Londres ; son maître lui écrit le 8 mars 1816 : « Quelques commandes en plus d'un concert me feraient plaisir venant de la Société philharmonique. » Le 9 juillet 1817 : « Les propositions que vous me faites par votre lettre du 9 juin sont très flatteuses...

« 1° Je serai à Londres dans la première quinzaine du mois de juin 1818 au plus tard ;

« 2° Les deux grandes symphonies entièrement nouvelles seront prêtes, et la propriété exclusive en viendra et restera à la Société philharmonique seule ;

« 3° La Société me donnera 300 guinées pour les symphonies et 100 guinées pour les frais de voyage, qui monteront pour moi beaucoup plus haut, car il faut de toute nécessité que je prenne un compagnon avec moi ;

« 4° Comme je commence, dès à présent, à travailler à la composition de ces grandes symphonies, la Société, en acceptant mes conditions, m'adressera une somme de 150 guinées, pour que je puisse me pourvoir sans retard d'une voiture et des autres objets nécessaires pour le voyage », etc.

Le 5 mars de la même année : « Malgré mon désir, il ne m'a pas été possible de venir cette année à Londres ; je vous prie de dire à la Société philharmonique que ma mauvaise santé m'en empêche, mais j'espère pouvoir être complètement guéri ce printemps, et, dans ce sens, profiter vers la fin de

Aussi bien, des soins plus graves et de nouveaux procès plus pénibles allaient exiger sa présence à Vienne.

Le 15 novembre 1815, le frère cadet de Beethoven, Kaspar-Anton-Karl (né à Bonn, le 8 avril 1774), mourait à Vienne. Il était employé, depuis 1809, comme Liquidationsadjunkt, à la Dette publique (*Universal-Staatsschuldenkassa*); l'influence de son frère n'avait pas été étrangère à sa nomination, et Ludwig, qui avait toujours été en bons termes avec lui, perdit en la personne de Karl, non seulement un frère, mais un conseiller financier précieux. Cette mort lui apporta aussi une grosse charge et des soucis tels, qu'on peut dire, sans exagération, que sa vie en fut abrégée de plusieurs années. Karl s'était marié en 1806, avec la fille d'un tapissier viennois jouissant d'une certaine aisance, Johanna Reiss; il en eut un fils (4 novembre 1807) qui fut prénommé Karl. Par son testament, daté du 14 novembre 1815, veille de sa mort, l'employé de la Dette publique faisait sa femme et son fils ses légataires universels, et plaçait celui-ci sous

l'année de l'offre qui m'est faite par la Société; j'en remplirai toutes les conditions », etc.

Le 19 avril 1819 : « Au sujet du voyage à Londres... ce serait certainement la seule planche de salut. » Le 30 : « Pour le moment il m'est impossible d'aller à Londres enlacé comme je le suis par tant d'obstacles ; mais Dieu m'assistera pour y aller sûrement l'hiver prochain ; j'apporterai aussi les nouvelles symphonies. »

Enfin, le 6 avril 1822 : « Je mûris toujours la pensée d'aller à Londres pourvu que ma santé me le permette. » (Ries, *Notice sur Beethoven*, trad. Legentil, p. 186 et suiv. Cf. les lettres du 20 décembre 1882 et du 25 février 1823. Ries quitta Londres en 1824 : son concert d'adieu eut lieu le 8 avril 1824.)

la tutelle commune de sa mère et de son oncle Ludwig. Dans un codicille, il ajoutait : « Je recommande pour le bien de l'enfant, à ma femme la douceur, à mon frère plus de pondération. Dieu fasse que tous deux soient unis pour le bien de mon enfant. C'est la dernière volonté de l'époux et du frère moribond. »

Hélas! l'union rêvée par le père de Karl ne devait pas et ne pouvait exister entre l'oncle et la mère. Le 22 novembre, le tribunal de la Basse-Autriche *(Niederœsterreiches Landrecht)* homologuait le testament de Karl[1], mais, dès le 28, Beethoven faisait opposition au jugement et demandait au tribunal de déchoir la mère de sa tutelle. Le 9 janvier 1816, un jugement intervenait, qui lui donna raison et le reconnut comme seul tuteur. Dix jours plus tard, il prêtait serment de remplir fidèlement ses devoirs.

Malgré le mauvais état de ses finances, Beethoven se préparait avec joie à ses devoirs de « père ». Voulant donner à son neveu l'éducation et l'instruction d'un honnête homme, il plaça le jeune Karl à l'institution Giannatasio del Rio. Mais sa belle-sœur ne tarda

[1] Le même jour, Beethoven écrit à Ries : « Mon malheureux frère vient de mourir ; il avait une mauvaise femme. Je peux dire qu'il avait depuis quelques années de la phtisie pulmonaire et je peux bien évaluer ce que j'ai donné pour lui rendre la vie plus facile à 10,000 florins de monnaie viennoise. » Cf. la lettre à Mme Milder-Hauptmann, du 6 janvier 1816. Dans son journal, Beethoven note vers la même époque : « O frère, jette un regard sur moi, je t'ai pleuré et je te pleure encore, ô pourquoi ne fus-tu pas franc avec moi, tu vivrais encore et ne serais certainement pas mort si misérablement, tu te serais plus tard... éloigné [de ta femme] et rapproché de moi. »

pas à se mettre en travers de ses beaux projets d'avenir. La « Reine de la Nuit » (il l'appelait ainsi en souvenir du mauvais génie de *la Flûte enchantée*, se donnant à lui-même le surnom de Zarastro), fit tout son possible pour l'empêcher d'exercer sa tutelle. Le 17 février, elle demanda au tribunal la permission de voir son fils pendant ses heures de liberté, sans troubler ses études, et en compagnie de Beethoven ou d'une personne accréditée par le maître de la pension. Sur le refus qui lui fut opposé, elle employa toutes les ruses possibles, allant jusqu'à se déguiser en habits masculins, pour voir son enfant. Ces entrevues avaient la plus néfaste influence sur l'esprit de celui-ci. Le 24 janvier 1818, Beethoven retira donc Karl de l'institution del Rio, — il avait alors onze ans, — et lui fit suivre les cours de l'Université. A la fin de l'année (en novembre), Karl s'enfuit chez sa mère. Beethoven le fit rechercher par la police, et le remit, le 5 décembre, en pension chez del Rio; celui-ci remarqua combien, pendant les onze mois passés hors de son institution, Karl avait été démoralisé. « Totalement perverti », écrit Fanny del Rio, dans son journal[1].

Johanna ne se tint pas pour battue. Elle s'avisa de contester la noblesse de Beethoven et d'évoquer l'affaire, jugée à tort, disait-elle, par le Landrecht, devant l'autorité municipale (début de 1819)[2]. L'enfant

[1] Le journal de Fanny del Rio a été publié par NOHL, *Eine stille Liebe zu Beethoven*.

[2] « Le nom ne fait pas l'homme, et cependant il peut être important pour l'homme.

« Louis van Beethoven passa de temps en temps pour un

lui fut rendu, et le séquestre municipal Nussböck, nommé co-tuteur. La « Reine de la Nuit » triomphait; l'enfant était en sa puissance, mais, le nouveau tuteur s'en aperçut bientôt, Karl était loin de recevoir de sa mère une bonne éducation; il mit son pupille dans une institution dirigée par Blöchlinger, disciple de Pestalozzi, au palais Choteck. Pendant ce temps, Beethoven agissait de tout son pouvoir pour faire casser le jugement qui l'avait déchu de la tutelle. Sa réclamation fut introduite le 4 novembre. L'avocat Bach, son ami et conseil, soutint la cause, le 7 janvier 1820, devant le tribunal d'appel de la Basse-Autriche.

Ma volonté et mes efforts, dit Beethoven, tendent à ce que l'enfant reçoive une éducation aussi bonne que possible, ses dispositions naturelles permettent les plus hautes espérances, et que l'attente puisse être remplie, que fondait son défunt père sur mon amour fraternel.

Enfin, justice lui fut rendue et, après un an de séparation, Beethoven se retrouvait de nouveau avec

noble, parce qu'on regardait la particule hollandaise « van » comme l'équivalent de l'allemand « von » (de). A Vienne, cela dura trois ans. En effet, un procès de Beethoven dura ce temps à la « cour territoriale » (Landrecht), et, cette erreur étant découverte, fut portée devant le magistrat de la ville (Stadt-Magistrat) » (*Gazette de Cologne* du 6 mars 1844). « La cour territoriale jugeait les causes des nobles ; le magistrat de la ville celles des roturiers. » (Ries et Wegeler, *Notices*, trad. Legentil, p. 219-220.)

Le nom de Beethoven est flamand ; un village belge de la province de Liège d'où la famille van Beethoven était originaire porte encore le nom de Bettenhoven ou Bettincourt, en français. Peut-être faut-il y voir le pays d'origine des van Beethoven? Etymologiquement, ce nom signifie « du jardin des choux ». Une autre étymologie moins prosaïque serait celle-ci : *Bettenheim, Bethonis curia* en latin, de Betho, nom d'homme fort chez les peuples du Nord, aux VIIe et VIIIe siècles. Un village de Béthencourt fait partie de l'arrondissement de Cambrai.

son « cher enfant ». Cela d'ailleurs n'alla pas sans de nombreuses difficultés soulevées à chaque instant par la « Reine de la Nuit ». On peut penser quelle fut l'humeur de Beethoven durant cette longue période du procès le plus pénible qu'il dût jamais soutenir.

Beethoven passait alors une grande partie de l'année à Baden ou à Mödling, laissant Karl, à partir de 1822, se préparer au commerce en suivant les cours de l'Ecole polytechnique, dont le sous-directeur, Reisser, était devenu co-tuteur du jeune homme. De nombreuses lettres et billets de Beethoven datent de ces années 1822 et 1823, qu'il adressait de Baden à son « cher fils », à son « cher petit garnement », billets où respire une joie naïve, mêlée à des accès d'emportement ou de tendresse, ou à des détails prosaïques. Et lorsque le « père » recevait son cher enfant, il lui dictait parfois sa correspondance. Mais cette accalmie ne pouvait durer. Logé chez un ancien copiste de Beethoven, Schlemmer, Karl, un beau jour, disparut (début d'octobre 1825); il fréquentait de mauvais compagnons, aimait passionnément le jeu, surtout le billard, et les conversations qu'il avait, soit avec sa mère, soit avec son oncle Johann, ne le détournaient que trop de ses devoirs de fils adoptif. Aussi, avec quelle joie Beethoven apprit le retour de son « fils, non perdu mais ressuscité! » Il l'invite aussitôt à venir à Baden (lettres des 5 et 14 octobre), d'où il allait bientôt rentrer en ville.

Au mois d'août suivant (1826), l'oncle revenu à la

campagne, Karl, ayant passé sans succès ses examens, résolut de se suicider. Il acheta deux pistolets, partit pour Baden, monta aux ruines de Rauhenstein, et se tira deux balles dans la tête; une seule lui écorcha le côté gauche. Ce fut un scandale. Karl, transporté à l'hôpital, à Vienne, guérit bientôt. Mais le suicide étant considéré comme un crime, une instruction judiciaire fut ouverte : la police crut voir, dans cet acte, la conséquence d'une instruction religieuse insuffisante, et dépêcha auprès du jeune homme un père liguoriste. Beethoven ne voulut d'abord pas revoir son neveu, mais bientôt ses sentiments « paternels » reprenant le dessus, il lui envoya son médecin, Smetana, et s'inquiéta de lui jusqu'à sa sortie de l'hôpital[1].

Il s'occupa alors de le faire entrer dans un régiment, et pour cela requit les bons offices de son vieil ami Stephen von Breuning. Après plusieurs semaines passées à Gneixendorf, chez l'oncle Johann, de septembre à décembre[2], — la police avait interdit

[1] « Soyez persuadé, écrit Beethoven au conseiller municipal Czapka, que l'humanité, même dans sa chute, me reste toujours sacrée ; un avertissement de votre part produirait un bon effet ; cela ne nuirait pas non plus, de lui faire remarquer qu'il sera surveillé sans qu'il le voie, pendant qu'il sera chez moi ». (CHANTAVOINE, p. 274-275.)

[2] Pendant ce peu agréable séjour dans la propriété de son frère, Beethoven s'aperçut que sa belle-sœur entretenait des relations coupables avec son neveu. Il revint aussitôt à Vienne, le 2 décembre, par un temps épouvantable. Johann le laissa partir dans une voiture découverte. Déjà fort mal portant, souffrant des poumons et d'une inflammation intestinale, Beethoven, aussitôt arrivé, envoya Karl chercher un médecin, mais, au lieu de s'empresser, le neveu alla faire une partie de billard, et, lorsqu'il se rappela subitement la course urgente qu'il avait à faire, il en chargea un garçon de café ! Celui-ci envoya le docteur Wavruch, que Beethoven n'avait jamais vu !

à Karl de résider à Vienne, — le neveu partit pour Iglau et, le 3 janvier 1827, il entrait comme *Expropriiskadett* au régiment d'infanterie Archiduc Ludwig n° 8, lieutenant-maréchal de camp von Stutterheim[1].

Des douze ou quinze années de la vie de Beethoven que nous venons de parcourir rapidement, datent les œuvres dites de sa « troisième manière ». Peu nombreuses, les principales sont : les cinq dernières *Sonates* pour piano, les cinq derniers *Quatuors* (six avec la *Grande Fugue)*, la *Messe* en *ré*, et la *IX*e *Symphonie*, avec chœurs.

Beethoven projetait, vers 1816, d'écrire, pour la *Philharmonic* de Londres, deux symphonies de dimensions inusitées et de caractère absolument nouveau. En avril, il terminait le cycle de lieder, op. 98, *An die ferne Geliebte (A la bien-aimée lointaine)* et, dans le même cahier où il les esquissa, on trouve le premier motif de la *IX*e *Symphonie* (A), qui n'est pas sans

[1] Beethoven dédia à Stutterheim le Quatuor en *ut mineur*, op. 131, en octobre 1826. Ce Quatuor était destiné à Johann Wolfmeier, l'un des premiers admirateurs viennois de Beethoven. D'après les récentes études publiées sur Karl van Beethoven, par M. Vancza *(Allg. Zeitung*, 1901, supplém. 30 et 31;

analogie avec le motif (2, fin) du premier mouvement de la *II*e, suivi immédiatement du scherzo *(presto)*, qu'on trouve dès 1815, noté comme sujet de fugue (B)

pour une symphonie en *si bémol*[1]. En même temps, Beethoven travaillait à la grande Sonate, op. 106, qui ne fut achevée qu'en mars 1819.

Cette fille de son génie avait été conçue, on peut le dire, et enfantée dans la douleur, car l'auteur traversait alors l'une de ces périodes les plus tristes de son existence. Lui-même, il l'indiquait dans ses cahiers de notes, et, confessant que le besoin d'argent lui faisait entreprendre cette tâche, il écrivait : « La Sonate op. 106 a été composée dans des circonstances pressantes. C'est une dure chose de travailler pour se donner du pain[2]. »

Après la Sonate, Beethoven travailla jusqu'en 1822,

Musik, mars 1900, n° 12) et Hans VOLKMANN (*Neues über Beeth.*, p. 11 et suiv.), Karl se retira plus tard de l'armée (mai 1832) avec de bonnes notes, se livra à l'exploitation agricole, et mourut à Vienne, le 13 avril 1858 ; il laissait quatre filles. Sa mère, Johanna, lui survécut dix ans encore, et mourut à Baden à l'âge de 82 ans.

1 NOTTEBOHM, *Zweite Beethoveniana*, p. 324. Voir, sur les travaux préparatoires de la *IX*e *Symphonie*, NOTTEBOHM, *Zweite Beethov.*, p. 157-193 ; *Skizzen zur neunten Symphonie*.

2 Ch. MALHERBE, *Notice sur les Concerts Risler*, 16 décembre 1905. Cf. ce que Beethoven dit à Mlle del Rio : « Je n'ai

à la grande *Messe* en *ré*, dédiée à l'archiduc Rodolphe (qui avait été nommé, en 1818, archevêque-cardinal d'Olmütz) et offerte en souscription à tous les souverains de l'Europe[1]. Le *Credo* avait été terminé en 1820, en même temps que la Sonate op. 109; l'op. 110 est daté du jour de Noël 1821, et l'op. 111 de janvier 1822. De 1818 à 1822, les esquisses de la *IX*e sont donc assez rares, mais à partir de cette dernière année, Beethoven s'y consacre exclusivement.

Ce sont d'abord, en 1817-1818, des notes générales ou se rapportant au premier mouvement qui fut très long à élaborer : pour le trémolo du quatuor, au début, il prévoit « peut-être aussi des triolets » *(anfangs vielleicht auch triolets);* aux premières mesures de (A), au lieu de l'anacrouse saisissante, des traits rapides reliant par degrés diatoniques les notes de l'accord parfait; plus loin, on lit : « 2e morceau 4 cors en bas et 2 en haut *si b* ».

« *presto* y [introduire] l'all° maestoso. »

Plus loin encore : « cette Sinfonie dans un morceau 3 cors, dans un autre morceau 4 cors. » — « A la fin du 1er Allegro 3 Trombones. »

Longtemps, il hésite sur la forme qu'il donnera au début du premier mouvement; la version (A) ne l'a pas encore satisfait, et il n'a pas encore trouvé le

pas d'amis, et je suis seul au monde », et encore : « Mes œuvres musicales sont le produit du génie et de ma misère ; et ce qui fait le plus de plaisir au public est ce qui m'a donné le plus de peine. »

[1] Voir dans la *Corresp.* trad. par CHANTAVOINE et dans les *Neue Beethoveniana* de FRIMMEL, plusieurs invitations à souscrire.

comincia, l'*eureka* qui fixe la pensée. Il écrit au-dessus d'une portée : « seulement des 6tel (sextolets) et dans le morceau 16tel (des doubles croches). »

Vers l'été ou l'automne de 1822, le début se précise : *Sinfonia 3tes Stück* (C).

Ces quelques mesures en *ré bémol*, qu'il destine évidemment à un scherzo, rappellent étonnamment le trio de ce mouvement, dans la *IIe Symphonie* en *ré*, antérieur de vingt ans.

Dans la pensée de Beethoven, des deux symphonies qu'il concevait, l'une, destinée à l'Angleterre, devait être purement instrumentale; l'autre était l'*Allemande* : « *Sinfonie allemand* », lit-on sur un de ses brouillons, « ou avec variations après le chœur lorsque [il] entre ou bien sans variation Fin de la Sinfonie avec musique turque[1] et chant choral. » Il écrit ensuite le memorandum (A)[2].

[1] On appelle en allemand musique turque ou de Janissaires, l'ensemble du triangle, des cymbales et de la grosse caisse. C'est la batterie de nos musiques militaires.

[2] Grove (p. 328, note), fait remarquer à propos de ce memo-

En juillet 1822, Beethoven disait à Rochlitz :

Je suis occupé depuis un long temps déjà par trois autres ouvrages [que la *Messe*]. Beaucoup est déjà éclos, même dans ma tête. J'ai déjà cela sur les bras : deux grandes symphonies et un oratorio promis à la *Gesellschaft der Musikfreunde*[2].

Les travaux de la *IX*e furent interrompus par la composition des *Variations* op. 120 écrites sur un thème que l'éditeur-compositeur Diabelli avait proposé à un certain nombre de musiciens. Le premier mouvement occupa Beethoven jusqu'au milieu de l'année 1823.

L'idée de la nouvelle symphonie, dit Nottebohm, s'élargissait pendant sa création... Le second mouvement fut terminé avant le troisième et celui-ci avant le quatrième. Le second, en projet définitif, date environ de 1823. Un livre d'esquisses [appartenant autrefois à A. Artaria; aujourd'hui à la Bibliothèque royale de Berlin], de mai à juillet 1823, contient, outre des esquisses presque définitives du premier mouvement, des plans des deuxième et troisième mouvements de la *IX*e[3].

Le *presto* débutera *ex abrupto*, sans aucune espèce d'introduction, *gleich*, écrit Beethoven, et il reprend le thème (B) de 1815-1817. Le trio (D) ne sera que légè-

randum : 1° que le scherzo commence à la basse ; 2° que le mot *presto* ne figure pas dans la partition manuscrite de la Philharmonic. Beethoven s'était contenté de numéroter les mouvements : *Erster Satz*, etc. Voir ci-après le texte de titre de ce manuscrit. Remarquons, en outre, que le motif de l'*adagio* n'est pas encore désigné dans (A).

[1] Rochlitz, *Für Freunde der Tonkunst*, let. du 9 juillet 1829.

Nottebohm, *Zweite Beethoven.*, p. 170.

rement modifié plus tard, déjà le basson s'y trouve sans changement.

Vers le mois d'octobre 1822, le plan de l'*adagio* est enfin achevé : il dut être assez long à déterminer. Beethoven trouve d'abord le milieu *(Mittelsatz);* le thème est écrit en *la,* puis en *ré,* avec l'indication *alla minuetto.* Suit une variation pour le violon, en *sol.*

Le premier thème de l'*adagio* (E, F) est trouvé en

mai-juin 1823, et le 1er juillet, Beethoven peut écrire à l'archiduc Rodolphe :

J'écris maintenant une nouvelle Sinfonie pour l'Angleterre pour la Société philharmonique et j'espère même en l'espace de quinze jours l'avoir tout à fait terminée[1].

Ces quinze jours devaient durer plus de six mois encore!

Ainsi, au moment où il rentrait à Vienne (octobre-novembre 1823), Beethoven avait à peu près terminé sa *IXe Symphonie.* Restait à composer le finale avec chœur et à trouver la transition nécessaire à son introduction.

L'idée d'adjoindre un chœur au dernier mouvement ne vint probablement au compositeur que dans le cours de son travail, car il existe des esquisses d'un finale purement instrumental, qui, d'après Nottebohm, daterait de juin ou juillet 1823. Ces esquisses furent utilisées pour le *Quatuor* en *la mineur,* op. 132 (G).

Dès longtemps, l'hymne *A la Joie,* de Schiller, avait

[1] Nohl, *Neue Briefe Beethovens,* p. 232. Cf. la lettre à

tenté Beethoven. A Bonn, en 1792[1], il rêvait de mettre en musique ces paroles sacrées, qui enflammaient sa libre imagination. La *Fantaisie* pour piano, orchestre et chœur, de 1800, contient en germe la mélodie qu'il reprendra pour y adapter les paroles du poète (I).

Cette mélodie-mère peut se retrouver dans un chant populaire[2], moitié complainte et moitié cantique (H).

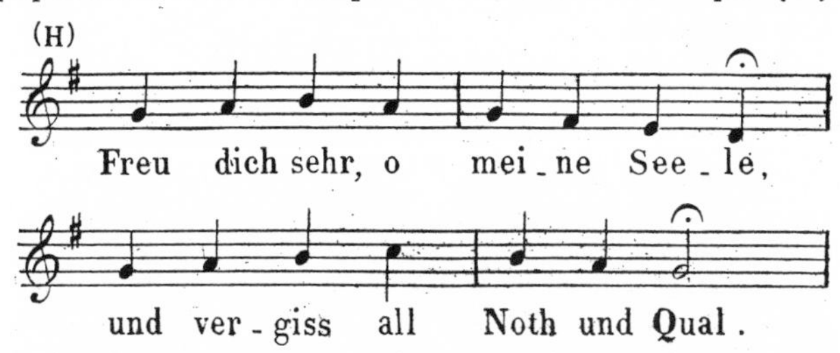

Wasielewski croit en trouver l'origine dans ce lied, op. 89, n° 3, composé sur des paroles de Gœthe en 1810 (J) :

Ries, du 5 septembre, citée plus haut. Dès le 22 janvier, l'*Allgemeine musikalische Zeitung* avait annoncé que Beethoven, ayant terminé la *Messe* en *ré*, avait commencé la composition de « sa nouvelle symphonie ».

1 Le 26 janvier 1793, Fischenisch écrivait de Bonn à Charlotte Schiller : « Ci-inclus, je vous adresse de la musique sur la *Feuerfarbe* dont je vous demande votre avis. C'est d'un jeune homme de cette ville dont le talent est très estimé, et que l'Electeur vient d'envoyer à Vienne auprès de Haydn. Il a l'intention de composer vers par vers la *Joie* de Schiller. »

2 Ce rapprochement a été signalé par Ortlepp (Lenz, *Beeth. et ses trois Styles*, I, p. 291).

Un vers d'une strophe suivante (entrée du premier chœur) est noté dès 1798, entre les brouillons pour le rondo en *sol*, op. 51, n° 3 et l'intermezzo de la Sonate en *ut mineur*, op. 10, n° 1 (K). Nottebohm a retrouvé

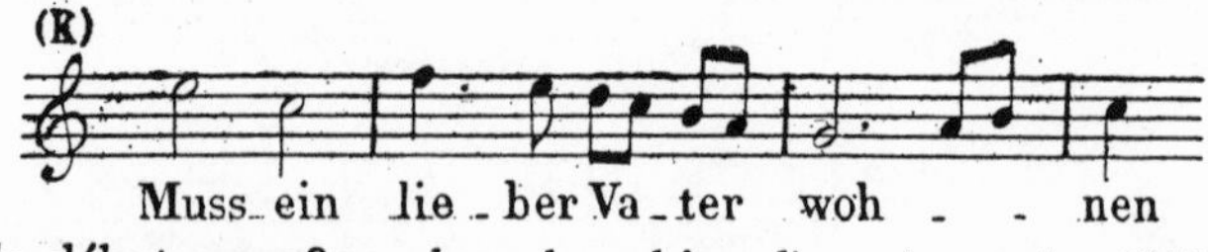

le début, en 1811, dans le cahier d'esquisses des *VII*e et *VIII*e *Symphonies*[1].

Thayer[2] cite une autre version, contemporaine de l'ouverture en *ut*, op. 115, écrite en 1814-1815, pour la fête de l'empereur Franz (1er octobre), et dans laquelle Beethoven pensait introduire l'hymne *A la Joie* (L)[3].

1 NOTTEBOHM, *Zw. Beethoven.*, p. 149
2 *Chronol. Verzeichiss*, p. 149.
3 NOTTEBOHM, *Beethoveniana*, p. 41-42.

Enfin, en 1822, une nouvelle version (M), destinée à

la Symphonie, paraît, avec un rythme ternaire, entre des esquisses pour l'ouverture en *ut*, op. 124, et pour la *Messe* en *ré*[1]. Beethoven préfère cette version (N), qu'il

désigne par le mot français *meilleur* à cette autre, de rythme analogue (O) :

1 Thayer, *Chronol. Verz.*, nº 238.

Tout l'hiver fut occupé à terminer la partition. Après avoir écrit toutes les variations vocales et instrumentales, le récit pour voix de basse fut enfin trouvé, non sans peine, à ce que nous apprend Schindler, dont le récit est confirmé par de nombreux brouillons, moins satisfaisants les uns que les autres. De transition ou d'introduction instrumentale ou vocale, il n'y a aucune trace avant la deuxième quinzaine de juillet. Ce n'est qu'à partir de cette époque, et pendant le travail de composition du texte de Schiller, que vint à Beethoven l'idée de faire exposer la mélodie principale par les instruments à vent, avec un prélude en forme de récitatif, puis d'introduire un rappel des premiers mouvements de la Symphonie par une mélodie tirée de chacun d'eux.

Elle lui a coûté beaucoup de peine... Une fois terminé le quatrième mouvement, commença une lutte singulière. Il s'agissait de trouver une façon convenable d'introduire l'ode de Schiller. Un jour comme j'entrais dans sa chambre, il me cria : « Je l'ai ! je l'ai ! » Et il me présenta un brouillon, où était écrit : « Chantons maintenant le lied de notre immortel Schiller ! » après quoi commençait immédiatement l'hymne à la Joie. Mais il fallait par la suite exprimer cette idée plus fortement : « O amis, laissons ces sons ! mais chantons plus agréablement et plus amicalement ![1] »

A combien de fois Beethoven s'y reprit avant d'ar-

[1] Schindler, *Beeth. in Paris*, p. 42.

river à cette phrase qui seule exprimait toute sa pensée, les carnets d'esquisses nous le font entrevoir :

« Non ces... [un mot illisible] souvenons-nous de notre désesp... », écrit-il un jour.

Puis, une autre fois : « Aujourd'hui est un jour de fête... qu'il soit célébré. »

Puis encore : « O non, pas cela, autre chose de plaisant est ce que je cherche », mêlant ses propres réflexions aux paroles et au texte musical qu'il note provisoirement. Enfin, sa joie éclate. La transition est trouvée : il la note et écrit au-dessous : « Ha c'est cela. Il est enfin trouvé Joie... »

La phrase que vit Schindler paraît ensuite. Le récit de basse et l'entrée de la voix est ainsi annoncé :

Bass nicht diese Töne fröhliche...
voce Freude! Freude!...

« Enfin, elle est trouvée, la grande nouvelle, la parole victorieuse qui nous annonce le bonheur suprême après tant d'efforts et de douleurs. » (Wagner.)

Et vers le mois de février 1824, la *IXe Symphonie* est complètement terminée.

Si l'on remonte à sa première conception, dit Nottebohm, Beethoven y pensait depuis huit ans; depuis les premières esquisses du premier mouvement, il s'était écoulé six ans et demi. Mais, si l'on ne tient pas compte de ces travaux préparatoires, sa composition proprement dite n'avait guère occupé Beethoven que l'espace d'une année[1].

Beethoven, cependant, avait déjà cherché, comme

[1] NOTTEBOHM, *Zweite Beethoven.*, p. 192.

pour sa grande *Messe* en *ré*, à en retirer un bénéfice. Ries, son ancien élève, était toujours en Angleterre. Il lui écrivait souvent, notamment au sujet du voyage à Londres, toujours projeté et toujours reculé. « Qu'est-ce que la Société philharmonique me proposerait bien pour une symphonie? » lui demandait-il le 6 avril 1822. Et le 22 décembre :

J'accepte avec plaisir la proposition d'écrire une nouvelle symphonie pour la Société philharmonique, même si les honoraires des Anglais ne peuvent pas être mis en balance avec ceux des autres nations; j'écrirais gratuitement pour les premiers artistes de l'Europe, si je n'étais pas toujours le pauvre Beethoven. Si j'étais à Londres, que j'aimerais à écrire pour la Société philharmonique! Car, Dieu merci, Beethoven ne peut vraiment rien écrire autre chose au monde[1].

La Philharmonic avait décidé le 10 novembre d'offrir 50 livres pour le manuscrit de la *IX*e qui devait lui être remis en mars 1823 et rester pendant dix-huit mois sa propriété exclusive; après quoi la propriété en serait rendue au compositeur. Dès que la réponse de Beethoven fut connue, les 50 livres lui furent adressées[2].

Beethoven, par suite de sa « position constamment triste », ne put être prêt pour la date fixée.

Maintenant, écrivait-il à Ries, le 25 avril 1823, non seulement à cause de nombreuses contrariétés que j'ai endurées, je ne suis pas bien, mais j'ai mal aux yeux! Ne vous

1 Hogarth, *The Philharmonic Society*, p. 31-32, cité par Nottebohm, *Zw. Beethoven.*, p. 162, et Grove, p. 332.
2 Ries, *Notice sur Beethoven.*

en inquiétez pas cependant ! Vous recevrez prochainement la symphonie : vraiment c'est ce misérable état qui est la seule cause de ce retard.

Et le 5 septembre :

Mon cher Ries,

Je n'ai pas de plus récentes nouvelles de la symphonie ; cependant vous comptez avec sécurité... qu'elle sera bientôt à Londres. Si je n'étais pas si pauvre qu'il me faille vivre de ma plume, je ne prendrais rien du tout à la Société philharmonique. Il faut bien que j'attende que les honoraires de la symphonie me soient annoncés, mais pour donner une preuve de mon affection et de ma confiance pour cette société, je vous ai déjà envoyé la nouvelle ouverture de...[1].

La copie corrigée par Beethoven, que possède la Philharmonic, porte ce titre autographe :

Grosse Sinfonie geschrieben
für die Philharmonische Gesellschaft
in London
von Ludwig van Beethoven
erster Satz.

[1] Cette lettre offre quelques lacunes, provenant sans doute de déchirures du texte original. Le 8 août, Franz Brentano, à Francfort, recevait une lettre de Beethoven, une lettre datée de « Hetzendorf, le 2e aug. 1823 », dans laquelle il lui disait : « Je voudrais envoyer à Londres un lourd paquet de musique par voiture de poste jusqu'à Francfort, et de là par eau ou par terre + jusqu'en Holande *(sic)* et de là par mer jusqu'à Londres c'est trop lourd pour être expédié par courrier, j'entends [dire] que vous avez un fils à Londres et je crois que cela pourra être des plus faciles par votre bonté et connaissance + + Je vous prie seulement de me répondre aussitôt que possible à ce sujet, car il y a grand hâte.
« + mais par eau ce serait trop long.
« + + je vous rembourserai avec plaisir tous les frais. »
Vraisemblablement, cette lettre a trait à l'envoi projeté d'un paquet de musique contenant la *IXe Symphonie*. *(Lettres de Beeth. à la famille Brentano.)*

Cependant, fait encore inexpliqué, Beethoven, malgré les conditions posées par la Philharmonic, qui ne reçut la partition qu'après la première audition à Vienne, Beethoven offrait de dédier sa symphonie au roi de Prusse; Frédéric-Guillaume III ayant accepté, il le remercia en ces termes :

Votre Majesté!

C'est un grand bonheur dans ma vie que Votre Majesté m'ait très gracieusement permis de pouvoir lui dédier très humblement la présente œuvre.

Votre Majesté n'est pas seulement le père de ses sujets mais aussi le protecteur des arts et des sciences : combien plus ne dois-je donc pas me réjouir de votre très gracieuse permission, puisque je suis moi-même, comme citoyen de Bonn, assez heureux pour me compter parmi vos sujets.

Je prie Votre Majesté d'accepter très gracieusement cette œuvre comme un faible signe de la haute admiration que je professe pour vos vertus.

De Votre Majesté, le très humble et très obéissant sujet.

Ludwig VAN BEETHOVEN[1].

Cette lettre non datée est du mois de septembre 1826; le 13 octobre suivant, de Gneixendorf, où il se trouvait chez son frère Johann, Beethoven écrivait à son éditeur Schott en lui envoyant les indications métronomiques[2], mais sans doute était-il trop tard,

[1] CHANTAVOINE, p. 276.

[2] « Vous pouvez faire graver aussi ces mouvements à part », dit Beethoven. L'exemplaire de la Bibliothèque nationale de Paris, provenant de la collection Thierry-Poux, porte cette note : « Métronomisée par Beethoven pour la Société Philharmonique de Londres le 18 mars 1827 (Moscheles, I, 152). » Les mouvements ont été ajoutés de la même main que cette note, au crayon.

ou bien lui donnait-il les mouvements en vue d'une édition nouvelle, car la première n'en fait aucune mention. Elle forme un volume in-folio de 226 pages. Le titre est le suivant :

SINFONIE

Mit Schlusz-Chor über Schiller's Ode « An die Freude » für groszes Orchester, 4 Solo-und 4 Chor-Stimmen
componiert und

SEINER MAJESTAT dem KONIG VON PREUSSEN
FRIEDRICH WILHELM III

in tiefster Ehrfurcht zugeeignet
von
LUDWIG VAN BEETHOVEN.

125tes Werk.
Eigenthum der Verleger.
Mainz und Paris.

Bey B. Schott's Söhnen. Antwerpen. Bey A. Schott.

La copie manuscrite adressée au roi de Prusse (que possède la Bibliothèque royale de Berlin), porte le même titre, écrit entièrement de la main de Beethoven et forme un volume de 180 folios.

Récemment, écrit Beethoven à Wegeler, le 7 octobre, un certain docteur Spieker a emporté à Berlin ma dernière grande symphonie avec chœurs, elle est dédiée au roi et il a fallu écrire la dédicace de ma propre main. J'avais déjà auparavant sollicité de l'ambassade la permission, qu'elle me donna, de pouvoir dédier cette œuvre au roi. Sur l'invitation du docteur Spieker il a même fallu lui donner pour le roi le manuscrit corrigé avec les ratures de ma propre main, car il doit aller à la Bibliothèque royale. On m'a parlé là-bas de quelque chose comme l'ordre de l'Aigle rouge de deuxième classe; je ne sais pas l'air que ça peut avoir, car je n'ai jamais recherché ces distinctions honorifiques; pourtant à notre époque, et pour bien d'autres raisons, cela ne me déplairait pas[1].

Ce fut Spieker (le même sans doute que le rédacteur de la *Spernersche Zeitung*, qui devint le correspondant d'Adolphe Adam), qui se chargea d'emporter la partition à Berlin.

Quant au manuscrit original, il appartint autrefois à Schindler, il se compose de 136 folios; la fin, depuis le chœur qui suit l'air du ténor : « *Alle Menschen werden Brüder, wo die sanfter Flügel weilt* », manque. M. Malherbe en possède six feuillets[2].

II

De dimensions supérieures à toutes les précédentes Symphonies, la *IX*e comprend quatre parties, comme elles. Son orchestration est la plus nombreuse que Beethoven ait encore employée. Tandis que, dans la *VIII*e, il se contentait de deux timbales, en *fa* et en *ut*, deux trompettes en *fa*, deux cors en *fa*, deux flûtes, deux clarinettes, deux hautbois, deux bassons et du quatuor à cordes, dans la *Symphonie avec chœurs*,

[1] CHANTAVOINE, p. 278-279.

[2] Voir le *Katalog. der... Ausstellung* (Bonn, 1890), nos 203 et 202.

il emploie : deux flûtes, deux hautbois, deux clarinettes, deux bassons, *quatre* cors, deux trompettes, deux timbales et le quatuor dans les trois premiers mouvements; dans le finale, à partir de l'*alla marcia vivace*, il ajoute à cet orchestre trois trombones, un contre-basson, une petite flûte, un triangle, les cymbales et la grosse caisse, ces trois derniers instruments constituant la « musique turque ».

La durée des mouvements est de : 15 minutes pour le premier; 13, pour le second; 15, pour le troisième, et 26, pour le quatrième : une heure 9, au total.

I. *Allegro ma non troppo un poco maestoso (ré mineur,* 2/4). — Au-dessus de la quinte *la mi*, tenue pendant douze mesures par les seconds violons, les violoncelles en trémolo, et les cors auxquels se joignent successivement les clarinettes, hautbois et flûtes, se détachent aux premiers violons et altos les deux notes *la, mi* (1); l'oreille hésite encore entre les tona-

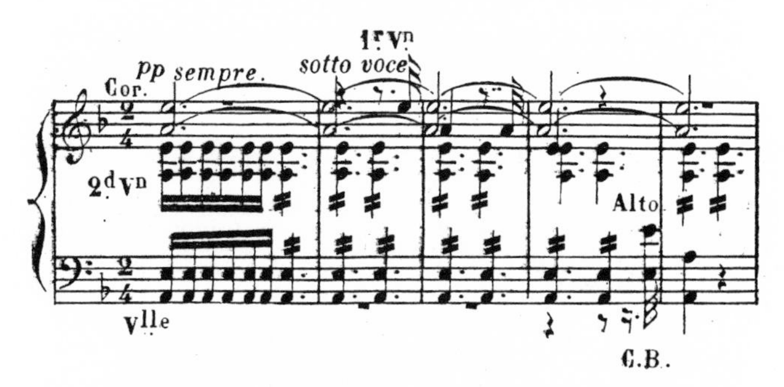

lités majeure et mineure; un *crescendo* de quatre mesures prolonge encore cette incertitude. Soudain, éclate *fortissimo*, au tutti, l'accord arpégé de *ré mineur*, scandé vigoureusement (2). La tonalité est établie.

Alors les premières mesures sont reprises en *ré*, suivies d'une variante du motif (2), en *si bémol majeur*. Les deux groupes principaux de l'orchestre, quatuor et instruments à vent, répètent alternativement quatre notes (2 *a*), qui joueront un grand rôle dans les développements ultérieurs, quatre notes de transition, qui concluent en *si bémol* d'abord, puis en *ré mineur*, et les instruments à vent proposent une nouvelle phrase (3), *ben marcato*, que les cordes accompagnent

sf (3 *bis*). Une accalmie subite laisse entendre deux

nouveaux motifs que se partagent les instruments à vent (4), *piano, dolce;* le quatuor *pizzicato* accompagne

le second en *si bémol.* Des gammes rapides parcourent l'orchestre *fortissimo;* au rythme énergique scandé par le tutti (5), succède une phrase brève aux vio-

loncelles et clarinettes, *dolce;* le tutti lui répond; les violons la reprennent d'abord en *si majeur*, puis, à peine l'ont-ils achevée, les flûtes, en *mi majeur*. *Pianissimo*, le rythme reste aux cordes graves, quatre mesures encore, puis de nouveau de longues gammes parcourent le quatuor, en *si majeur*. Une modulation enharmonique *(fa dièze, sol bémol)* laisse à peine le temps au ton de *si bémol mineur* de se faire jour, annonçant la tonalité majeure. Le rythme (5) reparaît bientôt au tutti, se dégageant de la mêlée sonore, et formant la conclusion de la première partie du mouvement (6). Celle-ci n'est pas répétée, comme dans les

autres symphonies, mais remplacée par une variante. Le *pianissimo* du début reparaît : la quinte *la mi* (1) occupe les cors et le quatuor, puis le motif (2 *a*), à l'harmonie, précède un retour de la première partie du même motif, en *si bémol*, mais aux violoncelles seuls. Les éléments qui ont servi à la première partie tantôt aux bois; puis aux violons et hautbois ensemble (7); puis le motif (4), *piano;* enfin, l'arpège reparaissent tour à tour variés, tantôt au quatuor,

du début (2), en *ré mineur* et en *ré majeur.* Le rythme marqué aux premières mesures de (5) revient aussi de temps en temps, préparant un unisson analogue à (6), sur l'accord de *ré mineur.* Aussitôt reparaît aux violons et bassons, *piano,* le motif (2), et ce rythme persiste jusqu'à ce que celui de (5) revienne le remplacer, précédant à l'harmonie une reprise de (2 *a*), qui divertit successivement le cor, le hautbois, le basson et la flûte et au quatuor, à l'unisson, *piano*, dans sa forme première. Lorsqu'il s'est éteint dans un *ritardando*, le quatuor gronde avec les bassons, *pianissimo* (8), préparant une rentrée de (6) et lorsque ce

rythme, répété à l'unisson en *ré majeur*, sous le trémolo toujours plus violent des cordes, a été redit une dernière fois, deux gammes rapides précèdent une dernière répétition, exactement dans sa forme originale de (2 *a*), par le tutti à l'unisson, répétition par laquelle se termine *fortissimo* l'*allegro*.

II. *Molto vivace (ré mineur,* 3/4). — Deux remarques doivent être faites avant d'analyser le second mouvement. D'abord, Beethoven ne lui a pas donné de dénomination spéciale, bien qu'on doive le considérer comme un scherzo, et l'un des plus caractéristiques qu'il ait écrits. Il s'est contenté, comme dans la *VIII*e *Symphonie*, d'indiquer le mouvement. Ensuite, au lieu de le placer au troisième rang, comme il a toujours fait jusqu'ici, il le met à la place du mouvement lent, réservant celui-ci pour servir d'antithèse au finale.

Une courte introduction marque le rythme ternaire dans lequel il est construit. Les cordes d'abord, puis la timbale seule, et le tutti arpègent l'accord de *ré mineur* (9). Deux mesures de silence. *Pianissimo*, un

thème de fugue est proposé par les seconds violons, dans la même tonalité; à la cinquième mesure, les altos répondent; quatre mesures plus loin, les violoncelles entrent à leur tour, puis les premiers violons; enfin, les contre-basses, cependant que l'harmonie, qui se complète peu à peu, ponctue légèrement cette course du quatuor (10). A la quarantième mesure, l'orchestre

ayant atteint le *fortissimo* en douze mesures, reprend

le motif en entier, de vingt mesures. Alors, paraît à l'harmonie un second motif (11), *piano*, accompagné

par le quatuor qui marque le rythme de l'introduction (9). Repris une seconde fois *crescendo*, ce motif en introduit un troisième (12), *fortissimo*, que le qua-

tuor souligne durant seize mesures par la note *ut* répétée selon le rythme (9). Tels sont les éléments de la première partie, qui se termine *pianissimo* par une répétition du rythme initial sur la dominante. Après la reprise, ce rythme reparaît *sempre pp*, chromatiquement, de l'*ut* au *mi bémol*, puis, après trois mesures de silence, *crescendo*, du *mi bémol* au *si naturel*. Un point d'orgue. La fugue reprend après cette rapide modulation, en *mi mineur*, aux bassons, clarinettes et hautbois (*ritmo di tre battute*, dit la partition); le quatuor ne faisant entendre que quelques notes *pizzicato;* puis, en *la mineur*, seule, la timbale donne la note *fa*, trois fois, sur le rythme (9), *forte. Piano*, l'orchestre répond durant deux mesures; la timbale reparaît; même réponse, et cela quatre fois de suite. Le *piano* se transforme en un *pianissimo* à l'harmonie et au quatuor troublés seulement par des éclats discrets de la timbale et du cor. Et le premier motif revient *pianissimo*, en *ut mineur*, au quatuor. Sans cesse maintenant, le cor et la timbale, *sempre pianissimo*, donnent la note *fa*, toujours sur le rythme initial, puis ils dominent, entraînant avec eux tout l'orchestre qui martèle *fortissimo* la note *la* avant de reprendre le premier motif en *ré mineur*. Une nouvelle accalmie ramène deux variantes du second motif (10), puis le troisième, en *ré*, tandis que le quatuor accompagne en répétant la note *ré*. La seconde partie prend fin bientôt, *pianissimo*, dans la tonalité de *fa majeur*. Après trois mesures de silence et la note *ré* répétée sept mesures alternativement par le quatuor et l'harmonie, soutenus par la timbale, elle est bissée. Cette reprise achevée, un *crescendo* arrête l'orchestre sur l'accord de dominante du ton de *ré;* la seconde partie du scherzo est reprise, en *ré mineur*, seize mesures, *crescendo, stringendo il tempo*.

Un *presto* à deux temps (C barré) fait entendre au tutti les deux notes, *la, la, ré, ré, la, la, la, la, ré*. Le ton de *ré majeur* succède à celui de *ré mineur*. *Piano*, le basson commence *staccato;* les hautbois et clarinettes exposent un nouveau motif de huit mesures (13) répété deux fois; très calme et d'un con-

traste inattendu avec le précédent; il est complété par un thème qui s'élève des violoncelles et altos, jusqu'aux violons (14). Ceux-ci reprennent alors l'accom-

pagnement du basson (12), en *ré*, *pizzicato*, tandis que le premier cor solo, sous cet accompagnement discret du quatuor, se divertit en reprenant le motif de la clarinette et du hautbois (12). La basse le reprend aussi, accompagnée par le seul hautbois, en *la*. La clarinette, le cor soutiennent l'accompagnement, et un rapide *crescendo* prépare, *fp*, le retour du même motif à la flûte et aux violons, les bassons et les cordes graves tenant l'accompagnement. Cette première partie du trio est répétée. Elle est alors suivie d'un développement très court qui emprunte ses différents éléments (11, 12, 13); sous les tenues prolongées de l'harmonie, qui a des sonorités de carillon, avec des alternatives de *ff* et de *piano*, les altos et violoncelles redisent une dernière fois le motif du basson (12), en *ré*. Tout s'éteint... Soudain, le quatuor à l'unisson marque violemment le rythme du scherzo (9). Les huit mesures de l'introduction reparaissent, et le *molto vivace* est répété *da capo*. Les neuf premières mesures du *presto* sont répétées aussi, par les bois, sur la pédale *ré* au quatuor : une mesure de silence... Un tutti énergique conclut par les deux notes : *la*, *la*, *ré*, *ré*, *la*, *la*, *la*, *la*, *ré*.

III. *Adagio (si bémol*, C). — Après ce « miracle de répétition dans la monotonie », Beethoven a placé l'*adagio* en si *bémol*, dont les douloureux accents vont précéder l'explosion du dernier mouvement.

Aux voix graves de l'harmonie, du second basson à la première clarinette, deux notes uniques, *sol*, *fa*, se superposent dans la première mesure; dans la seconde, l'accord de septième se forme, préparant l'accord tonique (15), sur lequel entrera le motif prin-

cipal, chanté par le quatuor, *mezzo voce;* les cors, bassons et clarinettes en reprennent quelques notes (mesures 5, 10, 16), et lorsque le quatuor est arrivé au terme de son développement, s'en emparent, tandis que les cordes marquent les temps de la mesure, *piano.* Mais ils ne terminent pas le motif et une modulation subite, *fa, sol dièze, ré dièze, mi dièze,* à la clarinette, introduit le ton de *ré majeur.*

Andante molto (3/4), les seconds violons chantent un nouveau motif (16); les hautbois et les bassons se joignent à eux, puis les flûtes, dans un *crescendo* passager. Ce second thème occupe l'orchestre dix-huit mesures. Le *tempo 1°* reparaît à C. Une nouvelle modulation subite de *ré* en *si bémol*, et le premier

violon varie le premier thème (17), accompagné *pizzi-*

cato par les seconds violons et les violoncelles, ainsi que par les cors, tandis que les bassons et clarinettes répètent comme au début quelques notes du motif. L'*andante* (16), à son tour, reparaît, en *sol*, aux flûtes, hautbois et bassons, et disparaît, *morendo pianissimo*. Nouvelle modulation, en *mi bémol majeur* cette fois, pour une nouvelle apparition de l'*adagio*, aux clarinettes et bassons; le quatuor souligne par des *pizzicati*. La voix d'un cor solo s'élève dans le silence d'une mesure, lentement (18). Les *pizzicati* des cordes ré-

pondent à cette voix solitaire, et dans une nouvelle mesure 12/8; mais, *lo stesso tempo*, le premier violon commence en *si bémol*, *dolce*, une nouvelle variation du premier motif (19). L'harmonie se contente d'ac-

compagner par de longues tenues qui répètent le motif en augmentation. Cette variation terminée, une autre lui succède, plus animée; ce sont maintenant des traits de violons plus rapides ou plus hachés. Un léger *crescendo* s'établit, puis, *decrescendo*, la fantaisie du violon prend fin et l'harmonie seule termine le motif, *decrescendo*. Soudain, comme un appel de trompettes, un unisson réveille l'orchestre assoupi (20), deux me-

sures; à cette agitation subite succèdent des accords de *fa mineur*, très doux, *espressivo*, et aux premiers violons reparaît la seconde variation du thème (19). Mais, dès la fin de la sixième mesure, un nouvel unisson l'interrompt; l'accord suivant, le même effet que tout à l'heure se reproduit, mais transformé en celui de *ré bémol*, préparant une rentrée du ton de *si bémol majeur. Dolce*, le violon tente de reprendre encore une fois sa variation; mais il n'en redit que la première mesure qui sert d'introduction à une nouvelle variation du thème, les flûtes, hautbois et bassons l'interrompent, le remplacent, animant cette reprise jusqu'au *fortissimo*, pour retomber aussitôt dans le calme de l'*adagio*. Seul, le violon s'anime encore une fois, lance un dernier trait sous le bruissement des altos, violoncelles et cors. Quelques notes du premier motif reparaissent, un dernier trait à l'harmonie, accompagné en mouvement contraire par les premiers violons agitent l'orchestre, et *piano*, quatre fois répété, l'accord tonique conclut paisiblement l'*adagio*.

IV. *Finale avec chœur. Presto* (*ré mineur*, 3/4). — Une fanfare de sept mesures (21) éclate *fortissimo* à

tout l'orchestre moins le quatuor, en *ré mineur;* puis un silence. A la fin de la mesure suivante, les violoncelles et contre-basses seules commencent *forte* le récitatif sur lequel se fera entendre la voix de basse : « selon le caractère d'un Récitatif, dit la partition, mais *in tempo* » (24). A la huitième mesure, une nouvelle tempête sonore l'interrompt, mais, au lieu de l'accord tonique de *ré mineur*, c'est l'accord dissonant de dominante du ton de *sol mineur* qu'on entend. Les basses continuent leur récitatif. L'orchestre conclut après six mesures par deux accords *forte*, suivis immédiatement d'une reprise en *la majeur*, *allegro moderato ma non troppo*, des premières mesures du premier mouvement (1). Cette fois la tonalité n'est plus indécise : les bassons, contre-basson et contre-basses tiennent la note *ut dièze*. Après huit mesures, un retour du *tempo 1°* ramène *fortissimo* la suite du récit des violoncelles et contre-basses, dix mesures suivies d'un point d'orgue. Nouvelle interruption *vivace*, en *la mineur*, à l'harmonie reparaît *piano* le premier motif du scherzo; au bout de huit mesures, nouveau retour du *tempo 1°* et, avec lui, du récit des basses, qui vient s'arrêter *diminuendo* sur l'accord de septième dominante du ton de *si bémol*. Mais alors, ce sont les deux premières mesures de l'*adagio cantabile* qui reparaissent *dolce*, à l'harmonie. Nouvelle intervention des basses, qui, modulant en *ut dièze mineur*, s'arrêtent *fortissimo* sur la dominante *sol dièze*. Alors est exposé *allegro assai*, le rythme grave et religieux du finale, celui sur lequel on entendra bientôt l'*Hymne à la Joie*.

Allegro moderato (*la majeur*, C). — Il est chanté *dolce* (22) par les hautbois, clarinettes et bassons au-

dessus de la pédale *la* tenue par les cors. Mais, après la quatrième mesure, *forte*, reparaît le récitatif à 3/4 des basses. Enfin, il est achevé; avec force, il vient conclure sur la note *la*, dominante de *ré*. L'orchestre, par deux accords, répond. Alors, *piano*, comme d'un lointain mystérieux, surgit aux instruments graves le motif qu'ont esquissé auparavant les bois. En *ré majeur*, *allegro assai*, il se déroule tout entier aux contre-basses et violoncelles, *piano* (23). Long de 24 me-

sures, il est répété aussitôt à l'octave supérieure par les altos et violoncelles, les contre-basses et le premier basson accompagnant, *sempre piano*, d'une phrase à laquelle la sonorité de ce dernier instrument donne un caractère presque comique. Impression fugitive; une troisième reprise introduit à l'octave aiguë les premiers violons, que soutient le reste du quatuor. Enfin, *forte*, tout le reste de l'orchestre, accompagné alors par le quatuor, qui scande la mesure, répète une quatrième fois l'ensemble du thème, et le développe de toute sa force. Un *poco ritenuto*, où les instruments aigus font seuls entendre quelques notes, précède un retour de la fanfare initiale, *preto* 3/4, en *ré mineur* (22).

La voix de basse s'élève alors, et dit (24) : « O amis, abandonnons ces sons, mais chantons des choses

plus agréables... » Le ton change; l'orchestre répond par deux accords de dominante et de tonique de *ré majeur*. La voix achève : « ... et plus joyeuses ! » Les bois aussitôt reprennent *dolce* le motif (22), déjà exposé par eux. Les voix de basse chantent : « Joie ! joie ! » A l'exposition du thème (22) succède la première strophe de l'*Ode à la Joie* (23), accompagnée à l'unisson par les violoncelles et les contre-basses et le contre-basson, le hautbois et la clarinette :

Joie, divine étincelle, fille aimable de l'Elysée, nous entrons, enivrés de tes feux, céleste Génie, dans ton sanctuaire. Tes charmes réunissent ce qu'a séparé le glaive de la mode, tous les hommes deviennent frères, là où s'arrête ton vol.

A la dix-septième mesure du thème (23, cinquième mesure), on entend les voix de ténor et d'alto. L'orchestre s'anime. Enfin, les voix des solistes se font entendre : alto, ténor et basse d'abord; à la cinquième mesure, le soprano complète le quatuor vocal; l'orchestre accompagne discrètement. Mais le chœur répond aux solistes, *forte* (25); à leurs voix se super-

posent les voix féminines; l'orchestre accompagne par des trilles que se partagent les basssons et les contrebasses; quelques notes légères aux bois.

Le chœur reprend au complet, *forte*, les dix dernières mesures. Subitement, sur les mots : « Et le Chérubin est debout devant Dieu! » le rythme devient grave et religieux (deux blanches par mesure) : les voix féminines s'élèvent lentement *fortissimo*, jusqu'au *la* aigu; par trois fois, des traits rapides de tous les instruments graves descendent la gamme de *la majeur*, sous les tenues prolongées une mesure de cette note, *fortissimo*. Un point d'orgue.

Allegro assai vivace, alla marcia (si bémol, 6/8). — A ce cri de foi et de joie, succède un rythme léger de marche; d'abord des notes très graves, aux bassons, contre-basson et contre-basses, avec la grosse caisse, marquent le rythme, douze mesures, *pianissimo*, entrecoupées de silence. Les flûtes et petite flûte et les clarinettes entrent alors, exposant avec le triangle et les cymbales le motif de la marche (26), qui n'est qu'une

variante du thème principal. Lorsqu'il a été exposé en

entier, par les seuls instruments à vent, *sempre pianissimo*, le ténor chante (27) :

Joyeux, comme volent les soleils du Très-Haut par la voûte splendide des cieux, suivez, frères, votre route; joyeux, comme un héros marche à la victoire.

Le chœur reprend, *forte*, avec celui-ci, et conduit l'orchestre à une fugue *sempre fortissimo*, développée d'abord par le quatuor, et à laquelle l'orchestre en tutti finit par prendre part. Les voix se sont tues; seuls, les instruments expriment la pensée du compositeur.

La bataille s'engage. On voit de jeunes guerriers se précipiter au combat dont le fruit sera la joie, comme pour nous dire : « Celui-là seul mérite la liberté et la vie, qui chaque jour doit la conquérir. » A cette prompte victoire, cent poitrines répondent par un chant d'allégresse qui n'exprime pas seulement l'espérance du bonheur, mais sa pleine possession. (Wagner.)

Préparée par une accalmie subite, de seize mesures *pianissimo*, la rentrée *fortissimo* du chœur et du tutti éclate; les voix clament de nouveau la première strophe à la Joie (la noire de (22) équivaut ici à une demi-mesure, ou une noire pointée). Un point d'orgue.

Andante maestoso (3/2), et toujours avec la même intensité, mais dans le seul registre grave (basses, ténors, trombone, basson, violoncelle et contre-basse), de nouvelles paroles sont chantées (28) : *Seid umschlungen, Millionen...*

Millions d'êtres, soyez embrassés, d'une commune étreinte! Au monde entier ce baiser! Frères,... au-dessus de la tente étoilée doit habiter un bon père.

Tout le chœur, avec l'orchestre complet (moins les cors, et timbales), reprend *fortissimo* et cette strophe se poursuit comme une sorte de dialogue, le chœur répétant les paroles après les voix de basses. La strophe se termine sur un *adagio ma non troppo, ma divoto.* Après un nouveau *forte,* elle s'éteint *pianissimo.*

Un *allegro energico sempre ben marcato* lui succède. Le soprano, dans le rythme 6/8, reprend les premières paroles de la première strophe : *Freude...* Une nouvelle variante du premier motif, combinée avec le motif : *Seid umschlungen,* aux altos (29). Des traits

de violon d'abord, puis des bassons et des cordes graves, accompagnent, tandis que le reste de l'orchestre suit les deux motifs juxtaposés. Les voix de basse font de même, et le tutti des instruments et des voix les ayant développés longuement de toute leur puissance, une nouvelle accalmie laisse les voix et les instruments graves proposer l'interrogation : « Monde, pressens-tu le Créateur ? » en notes détachées. Les voix aiguës répètent : « Frères... au-dessus de la tente étoilée, doit habiter un père chéri ! » Le dernier vers se perd dans les régions aiguës de la voix *pianissimo*. Un silence...

Allegro ma non tanto (ré majeur, C barré). — Les solis et les chœurs alternent maintenant; quatre mesures, les violons annoncent *piano* un nouveau motif en *sol* modulant en *ré* (30), que vont chanter les voix

à la cinquième mesure (31). Les voix de femme soli

reprennent à la quatrième mesure de ce motif. L'orchestre réplique en *ré*, *pianissimo* (flûte, hautbois, clarinettes, bassons, quatuor), cinq mesures. Les voix reparaissent, *sempre pianissimo*, de l'aigu au grave; un nouveau motif succède aussitôt (32), bientôt répété

par le chœur, *piano*, et qui s'anime jusqu'au *fortissimo*, sur les mots : « partage ce que la mode unit. » Il continue : « Tous les hommes deviennent frères... » Un subit *piano poco adagio* termine cette phrase. Au retour du *tempo 1°*, *piano*, l'harmonie expose le motif (31), que les voix reprennent *crescendo*, et sur les dernières paroles : « Tous les hommes », les quatre voix soli reviennent et achèvent en *si majeur*, au milieu du silence presque général de l'orchestre, en vocalisant. Les voix se reposent sur l'accord de *si mineur*. Huit mesures, l'orchestre reste seul (*poco allegro stringendo il tempo*, *sempre più allegro*, *ré majeur*, C barré), réunissant toutes ses forces, y compris la « musique turque ». Alors, le *prestissimo* préparé éclate *fortissimo;* les deux motifs (29) reparaissent, le premier à l'orchestre, le second aux voix (33), embrassant tout l'ensemble sonore.

Maestoso, interrompant ce mouvement rapide, un 3/4 amène, deux mesures seulement, un peu de calme, précurseur de la tempête finale. Au milieu du tumulte déchaîné qui reprend aussitôt, *sempre ff*, en *ré*, les violons redisent une dernière fois le motif (29) qui, par l'accord de *ré majeur*, répété treize mesures, achève l'*Hymne à la Joie*, dans un déchaînement de toutes les sonorités instrumentales.

Texte du Lied de Schiller.

A LA JOIE[1].

* Joie, divine étincelle, fille aimable de l'Elysée, nous entrons, enivrés de tes feux, céleste Génie, dans ton sanctuaire. Tes charmes réunissent ce qu'a séparé le rigoureux usage; tous les hommes deviennent frères, là où s'arrête ton doux vol[2] :

Le Chœur.

* Millions d'êtres, soyez tous embrassés, d'une commune étreinte ! Au monde entier ce baiser ! Frères,... au-dessus de la tente étoilée doit habiter un bon père.

* Vous à qui échut l'heureux destin d'être l'ami d'un ami, vous qui avez conquis une aimable compagne, mêlez vos transports aux nôtres ! Oui — qui a pu seulement nommer *sienne, une âme*, sur le globe terrestre ! Mais celui qui jamais ne l'a pu, qu'il s'esquive en pleurant de notre réunion !

Le Chœur.

Que tout ce qui habite le cercle terrestre, rende hommage à la sympathie ! Elle nous guide vers les astres.

* Tout être boit la Joie sur le sein de la Nature ; tous les bons, tous les méchants suivent sa trace semée de roses. Elle nous donna les baisers, la vigne; un ami éprouvé jus-

1 Les vers précédés d'une * ont seuls été mis en musique par Beethoven.

2 Variante de la première édition (*Thalie*, 1785) : « ce qu'a séparé le glaive de la mode » — « et les mendiants deviennent frères des princes, là où... »

qu'à la mort. Le plaisir est le partage du vermisseau, et le chérubin est debout devant Dieu.

Le Chœur.

* Vous vous prosternez, millions d'êtres? Monde, pressens-tu le créateur? Cherche-le au-dessus de la tente étoilée, c'est par-delà les étoiles qu'il doit habiter.

La Joie, c'est le nom du puissant ressort de la nature éternelle. C'est la Joie, la Joie qui meut les rouages dans la grande horloge du monde. Son attrait fait éclore les fleurs de leurs germes; du firmament, les soleils; elle roule des sphères dans les espaces que ne connaît pas la lunette de l'astronome.

Le Chœur.

* Joyeux, comme volent les soleils du Très-Haut par la voûte splendide des cieux, suivez, frères, votre route; joyeux, comme un héros marche à la victoire.

De l'éclatant miroir de la vérité la Joie sourit au génie scrutateur. Elle guide le martyr vers la cime escarpée de la vertu. Sur le mont radieux de la foi on voit flotter ses bannières par la fente des cercueils qui éclatent, on la voit debout dans le chœur des anges[1].

Le Chœur.

Souffrez, avec courage, millions d'êtres; souffrez pour un monde meilleur! Là-haut, par-dessus la tente étoilée, un Dieu puissant récompensera.

Il n'est point de salaire pour les Dieux : il est beau de leur être semblable. Mais le chagrin, la pauvreté viennent à nous et se réjouissent avec les joyeux. Oublions la haine, la vengeance! pardonnons à notre ennemi mortel : que nulle larme ne pèse sur son cœur; que nul remords ne le ronge!

[1] Var. de la première édit. : « Qui enfanta les merveilles des mondes? Où est le Fort qui la maintient? Frères du haut de la tente étoilée, un grand Dieu nous fait signe. »

Le Chœur.

Détruisons notre livre de dettes ! Que le monde entier soit quitte envers nous ! Frères... au-dessus de la tente étoilée, comme nous aurons jugé Dieu jugera.

La Joie pétille dans les verres; dans le sang doré de la grappe, les cannibales boivent la douceur, et le désespéré un courage de héros. Frères... debout ! Quittez vos sièges lorsque le verre plein circule; faites jaillir au ciel la mousse : buvons ce verre au bon Génie !

Le Chœur.

A celui que louent les tourbillons des astres, à celui que célèbre l'hymen du séraphin ! *ce verre au bon Génie*, là-haut par-delà la tente étoilée !

Le Chœur.

Courage et force dans les dures souffrances ! secours où pleure l'innocence ! aux serments jurés, foi éternelle ! la vérité à tous, amis et ennemis ! mâle fierté devant les trônes des rois ...Frères, dût-il en coûter les biens de la vie... au mérite ses couronnes, et ruine à la couvée du mensonge[1].

Le Chœur.

Resserrez le cercle saint ! jurez, par ce vin doré, d'être fidèles à ce serment; par le juge des astres, jurez-le[2].

[1] Var. de la première édit. : « Qui enfanta les merveilles rois ! un cœur sensible (littér. : *un sang chaud)* aux juges durs ! »

[2] Dernière strophe de la première édition : « Délivrance des chaînes des tyrans ; magnanimité envers le scélérat ; espérance au lit des mourants ; grâce sur l'échafaud ! Que les morts même vivent ! Frères, buvez et chantez ensemble : « Qu'il soit pardonné à tous les pécheurs, et que l'enfer ne soit plus ! »

III

La *IXe Symphonie*, terminée dans le courant du mois de février 1824, il ne se passa guère plus de deux mois avant que Beethoven la fît exécuter, à Vienne. Mais cela n'alla pas sans difficulté. A Vienne comme à Paris, la révolution opérée par les triomphes de Rossini avait bouleversé le goût du public musical. L'opéra allemand était délaissé : seul, *le Freyschütz* de Weber obtenait grâce à ses yeux, mais plutôt pour les accessoires que pour la musique.

Beethoven se trouvait donc avec deux grandes œuvres inédites, la *Messe* en *ré* et la *Symphonie avec chœurs*, qu'il terminait, lorsque, vers le jour de l'an de 1824, s'étant adressé à la *Gesellschaft der Musikfreunde*, pour lui demander, « à cause des frais énormes et du résultat incertain », de bien vouloir faciliter leur exécution, il en reçut une réponse négative (9 janvier). Il se tourna alors du côté de la Prusse et proposa au comte de Brühl, intendant des théâtres royaux, de donner, à Berlin, la première audition de ses deux nouveaux ouvrages. L'intendant prit la demande de Beethoven en considération, et se montra disposé à accepter et à en encourager son projet. Il n'en fallut pas plus pour décider un groupe d'amateurs et d'artistes viennois à préparer l'organisation du concert fameux du 7 mai 1824.

Depuis longtemps déjà, dit l'annonce parue, *post festum*, dans l'*Allgemeine musikalische Zeitung*, on parlait du concert dans lequel Beethoven doit faire entendre sa nouvelle Messe et une Symphonie qu'il vient de terminer. Les bruits les plus contradictoires se répandent sur le local [dans lequel il aura lieu]; tantôt on parle du théâtre an der Wien, tantôt de la salle du Landstand [diète de province], ou de la salle de l'Université; enfin du Kärthnerthortheater. Le mouvement a été donné par une société d'élite d'amis de la musique; dans une adresse, ceux-ci l'invitent [Beethoven] obligeamment à rompre son silence prolongé et à donner à ses admirateurs la joie d'entendre exécuter ses œuvres les plus récentes[1].

On connaît le texte de cette adresse.

Nous vous supplions, disaient les signataires, d'épargner cette honte à la capitale et de ne pas permettre que les nouveaux chefs-d'œuvre sortent du lieu de leur naissance avant d'être appréciés par les nombreux admirateurs de l'art national.

... Est-il besoin de vous assurer que, lorsque tous les regards se tournaient vers vous avec espoir, tous remarquaient, avec tristesse, que l'homme que nous devons nommer avant tout autre dans son domaine comme le plus éminent parmi les vivants, restait silencieux, alors qu'un art étranger foule le sol allemand et trône à la place de la musique allemande, que les œuvres allemandes sont rejetées dans l'oubli par la mode étrangère régnante, et qu'au temps où les hommes les plus remarquables ont vécu et travaillé, une seconde enfance menace de succéder à l'âge d'or de l'art?

Vous seul pouvez contenter nos aspirations vers le bien, par une victoire complète. De vous, la nation attend une vie nouvelle, de nouveaux lauriers, et un nouveau règne du vrai et du beau, malgré la mode du jour, qui vient troubler les lois éternelles de l'art musical. Donnez-nous l'espérance de voir bientôt satisfaits les désirs que votre art divin a suggérés. Puisse l'année qui vient de commencer ne pas finir sans que nous puissions vous remercier du bon résultat de

[1] *Allg. musikal. Zeit.*, 20 mai 1824, col. 346.

notre démarche! Puisse le printemps prochain refleurir doublement, de vos dons pour nous et pour le monde artistique!
Février 1824.

Signée de trente noms de nobles, de gens riches et d'artistes : prince Lichnowsky, Artaria, Streicher, l'abbé Stadler, Diabelli, le comte Palfy, Mosel. Czerny, Zmeskall, Sonnleithner, Steiner, etc., l'adresse fut remise à Beethoven par deux des signataires, le financier Felsburg, Bankliquidator, qui l'avait rédigée, et Bihler, intendant de la maison du baron de Puthen. Beethoven prit le papier, remercia et congédia ces messieurs sans avoir lu. Schindler, au courant de la démarche, voulut connaître l'impression immédiate que la lecture de ce document allait faire sur le maître; il le rejoignit donc aussitôt.

Je trouvai Beethoven avec ce promemoria à la main, dit-il. Après qu'il m'eût fait connaître ce qui venait de se passer et avoir parcouru encore une fois la feuille, il me la donna avec un calme inaccoutumé, et, s'approchant de la fenêtre, il se mit à regarder les nuages courir dans le ciel. Je ne pus douter qu'il ne fût très profondément ému. Après avoir lu, je posai le papier et me tus, attendant s'il allait commencer la conversation. Après un long silence, pendant lequel ses regards ne cessaient de suivre les nuages, il se retourna et me dit d'une voix très forte qui trahissait son émotion intime : « C'est vraiment très beau!... Çà me fait plaisir[1]! »

Beethoven réfléchit quelques jours, puis accepta et, les hésitations levées sur le lieu de la manifestation projetée, les travaux préparatoires commencèrent et

[1] SCHINDLER, cité par WASIELEWSKI, II, p. 128.

bientôt le programme suivant, visé par la police, fut affiché :

Grande séance musicale, donnée par M. Ludwig van Beethoven. Les compositions qui seront exécutées sont les dernières sorties de la plume de M. Ludwig van Beethoven.

Premièrement : Grande ouverture (œuvre 124).

Deuxièmement : Trois grandes hymnes avec soli et chœurs[1].

Troisièmement : Grande symphonie avec un finale où entrent des soli et des chœurs sur le texte de l'*Ode à la Joie* de Schiller.

Les soli seront chantés par Mlles Sontag et Ungher, MM. Haitzinger et Seipelt. La direction de l'orchestre est confiée à M. Schappanzigh[2]; l'ensemble sera dirigé par M. le kapellmester Umlauf, et le Musikverein a bien voulu, par complaisance, renforcer la troupe instrumentale et vocale.

M. Ludwig van Beethoven, en personne, prendra part à la direction du Concert.

Les répétitions terminées, non sans peine, car les solistes eurent les plus grandes difficultés pour apprendre leurs parties et Beethoven dut batailler avec eux pour les leur faire chanter dans leur intégrité, le concert eut lieu, à la date fixée, le 7 mai 1824.

Schuppanzigh[3] était à la tête des premiers violons,

1 Le maître de la police Sedlintsky, sur l'avis de l'archevêque de Vienne, avait défendu d'indiquer sur un programme de théâtre les fragments de la *Messe* en les désignant par les mots sacrés de *Kyrie, Credo, Agnus Dei (!)*. Le comte Lichnowsky suggéra alors à Beethoven de qualifier ces fragments d' « Hymnes avec soli et chœurs ».

2 L'expression allemande traduite ainsi signifie simplement que le *Concertmeister* ou premier violon était Schuppanzigh. Le « chef d'orchestre » était Umlauf.

3 Le 1er mai, Schuppanzigh avait donné à l'Augarten un concert dans lequel la *Symphonie* en *ut mineur* fut ainsi exé-

Umlauf dirigeait, ayant à côté de lui le maître, qui indiquait le mouvement au début de chaque morceau. Le succès fut immense, enthousiaste.

Lorsque, rapporte Karl Holz, dans la seconde partie du scherzo, au *ritmo di tre battute*, les timbales jouèrent seules le motif, le public éclata en applaudissements tels, qu'ils couvrirent l'orchestre. Les pleurs mouillaient les yeux des exécutants. Le maître indiquait toujours la mesure, jusqu'à ce qu'Umlauf, d'un mouvement de main, lui eût montré l'émotion du public. Il regarda autour de lui et — s'inclina, *très calme.*

A la fin du concert, ce fut une ovation délirante. Toute la salle était debout, manifestant bruyamment.

Alors, dit Schindler, Caroline Ungher eut la bonne idée d'amener le maître au bord du proscenium et de lui faire remarquer les cris de joie de la foule agitant chapeaux et mouchoirs. Il remercia en s'inclinant. Ce fut le signal d'une explosion de joie inouïe, qui ne cessa qu'au bout d'un certain temps et d'acclamations de gratitude pour le haut plaisir qu'on venait d'éprouver[1].

M. Weingartner eut, il y a quelques années, l'heureuse surprise de rencontrer, à Bruxelles, un témoin oculaire du dernier triomphe de Beethoven ; c'était une dame Grebner, nonagénaire, qui avait chanté, au concert du 7 mai 1824, les chœurs de l'*Ode à la Joie*. Elle avait seize ans à cette époque. D'après ses souvenirs, M. Weingartner écrit :

Pendant les répétitions et le jour du concert, Beethoven, afin de pouvoir entendre autant que son infirmité le lui per-

cutée, partiellement : l'*allegro* et l'*andante* au début, et le *finale* comme dernier morceau (*Allg. musikal. Zeit.*, 1er juillet 1824, col. 437).

[1] SCHINDLER, cité par WASIELEWSKI, I, p. 251.

mettait, se plaça au milieu des exécutants. Il avait devant lui un pupitre, sur lequel était placé son manuscrit. La vénérable dame, alors toute jeune fille, n'était éloignée que de quelques pas de ce pupitre, elle avait donc continuellement Beethoven devant les yeux. Elle me le dépeignit ainsi que la tradition nous l'a transmis, comme un homme trapu, mais robuste, quelque peu corpulent, le visage rouge, grêlé, les yeux noirs et perçants. Ses cheveux grisonnants lui tombaient souvent en grosses mêches sur le front. Sa voix était devenue une basse sonore, mais il parlait peu, presque toujours plongé dans sa partition. Cela faisait une impression tragique de penser qu'il n'était pas capable de suivre la musique. Bien qu'il parût la suivre par la lecture, il tournait plusieurs pages à la fois à la fin de chaque morceau. Pendant l'exécution, un monsieur lui frappa sur l'épaule et le tourna vers le public. Les mouvements des mains qui applaudissaient, des mouchoirs agités, le décidèrent à s'incliner, ce qui déchaîna un enthousiasme immense. L'impression laissée par la première audition de cette œuvre fut énorme. De temps à autre, pendant l'exécution, des applaudissements éclataient. Mme Grebner se rappelait une de ces interruptions, à l'entrée subite des timbales dans le scherzo. Cela fit l'effet d'un éclair et provoqua une subite explosion d'enthousiasme : Pour qui connaît le public viennois, cela n'a rien d'extraordinaire. Aujourd'hui encore, le Viennois, comme le Parisien, possède une remarquable délicatesse de sensibilité qui lui fait saisir instantanément les détails charmants. Une phrase bien jouée ou bien chantée, un effet instrumental survenant à l'improviste, provoque chez lui un écho immédiat, tandis que l'Allemand du Nord attend l'effet de l'impression totale pour se faire une opinion. Il n'y a donc rien d'étonnant à ce que l'intervention extrêmement originale de la timbale dans le scherzo de la *IXe Symphonie* ait été jugée et comprise sur l'heure, comme un éclair de génie[1].

La première audition de la *Symphonie avec chœurs*

[1] *Allgemeine Musik. Zeitung*, 5 janvier 1900, p. 7-8.

fut donc, de l'avis unanime des témoins oculaires, un succès sans précédent, — et sans second, — à l'adresse de Beethoven. Voyons maintenant quel fut le jugement de la presse.

Ce n'est que dans son numéro du 1er juillet que l'*Allgemeine musikalische Zeitung* donna le compte rendu de la « grande académie musicale de M. Ludwig van Beethoven, membre honoraire de l'Académie royale des Arts et Sciences de Stockholm et de celle d'Amsterdam, citoyen d'honneur de Vienne[1], où furent exécutées ses nouvelles productions... » (suit le programme.)

M. Schuppanzigh était à la tête des violons, M. le kapell meister Umlauf tenait le bâton de commandement, et le compositeur lui-même prit part à la direction de l'ensemble; il se tenait auprès du maréchal en fonctions, et déterminait l'entrée de chaque *tempo*, en suivant dans sa partition ori ginale, car malheureusement son état de surdité ne lui permettait pas d'autre plaisir.

Mais, où trouver des mots pour rendre compte à mes sympathiques lecteurs de cette œuvre gigantesque et surtout après *une seule* audition, qui se déroula d'une façon rien moins que satisfaisante, du moins en ce qui concerne la partie de chant, dont trois répétitions[2] n'arrivèrent pas à surmonter les difficultés extraordinaires; il ne saurait donc, à proprement parler, être question ni d'une imposante force d'ensemble, ni d'une distribution convenable d'ombres et de lumière, de sûreté absolue d'intonation, de demi-teintes douces et d'une exécution nuancée. Et cependant, l'impres-

[1] Le premier programme, rédigé par le poète Bernard, portait ces différents titres de Beethoven, qui les fit supprimer dans la rédaction définitive.

[2] Il n'y eut en réalité que deux répétitions d'ensemble, Duport, directeur du théâtre ayant employé le temps convenu pour la troisième à faire répéter un ballet.

sion fut indiciblement imposante et grandiose, et l'ovation enthousiaste qui fut décernée cordialement au maître vénéré, dont le génie inépuisable nous a découvert un monde nouveau et dévoilé les mystères merveilleux, jamais encore pressentis et entendus, de l'art sacré...

La symphonie peut hardiment se mesurer avec ses sœurs; aucune d'elles ne peut lui porter ombrage. L'originalité suffit à prouver sa paternité, mais tout y est nouveau... Le rédacteur, de sang-froid devant son pupitre, ne pourra jamais oublier ce moment; art et vérité célèbrent ici leur triomphe absolu, et l'on pourrait dire en toute justice : *Non plus ultra!* — A qui pourrait échoir la mission de dépasser ces inaccessibles limites? Cela est du domaine de l'impossible : toutes les strophes du poëme, écrites pour soli et pour chœur, changeant de mouvement, de ton, de mesure, et toutes les parties sont traitées chacune avec une telle supériorité, qu'il doit être impossible de parvenir à un semblable effet; oui, les admirateurs les plus chauds, les partisans les plus ardents du compositeur sont presque persuadés que ce finale, vraiment unique en son genre, devrait produire, dans une forme plus concentrée, un effet encore infiniment supérieur, et le compositeur lui-même partagerait ces vues, si l'impitoyable destin ne lui avait ravi la possibilité d'entendre ses propres compositions. *Une seule* chose est à souhaiter, *un seul* désir, c'est une nouvelle exécution de ces œuvres merveilleuses.

Par parenthèse : la recette, — sans que l'abonnement des loges et des fauteuils ait été augmenté, — fut de 2,200 florins, valeur viennoise, dont l'administration prit pour l'abandon de la soirée, le personnel de l'orchestre et du chant, 1,000 fl.; la copie coûta 700 fl. — les frais accessoires s'élevèrent à 200 fl.; reste net : 300 fl. v., 120 fl. en argent. — Maintenant Beethoven travaille à la composition de *Mélusine*, opéra de Grillparzer, et d'une cantate dont le poëme est de Bernard[1].

Ainsi, le résultat matériel de tant d'efforts fut une

[1] *Allg. musikal. Zeit.*, 1er juillet 1824, col. 437-442.

somme dérisoire : 300 francs environ ; 300 francs pour récompenser Beethoven d'avoir « découvert un monde nouveau, dévoilé les mystères insoupçonnés de son art sacré » ! Bien compréhensible est sa colère, lorsqu'il apprit un pareil résultat, que Schindler vint lui annoncer.

Je lui remis le rapport de la caisse, raconte le fidèle secrétaire. Lorsqu'il l'eût examiné, il s'affaissa par terre. Nous [Hüttenbrenner et Schindler] le relevâmes et le portâmes sur le sofa. Nous veillâmes à ses côtés très tard dans la nuit : il ne demanda rien, pas même à manger, et ne prononça pas un mot à haute voix. Enfin, lorsque nous vîmes que Morphée lui avait fermé doucement les yeux, nous nous éloignâmes. Ses gens le retrouvèrent le lendemain matin, endormi à la même place, encore revêtu de sa toilette de concert.

Quelques jours après, Schindler offrit, à Beethoven, un dîner dans un restaurant du Prater, auquel il convia Mlles Sontag et Ungher, le kapellmeister Umlauf, Barth, Kannerl, le poète Grillparzer, Schuppanzigh; Johann et le neveu Carl y assistèrent également. Le repas fut interrompu par une colère terrible de Beethoven, se plaignant du résultat misérable du concert; il accusait Schindler de l'avoir trompé, en compagnie de Duport. Umlauf et Schuppanzigh lui démontrèrent en vain que la chose était impossible, son neveu Carl et son frère Johann ayant eux-mêmes surveillé les caissiers. Beethoven n'en voulut pas démordre et persista dans son affirmation gratuite. Schindler et Umlauf, bientôt suivis de Schuppanzigh, prirent le parti de quitter la table et d'aller achever en ville le repas si désagréablement interrompu. Peu après, Beethoven adressait une lettre très blessante à son secrétaire :

Je ne vous accuse de rien de mal pour le concert, lui disait-il, mais la maladresse et des démarches arbitraires ont gâté bien des choses; d'ailleurs, j'ai une certaine peur de vous et qu'un grand malheur ne me menace un jour de votre fait. Les écluses bouchées s'ouvrent parfois soudain, et le jour du Prater, j'ai cru être attaqué par vous sur certains points d'une manière fort sensible; d'ailleurs, j'aimerais mieux chercher à récompenser souvent les services que vous me rendez par un petit cadeau, qu'en vous ayant *à ma table;* car, je l'avoue, cela me dérange trop en bien des choses; si vous ne me voyez pas le visage joyeux, vous dites : « Aujourd'hui, il faisait encore mauvais temps. » Et avec votre vulgarité, comment vous serait-il possible de ne pas méconnaître ce qui n'est pas vulgaire?!!! Bref, j'aime trop ma liberté; je ne manquerai pas de vous inviter mainte fois, mais pour constamment, c'est impossible, car cela trouble tous mes arrangements.

Duport, satisfait du résultat obtenu par l'académie du 7 mai, offrit à Beethoven d'en organiser une seconde quinze jours plus tard ; il se chargeait de tous les frais et garantissait au maître une somme de 500 florins. Beethoven accepta.

Duport nous donne mardi prochain pour le concert, poursuit-il dans la même lettre à Schindler, car pour le landständischer Saal, que j'aurais pu avoir demain soir, il ne fournit pas les chanteurs; il s'est encore adressé à la police; allez-y, s'il vous plaît, avec ce papier et sachez si l'on n'a rien à objecter à un second concert. Je n'aurais jamais accepté pour rien les complaisances que vous m'avez témoignées et je ne le ferai pas non plus. Quant à l'amitié, c'est une tâche difficile avec vous; je ne voudrais en aucun cas vous confier mon bien, car vous manquez de réflexion, vous agissez arbitrairement, et autrefois déjà, j'ai appris à vous connaître d'une façon désavantageuse pour vous, *comme d'autres aussi;* je l'avoue, la pureté de mon caractère n'admet pas que je récompense par la simple amitié vos complaisances pour moi, bien que je sois tout prêt à vous servir volontiers en ce qui touche votre bien[1].

Le concert eut lieu aux jour et heure fixés, le 23 mai, à midi, dans la grande salle des Redoutes. Le programme comprenait :

1. Grande Ouverture;
2. Nouveau Trio[2], chanté par Mme Dardahelli, Mlles Donzelli et Boticelli;
3. Grande Hymne *(Kyrie);*
4. Air *(Di tanti palpiti),* chanté par David;
5. Grande Symphonie.

Malgré les concessions faites au goût du jour par l'introduction d'un air de Rossini, au lieu des fragments de la *Messe*[3] « ce programme n'attira pas la foule à la salle des Redoutes, car l'heure de midi était incommode pour tout le monde[4] ». Cette entreprise coûta à Duport quelques centaines de florins.

Les deux auditions de la *IXe Symphonie,* les 7 et 23 mai 1824, furent les seules auxquelles Beethoven put jamais assister.

La partition n'était pas encore publiée que, l'année

[1] *Corresp. de Beethoven,* trad. CHANTAVOINE, p. 234-235.

[2] C'était le trio *Tremate, empj, tremate.* « Nous l'avions déjà entendu il y a douze ans », dit le correspondant de l'*Allg. musik. Zeit.* (8 juillet 1824, col. 452).

[3] La Sontag chanta en outre un air de bravoure de Mercadante (MARX, II, p. 274).

[4] *Allg. musik. Zeit.,* 8 juillet 1824, col. 452.

suivante, le vendredi-saint 1er avril, Guhr en dirigeait, à Francfort, la première audition hors d'Autriche[1]. Peu après, le jour de la Pentecôte, la seconde audition en Allemagne avait lieu par les soins et sous la direction de Ries, au festival Bas-rhénan, à Aix-la-Chapelle. Le 9 avril 1825, Beethoven adressait à son ancien élève, revenu depuis peu d'Angleterre, quelques corrections à faire dans la partition.

Je vous aurais volontiers envoyé ma partition, lui écrit Beethoven, mais j'ai encore un concert en perspective, et ce manuscrit est la seule partition que j'aie[2].

La première exécution au festival Bas-rhénan eut lieu le 23 mai (seconde journée du festival), à Aix-la-Chapelle; elle ne fut que partielle, le finale et une partie de l'*adagio* ayant été supprimés. Le compte rendu de la *Gazette musicale* était moins enthousiaste que lors de la première exécution à Vienne : « Malgré tout, écrit son correspondant rhénan, on peut dire de Beethoven ce qu'on a dit de Haendel : grand, — même dans ses erreurs[3]. »

La troisième audition, en Allemagne, fut donnée au Gewandhaus de Leipzig, le 6 mars 1826. Trois jours plus tard, dit Grove, l'appel suivant parut dans les journaux (9 mars) :

Requête : — L'honorable comité des directeurs des con-

[1] *Allg. musik. Zeit.*, 27 avril 1825, col. 279-280. Cinquante ans plus tard, Guhr en dirigeait encore une exécution au Muséum de Francfort, le 20 mars 1874.

[2] Ries, *Notice*, p. 208. Le concert auquel Beethoven fait allusion n'eut pas lieu.

[3] *Allg. musik. Zeit.*, 29 juin 1825, col. 446-447.

certs est vivement prié de donner, s'il est possible, une seconde audition de la dernière Symphonie de Beethoven, au concert pour les pauvres, du dimanche des Rameaux, afin qu'une répétition de ce noble poëme en fasse plus profondément sentir la grandeur[1].

Cette seconde exécution eut lieu le 29 mars. Une troisième (sans le finale) fut donnée le 19 octobre de la même année. Un compte rendu, attribué à Fink, parut alors dans l'*Allgemeine musikalische Zeitung* :

Beethoven est toujours un magicien; et il lui a plu en cette occasion de s'élever jusqu'au surnaturel; en quoi le rédacteur ne l'approuve pas[2].

Il nous a semblé, dit un autre compte-rendu, que la musique marchait non plus avec ses pieds, mais sur la tête. La dernière phrase est le chant des damnés précipités du ciel; on dirait que les esprits des abîmes célèbrent des réjouissances. Notable erreur d'un maître atteint d'une surdité complète. Nous avons la bonne fortune de n'être pas encore assez aveugles, pour ne pas voir l'admirable tissu de notes et des masses sonores imposantes qui forme cet ouvrage; nous admettons qu'il y ait de l'art dans cet édifice; mais nous en comparons l'ensemble au misérable village de Louqsor construit sur les ruines de la glorieuse Thèbes[3].

Cependant, la Philharmonic de Londres, dès qu'elle eût reçu sa copie de la partition, mettait la nouvelle Symphonie à l'étude. Formant la seconde partie ou « acte » du programme, elle fut exécutée le 21 mars 1825, sous la direction de sir George Smart; le chœur était chanté sur des paroles italiennes (le programme

1 GROVE, p. 340.
2 *Allg. musik. Zeit.*, 27 décembre 1826, col. 853.
3 *Ibid.*, 9 avril 1826, col. 245.

imprimé donnant la traduction anglaise en prose); Mme Caradori, miss Goodall, Vaughan et Philipps chantèrent les soli. L'exécution dura une heure et quatre minutes. Malgré les efforts de sir George Smart, qui multiplia les répétitions, l'œuvre de Beethoven n'obtint pas les suffrages des auditeurs. William Ayrton, le rédacteur de *The Harmonicon*, trouvait que, malgré « beaucoup de matière, de beaux effets, même d'une technique habile qui permettraient d'en faire une admirable symphonie de durée normale », cette composition était malheureusement « d'une longueur démesurée », avec des « développements filandreux ». Cela était écrit après les répétitions. Après l'exécution elle-même, Ayrton s'exprimait ainsi :

Nous n'avons aucune raison de modifier l'opinion émise par nous dans le numéro précédent... Dans la présente Symphonie, nous ne découvrons pas une diminution du génie créateur de Beethoven; elle offre de nombreux traits parfaitement neufs et, dans son élaboration technique, une ingénuité émouvante et une entière vigueur d'esprit. Mais avec tous les mérites qu'elle possède indiscutablement, elle est au moins deux fois plus longue qu'elle ne devrait être; elle se répète elle-même, et les motifs, par conséquent, s'affaiblissent par ces répétitions. Le dernier mouvement, un chœur, est hétérogène et, malgré beaucoup de beautés vocales dans quelques passages, n'est pas comparable aux trois premiers mouvements. Ce chœur est un hymne à la joie, commençant par un récitatif et allégé par plusieurs *soli*. Quel rapport a-t-il avec la symphonie, je ne puis le dire, car ici, comme dans les autres parties, l'absence d'un plan intelligible se laisse trop voir... Le trait dominant de cette symphonie est le *Minuetto* et la partie la plus singulière, le *Trio* qui lui succède, surprend par sa mesure à deux temps, rien auparavant ne nous y ayant préparé. Une marche très noble, qui y est introduite, nous a causé un véritable plaisir. En terminant sur ce sujet, nous devons exprimer l'espoir que ce nouvel ouvrage du grand Beethoven pourra être mis en une forme exécutable, par la suppression des reprises et l'élimination totale du chœur. La Symphonie sera alors écoutée avec un plaisir absolu, et, s'il est possible, la réputation de son auteur en sera encore accrue dans l'avenir[1].

En mars 1828, le même journal publiait quelques lignes très défavorables sur la *Choral Symphony*, qui venait d'être répétée deux fois dans la même soirée, mais ne fut pas exécutée publiquement à cette époque.

C'est une composition bizarre, disait le journal britannique, et les plus chauds admirateurs de ce grand maître, s'ils possèdent quelque raison, doivent regretter qu'elle se soit échappée de son portefeuille. Quel est le morceau de musique instrumentale, dont la durée est d'une heure et vingt minutes, qu'on pourrait écouter sans fatigue, fût-il même rempli de beautés du premier ordre? Qu'est-ce donc s'il en est autrement? Supposons trois symphonies choisies, l'une de Haydn, l'autre de Mozart, et la troisième de Beethoven, exécutées les unes après les autres sans interruption : l'Allemand le plus déterminé pourrait-il les entendre sans ennui? Remarquez cependant que je choisis trois chefs-d'œuvre. Il est sans doute impossible qu'un aussi grand compositeur que Beethoven écrive des centaines de pages sans laisser percer quelques étincelles de génie, mais elles sont en si petit nombre dans cet ouvrage, qu'on ne se sent pas le courage de les chercher. *Protégez-moi contre mes amis, et je prendrai soin de mes ennemis*, disait un homme qui connaissait bien le monde : Beethoven justifie la vérité de cette sentence; les amis, qui lui ont conseillé de mettre au jour cet absurde morceau, sont assurément les plus cruels ennemis de sa réputation[2].

[1] *The Harmonicon*, 1825, p. 48 et 69 (Grove, p. 393-394).
[2] Traduit dans la *Revue musicale* de Fétis, tome III, mars

A Berlin, Möser, qui avait déjà tant fait pour révéler au public musicien les grandes œuvres de Beethoven, dirigea pour la première fois la *IX*e le 27 novembre 1826. Mais auparavant, il eut l'idée de la faire exécuter, au piano, par le jeune Félix Mendelssohn, alors âgé de dix-sept ans. Cette audition préparatoire eut lieu le 12 novembre, à la Jägerhalle, devant un public composé de personnages et d'amateurs éminents. La *Musikalische Zeitung* de Berlin, analysant vers cette époque, l'œuvre de Beethoven, la rapprochait de la *Fantaisie avec chœur*, op. 80, dans laquelle, ainsi que dans la *IX*e, Beethoven a, « sans s'en douter, fait de son individualité d'artiste le sujet d'un ouvrage d'art ».

Le premier regard jeté sur la partition, poursuit le journal berlinois, nous apprend qu'on a employé dans cette composition une forme toute nouvelle qui dérive d'une nouvelle idée fondamentale à laquelle seule on peut l'attribuer. Quand les instruments et les voix se présentent ensemble, celles-ci prennent la première place, comme l'humanité dans la création, car le chant qui comprend la parole, et la puissance musicale qui réside dans l'homme, représente ce qui

1828, p. 176-177. « Il y a dans toute cette tirade, ajoute Fétis, une mauvaise humeur qui doit nous mettre en garde contre le jugement qu'elle renferme. Il se peut que l'ouvrage soit défectueux ; mais quand il s'agit d'un homme tel que Beethoven, on devrait s'interdire un langage si tranchant et si dur. Cette même symphonie, dont le journaliste anglais dit tant de mal, a été accueillie avec enthousiasme, à Berlin ; il y a donc lieu de suspendre notre opinion jusqu'à ce que nous l'ayons entendue ; or, la société des nouveaux concerts de l'Ecole royale de musique se propose de l'exécuter cette année ; et nous fournira l'occasion de juger cette composition si sévèrement critiquée. » L'*Allgemeine musikalische Zeitung* traduisit aussi l'article de l'*Harmonicon* (14 mai 1828, col. 329-330).

est de l'homme, en opposition avec l'instrumental qui offre ce qui est en dehors de l'homme. Pour qui considérerait cette création nouvelle de Beethoven comme une composition de chant, dans l'acception usitée jusqu'à ce jour, la facture en deviendrait inintelligible et paraîtrait même défectueuse. Il ne pourrait comprendre un si long prélude (quatre parties de symphonie) pour une cantate de longueur ordinaire : il ne serait rien moins que satisfait par l'arrangement, à commencer par le morcellement de l'ode de Schiller, dont Beethoven a bouleversé l'ordre.

On doit reconnaître après cela qu'il s'agit d'autre chose que d'une composition de chant, et qu'on doit attendre quelque chose de plus élevé qu'une cantate sur l'ode de Schiller, quand on voit ce grand travail musical se séparer en deux parties distinctes; une symphonie indépendante et des chants exécutés en solos et en chœur attachés à la suite de la symphonie.

Ce double édifice, cette séparation faite à dessein des deux domaines de la musique, après laquelle la phrase d'introconduisent à considérer la manière d'être particulière de duction et d'union citée ci-dessus devenait nécessaire, nous Beethoven, et nous la fait voir si clairement que nous n'hésitons pas à dire que la fantaisie étant l'histoire de son commencement dans l'art, représentée par le moyen de l'art, la symphonie avec chœur est l'expression artificielle de son intelligence.

Elle est, pour la définir en peu de mots, sa concentration et son immersion totale dans la musique instrumentale. Quelques richesses qu'il nous ait données dans son opéra de *Fidelio*, dans ses messes et dans ses autres chants, on a dû arriver à reconnaître généralement la composition instrumentale comme la sphère de ses créations les plus élevées et les plus originales : on pourrait même démontrer que les plus grandes beautés de ses compositions de chant appartiennent par leur nature au domaine instrumental. Enfin le malheur de la surdité, malheur inouï pour un artiste créateur, a dû le forcer à s'arracher à toute influence du langage vivant de l'homme, à toute sociabilité, pour se perdre en toute liberté dans la contemplation du monde instrumental, et pour y pénétrer dans ses derniers ouvrages à une profondeur inconnue jusqu'alors. Les formes et les combinaisons sont infinies dans le monde instrumental, comme tout ce qui est en dehors de l'homme dans le vaste domaine de la nature. Tantôt elles s'approchent de l'expression et du chant humains, et l'on est tenté de croire avoir entendu des modifications de la voix humaine; tantôt, se perdant dans l'élément qui leur est propre, elles sont bornées au son pur et simple, et bientôt après les formes qui s'étaient évanouies reparaissent pour concourir dans un vaste ensemble à l'unité d'un tout. D'un autre côté est le chant, éternellement pur, modification des plus sublimes de la nature, propriété accordée à l'homme et dans sa simplicité, vainqueur par sa puissance spirituelle du Protée instrumental.

C'est une pareille intention que Beethoven nous paraît avoir exprimée dans sa symphonie avec chœur. Lui-même régnant dans le monde magique des instruments, épie les simples sons de la voix humaine, et élève l'innocente mélodie de la chanson, langue propre à l'homme, conservatrice et expression spirituelle d'une heureuse sociabilité sur le trône où il se place plus tard lui-même pour ouvrir à l'esprit humain de nouveaux domaines. Ce n'est point un chœur accidentel fait pour une composition instrumentale qui n'avait besoin d'aucune péroraison étrangère; ce n'est point une musique faite pour l'ode de Schiller, ni même l'expression musicale de l'idée qui domine cette poésie : ce n'est que le chant, que la modification la plus simple du langage musical de l'homme qu'il a cherché à reproduire, pour le glorifier de sa victoire sur le monde instrumental. Cette victoire lui a paru tellement sûre, tellement inévitable, et le chant par lui-même si intimement propre à l'homme et si puissant chez lui, qu'il a laissé les voix marcher comme devant vaincre par elles-mêmes, et sans y ajouter aucun ornement étranger.

L'auteur de cet article concluait ainsi :

Si nous jetons un coup d'œil sur l'ensemble du plan de la symphonie, tel que nous l'avons indiqué, nous y trouverons d'abord l'opposition et l'enchaînement de deux musiques, instrumentale et vocale.

Ire partie : grande symphonie, se composant : 1° de la production et de la domination de la masse instrumentale; 2° de la vivification de chaque instrument isolé, ayant chacun une existence propre; 3° de la transmission des sentimens internes de l'homme; désir d'une satisfaction plus complète; 4° développement du milieu de l'instrumentation : fuite successive de tous les motifs antérieurs devant l'arrivée de la parole; 5° parole et prologue du chant.

IIe partie : Grande solennité vocale, avec coopération de toute l'instrumentation.

Et nous y reconnaîtrons alors la pensée et la disposition les plus grandes et les plus hardies qui aient jamais dominé une composition instrumentale.

Voilà ce qu'on devrait, avant tout, ne pas perdre de vue partout où l'on prépare une exécution de ce grand œuvre[1].

A Paris, malgré les invitations de la presse[2], malgré le bruit répandu, dès 1824, que la partition y était déjà parvenue[3], la *IX*[e] ne fut donnée que le 27 mars

1 Trad. dans la *Revue musicale*, tome I, mars 1827, p. 134-139.

2 Le critique musical du *Journal des Débats*, par exemple, Castil-Blaze, écrit dans son feuilleton du 1er juin 1827 : « Beethoven a publié l'année dernière une symphonie avec des chœurs dont on dit des merveilles ; nous en avons été instruits par les journaux anglais. Les sublimes productions de l'Allemagne et de l'Italie ne nous parviennent qu'après avoir passé par l'Angleterre! dans ce pays les directeurs sont à l'affût des nouveautés ; s'ils ne négligent rien pour faire prospérer leurs entreprises, c'est qu'ils ont intérêt à cette prospérité. »

3 Le 25 janvier 1825, Beethoven écrivait, — en français, — à l'Anglais Neate : « Quant au bruit dont vous m'écrivez, qu'il existe un exemplaire de la *IX*[e] *Symphonie* à Paris, il n'est point fondé. Il est vrai que cette Symphonie sera publiée en Allemagne, mais point avant que l'an soit écoulé, pendant lequel la Société [philharmonique] en jouira » (*Neue Briefe Beethoven's*, p. 259).

1831, par la Société des concerts du Conservatoire. Les « solos » étaient chantés par A. Dupont, Dérivis fils, Mlles Dorus et Falcon. Une seconde audition eut lieu l'année suivante. Pour la faire mieux digérer du public, Habeneck imagina d'encadrer les autres morceaux du programme entre les « premier morceau et menuet » d'une part, et l'*adagio* et le *finale*, joués pour terminer le concert. La troisième audition (26 janvier 1834) fut réglée à peu près de la même façon : au début, furent exécutés, dans cet ordre : l'*allegro*, l'*adagio* et le *scherzo;* à la fin, le *finale* seul. Les solos étaient chantés par Mme Dorus-Gras, Mlle Peignot, Dérivis et Boulenger.

La quatrième audition n'eut lieu qu'en 1837, le 29 janvier. Cette fois, la Symphonie fut jouée sans interruption, à la fin du concert. Les solos étaient chantés par Mlles Nau et d'Henin, Dupont et Dérivis.

> Cette immense composition dont nous n'osons pas aborder l'analyse, écrit Berlioz, a produit sur l'assemblée l'impression la plus singulière : des groupes se formaient au parterre et dans les loges pour applaudir jusqu'à quatre et cinq reprises, pendant que le reste de l'auditoire demeuré froid paraissait ne rien comprendre à cette frénésie d'enthousiasme, que nous avouons pour notre compte avoir largement partagée[1].

L'année suivante, nouvelle audition intégrale, au début de la saison (14 janvier 1838), avec les mêmes solistes. Une seconde audition (la sixième) suivit, le 8 avril. La septième, avec Alexis Dupont, Alizard,

[1] *Revue et Gaz. musicale*, 5 février 1837, p. 51.

Mmes Nau et Widemann, date du 10 mars 1839; à la huitième (8 mars 1840), chantèrent A. Dupont, Dérivis, Mlles Lavoy et Widemann; à la neuvième (21 mars 1841), Mlle Julian remplaçait Mlle Lavoy. Rossini assistait à la séance. En sortant, raconte Elwart, le maître italien « dit assez haut devant nous à M. Ferdinand Hiller : « Je ne connais rien de plus « beau que le *scherzo* de cette symphonie. Je ne pour« rais en faire un semblable. » Après cet aveu sublime dans la bouche de l'auteur de *Sémiramis* et d'*Il Barbiere*, M. Rossini ajouta : « Le reste de la « symphonie manque de charme, et la musique ne peut « s'en passer[1]. »

Après la première audition, Fétis écrivait dans sa *Revue musicale :*

Dans la plupart de ses autres symphonies, Beethoven s'est montré l'homme des grandes conceptions; les écarts de son génie même sont empreints d'un caractère de force et de grandeur qu'il est impossible de méconnaître. En avançant en âge, il s'était dépouillé peu à peu des convenances du goût et du désir de plaire qui avaient comprimé l'élan de son imagination dans ses premières symphonies. La solitude dans laquelle il vivait et l'accident qui, en le privant de l'ouïe, l'avait en quelque sorte séparé du monde, avaient augmenté l'indépendance de ses idées et de sa volonté. Aussi voit-on se développer graduellement l'individualité de sa pensée dans les ouvrages qu'il a écrits dans les dernières années de sa vie; mais c'est surtout dans sa symphonie avec chœur qu'il a tranché les derniers liens qui l'attachaient à l'école de ses prédécesseurs. Là, ce n'est plus seulement la nature mélodique ou harmonique de ses idées

1 Elwart, *Histoire de la Société des concerts du Conservatoire*, p. 204, note 3. Au même concert, assistait Schindler (*Beethoven in Paris*, p. 31-49).

qui a pris un caractère absolu de nouveauté bizarre; ce sont les formes elles-mêmes du genre, formes dans lesquelles il se complaît d'autant plus qu'elles sont moins usitées. Combinaison prodigieuse des plus sublimes beautés et des défauts de goût les plus choquans, de la raison la plus forte, de l'aberration la plus complète, la symphonie avec chœur est une production qui ne peut se comparer à aucune autre, car jusqu'aux choses les moins intelligibles et les plus condamnables, tout y décèle une puissance gigantesque.

Le début du premier morceau ne semble d'abord qu'un jeu d'imagination, une sorte de facétie musicale; mais pour peu qu'on lui prête attention, on découvre que Beethoven n'a voulu que préparer l'auditoire au rhythme principal qui se fait entendre ensuite, et qui se reproduit dans le cours du morceau. Ce qui étonne le plus dans cette partie de l'ouvrage, c'est le grand caractère imprimé à l'ensemble de la composition comme à ses détails. La péroraison est surtout remarquable par l'énergie et le développement successif de toutes les ressources instrumentales. J'avoue que je ne connais rien en musique qui soit aussi vaste, aussi colossal. Mais on ne peut nier que l'oreille n'y est que rarement reposée par ces épisodes mélodiques qui ajoutent beaucoup à l'effet des choses grandes et fortes, par la puissance des oppositions.

Le second morceau de la symphonie est un *scherzo* ravissant d'esprit, d'élégance, d'originalité, de facture et de goût. Comme dans le premier morceau, le début semble y être une débauche de fantaisie musicale; mais ces sauts d'octave de tous les instrumens, qui semblent d'abord promettre si peu de chose, deviennent bientôt le type d'un badinage léger, charmant, où l'attention ne peut se reposer un seul instant, continuellement excitée qu'elle est par une multitude de traits inattendus, de surprises, de modulations et d'effets délicieux. Par une de ces idées qui n'appartiennent qu'à Beethoven, la seconde partie du *scherzo*, qu'on appelle vulgairement le *trio*, est en mesure à deux temps. Le motif en est neuf et piquant, et la manière dont il est développé est une merveille de facture élégante et de brillante imagination. On y remarque une modulation de hautbois qui passe de *ré* majeur en *fa*, dont l'effet a excité un cri d'admiration dans tout l'auditoire.

Dans l'adagio, le génie de Beethoven s'est encore manifesté par une nouveauté sans exemple. Deux thèmes, différens de caractère, de ton et de mouvement, y sont mélangés, et se succèdent sans cesse avec des variations et des modifications de tout genre. Ces thèmes sont beaux et nobles, mais il résulte de la manière dont ils sont enchaînés une sensation vague qu'on ne peut définir et qui fait naître la fatigue plutôt que le plaisir. Peut-être a-t-il besoin d'être entendu plusieurs fois pour être compris : bien que j'en aie étudié la partition avant de l'entendre, je n'ose émettre sur ce morceau d'opinion formelle; j'y reviendrai après l'avoir entendu de nouveau.

Ce n'est que dans le finale que le chœur se joint aux instrumens. Quelle a été la pensée de Beethoven dans ce morceau? Voilà ce que je ne puis comprendre, malgré l'étude que j'en ai faite. Après une introduction où le compositeur rappelle les thèmes des autres morceaux de symphonie, et un développement tout instrumental, il arrive au récitatif des violoncelles et des contre-basses qu'il développe avec la prolixité qu'on reproche quelquefois à Beethoven, puis vient le chant d'une sorte de choral qui doit se reproduire dans le chœur sur l'*Ode à la joie* de Schiller. Enfin, après une longue attente, arrive l'entrée des voix par un récitatif de la basse solo, et successivement toutes les voix et le chœur se reproduisent sur un thème choral. Si l'on fait attention au sens des vers de Schiller, on ne trouve rien dans l'expression musicale qui s'y rapporte; Beethoven en a même bouleversé l'ordre. Mais l'étonnement s'accroît encore lorsqu'après les premiers développemens du chœur dans un mouvement grave, on rentre dans le domaine de l'instrumentation, pour passer par tous les degrés de la fantaisie la plus bizarre jusqu'à la caricature du thème principal en mouvement rapide, dont la célérité s'accroît d'un moment à l'autre. Quelques éclairs d'un rare et beau talent percent à travers toute cette obscurité, mais en général la fatigue, oserais-je dire l'*ennui*, est l'impression qui reste de tout cela[1].

1 *Revue musicale*, 2 avril 1831, p. 69-70.

Beethoven, dit Berlioz, avait déjà écrit huit symphonies avant celle-ci. Pour aller au-delà du point où il était alors parvenu à l'aide des seules ressources de l'instrumentation, quels moyens lui restaient? l'adjonction des voix aux instruments. Mais, pour observer la loi du *crescendo* et mettre en relief dans l'œuvre même la puissance de l'auxiliaire qu'il voulait donner à l'orchestre, n'était-il pas nécessaire de laisser encore des instruments figurer seuls sur le premier plan du tableau qu'il se proposait de dérouler?... Une fois cette donnée admise, on conçoit fort bien qu'il ait été amené à chercher une musique mixte qui pût servir de liaison aux deux grandes divisions de la symphonie; le récitatif instrumental fut le pont qu'il osa jeter entre le chœur et l'orchestre, et sur lequel les instruments passèrent pour aller se joindre aux voix. Le passage établi, l'auteur dut vouloir motiver, en l'annonçant, la fusion qui allait s'opérer, et c'est alors que, parlant lui-même par la voix d'un coryphée, il s'écrie : *Amis! plus de pareils accords, mais commençons des chants plus agréables et plus remplis de joie!* Voilà donc, pour ainsi dire, le traité d'alliance entre le chœur et l'orchestre, la libre phrase de récitatif, prononcée par l'un et par l'autre, semble être la formule du serment. Libre au musicien ensuite de choisir le texte de sa composition chorale : c'est à Schiller que Beethoven va le demander; il s'empare de son ode, la colore de mille nuances que la pensée toute seule n'eût jamais pu rendre sensibles, et s'avance en augmentant jusqu'à la fin de pompe, de grandeur et d'éclat[1].

Un musicien célèbre de l'Opéra et du Conservatoire, Chrétien Urhan, publiait, quelques semaines auparavant, dans le journal *le Temps*, un long commentaire de la *Symphonie avec chœur;* pour lui, cet ouvrage était, en quelque sorte, la « biographie mo-

[1] *Revue et Gazette musicale*, 4 mars 1838, p. 97-100. Cf. *A travers chants*, p. 52-62.

rale » de Beethoven; et, commentant le premier mouvement de la Symphonie par les premiers vers de la *Divine Comédie* de Dante, il s'écrie :

Eh bien! Beethoven a commencé comme Dante. Ecoutez le premier morceau de cette symphonie! Quel tiraillement! Quel désordre! n'est-ce pas bien là la forêt sauvage et âpre? n'est-ce pas la peinture d'une de ces heures terribles, où chaque homme et surtout l'homme de génie, devient Job, où tout souffre en nous, où notre cœur éperdu ne sait plus où se prendre, où le droit chemin n'est pas là, comme dit Dante. Suivez bien! suivez bien! Entendez-vous ces phrases mélodiques soudainement interrompues, ces accords étranges, ces modulations brusques, le ton même du morceau qui est en *ré mineur*, ne se détermine qu'après une quarantaine de mesures!... Et ces cris de douleur plaintive qui s'élèvent au milieu de ce tumulte, s'évanouissent! C'est une nuit profonde, une nuit de désastre, avec des gémissemens et des malheureux qui appellent, les bras tendus, et marchent à tâtons comme des aveugles... Nous avons assisté à une des tempêtes de l'âme de Beethoven.

Voici maintenant une de ses douces heures : c'est le second morceau qui commence. Quand Beethoven était gai, ce n'était pas d'une joie d'enfant; non, sa gaîté avait quelque chose de fort comme tout ce qu'il faisait; son rire était gros, franc, sonore à pleine bouche ouverte... Il riait comme un géant danse. Ecoutez ce *scherzo!*... Quelle bonne humeur naïve et un peu populaire!... Comme il a les deux poings sur la hanche, frappant la terre de son trois-temps? Ici rien ne rappelle le scherzo délicat et fin de Mozart!... Le bon rire d'Allemand! Puis voici venir des souvenirs champêtres, des images pastorales, car la campagne était une des passions et une des joies de Beethoven! Les beautés de la nature sont les seules qui se voient, et le pauvre grand homme était sourd! Aussi, dit-on qu'une fois hors de la ville, il courait toujours dans les champs et dans les bois, regardant cette nature qu'il ne pouvait plus entendre, mais qu'il avait entendue, traduisant ses spectacles muets pour lui en harmonies sublimes, et rendant d'autant mieux peut-être la voix mélodieuse de la terre, de l'air et de l'eau, que cette voix n'était plus pour lui qu'un souvenir; car c'est un fait curieux que l'homme qui a le mieux peint la nature en poésie est Homère, qui était aveugle; et en musique, Beethoven, qui était sourd. Jamais, même dans la symphonie pastorale, il n'a mieux rendu les divines mélodies de la nature. Quelle lumière! Et cette délicieuse rentrée de hautbois où Vogt a étonné même ceux qui le connaissent? Claude Lorrain n'a pas peint de plus ravissans paysages! Comme on respire heureux en écoutant cela, surtout quand on songe que ce morceau est le premier d'un des quelques jours de soleil de Beethoven!

La troisième partie, qui est l'adagio, nous semble représenter les passions humaines dans ce qu'elles ont de plus élevé et plus pur dans les sentimens...... Ce grand homme *aime* dans ce morceau; il aime comme il peut aimer, mélancoliquement et avec toutes sortes de poétiques tristesses. Du reste, comme composition musicale, ce morceau est d'une forme étrange et il s'ouvre par un adagio plein de charme; puis le thème s'arrête, et voici un andante qui éclôt comme la fleur nouvelle, sous la plume de Beethoven; puis le motif revient en variations; puis encore l'andante; et après cette reprise de l'andante une seconde variation du thème : nous avons cru devoir signaler cet entrelacement comme nouveau : ajoutons que ces trois parties ont été rendues par l'orchestre avec une grande supériorité.

Nous sommes arrivés au dernier morceau, au morceau le plus important des quatre, et qui nous a fourni ce que nous regardons comme la pensée fondamentale de l'œuvre. Selon nous, cette quatrième partie représente le renoncement à tout ce qui est matériel et terrestre, le dépouillement du vieil homme, comme dit l'Ecriture, la fusion créatrice avec son Créateur. Quel mysticisme! quelles subtilités religieuses! allez-vous vous écrier peut-être... Attendez, écoutez! Ceux qui ont entendu la symphonie vont nous faire à l'instant une objection : c'est que ces basses, que nous peignons si redoutables, ont parlé toujours doucement, *andante*, et sur le ton mélancolique. Ici quoiqu'à regret, nous nous voyons obligé d'accuser pour justifier notre idée. Oui, sans doute, les basses ont joué tout ce récitatif *andante;* mais (que le chef d'orchestre si justement célèbre du Conservatoire nous le pardonne) c'est une faute, une faute grave d'exécution; c'est avoir méconnu la volonté de Beethoven.

Ouvrons la partition; qui *(sic)* voyons-nous écrit sur ce récitatif : *selon le caractère du récitatif*, mais *in tempo*, c'est-à-dire *presto*. A chaque fois qu'il revient, ce récitatif, Beethoven met au bas : *in tempo* et comme s'il craignait de n'être pas compris, il ajoute même : *allegro*, *allegro*. N'est-ce pas alors comme la lumière? l'intention de Beethoven n'est-elle pas précise et positive comme un chiffre? Et une fois que vous avez rendu à ces contre-basses leur accent, que pourraient-elles vouloir dire en interrompant ces trois souvenirs, si ce n'est : Fuyez, agitations et doutes de ma jeunesse, fuyez, gaîté matérielle et terrestre; fuyez aussi amour de la nature, vous qui faisiez ma vie, affections humaines, je ne veux plus que me perdre dans le sein de Dieu. Et, en effet, à peine a-t-il chassé du *Temple tous ces voleurs* qu'il s'écrie (ce sont là ses propres paroles à lui, Beethoven, écrites par lui sur le manuscrit), qu'il s'écrie : mes amis, laissons là tous ces sons, et commençons des chants meilleurs; et voilà l'hymne à la joie qui se déploie! Qui pourrait ne pas reconnaître dans cette joie la joie céleste, la joie des solitaires de la Thébaïde? Quelles paroles Beethoven a-t-il choisies? C'est une ode de Schiller, une ode toute pleine du spiritualisme le plus ardent. Lisons ces strophes :

« O joie! belle étincelle des dieux, fille de l'Elysée, nous entrons, tout brûlans du feu, dans ton sanctuaire! Un pouvoir magique réunit ceux que le monde et le rang séparent; tous les hommes deviennent frères à l'ombre de ta douce aile.

« Tous les êtres boivent la joie aux mamelles de la nature! Il y a une volupté pour le ver de terre, et, quant au chérubin, il est devant Dieu!

« Frères, prosternons-nous devant notre Créateur! que notre voix de vie sonne comme celle d'un héros qui va vous vaincre! Frères, au-dessus de ce monde d'étoiles, il doit habiter un père bien aimable! »

Et quelle musique a-t-il écrite sur ces strophes! quelles mélodies éthérées et religieuses! C'est de la musique d'église, mais de la musique pour les églises du Ciel. Beethoven, en écrivant ce morceau, est comme le chérubin : il est devant Dieu!... A ces preuves matérielles de la grande pensée religieuse qui préside à cette composition, viennent se joindre mille preuves morales. Cette œuvre est une des dernières de Beethoven; et, plus il a avancé dans la vie, plus il a regardé la musique comme une voix que Dieu donnait aux hommes de génie pour parler de lui aux autres hommes. La musique religieuse le préoccupait sans cesse : la lecture des oratorios de Haendel était sa consolation. Son œuvre 102 se compose de deux sonates; eh bien! l'introduction de la première est un morceau d'église, et l'andante de la seconde est un choral. Les six chants religieux de lui, publiés il y a dix ans chez M. Richault, appartiennent évidemment à la fin de sa vie, et sa dernière composition est une grande messe solennelle! Les œuvres qu'il a faites ainsi dans le voisinage de l'éternité sont empreintes d'un mysticisme si ardent que quelques-uns de ses grands admirateurs ont déclaré qu'il était devenu fou! Il n'était plus qu'à moitié sur la terre; isolé du monde extérieur par sa surdité, il vivait tout seul au milieu des hommes et son génie solitaire s'exaltait dans sa prison profonde! Qui sait si ce n'est pas Dieu lui-même qui avait muré la porte par où les bruits du monde pouvaient lui arriver, afin d'épurer et de spiritualiser sa pensée; car tout grand homme est un martyr, et tout martyre est pour ce grand homme une cause de génie.

Voilà ce que nous voyons dans la symphonie avec chœur. L'autre jour, après l'exécution de cette symphonie, nous entendîmes quelqu'un s'écrier : C'est clair! c'est clair! Beethoven a voulu peindre, dans cette symphonie, la *franc-maçonnerie!* Les trois premiers morceaux peignent les épreuves de tout genre, et le dernier morceau, l'hymne à la joie, représente l'ivresse du néophyte qui entre dans le temple de Salomon!... Et quelle raison donnait-il pour cela?... C'est que dans l'hymne de Schiller il y a le mot *frères!* Nous sommes peut-être fous, aussi fous que cet homme-là!.. Mais, si notre explication n'est qu'un rêve, c'est un rêve de bonne foi, et un rêve pur... pardonnez-nous-le[1]!

Sans doute Chrétien Urhan, le religieux et mystique violoniste, ajoutait-il beaucoup de lui-même dans cette remarquable interprétation de la *IXe Symphonie* (que nous avons cru intéressant de reproduire presque en entier), mais comme il était excellent musicien, et comptait parmi les premiers dans la brillante phalange de Habeneck, dévouée corps et âme au génie de Beethoven, son commentaire, perdu dans un journal de l'époque, ne valait-il pas la peine d'être recueilli? Nous ne serions pas éloigné de croire qu'il est un des articles les plus importants écrits sur la *Symphonie avec chœur*, non seulement en français, mais dans toute la littérature musicale.

La Philharmonic de Londres ne donna la seconde audition de la *Choral Symphony* qu'au bout de douze ans, le 17 avril 1837. Grove en signale cependant plusieurs reprises à Londres, avant cette date : le 26 avril 1830, au concert de Charles Neate, qui avait passé plusieurs mois à Vienne, auprès de Beethoven; George Smart dirigeait[2]. A la Royal Academy of

1 *Le Temps*, jeudi 25 janvier 1838 : *Musique. Premier concert du Conservatoire. — Symphonie avec chœurs de Beethoven.*

2 G. Smart, après la première audition, fit, lui aussi, le voyage d'Autriche (août-septembre 1825) ; il voulut apprendre du maître lui-même à diriger la partition. Le 6 septembre, après dîner, Beethoven lui jouait le récitatif de basse du finale. En souvenir de cette journée, Beethoven dédia à Smart un canon sur ces mots : *Ars longa, vita brevis*, daté de « Baden près Vienne, 6 septembre 1825 ».

Music, le 20 juin 1835, elle fut dirigée par Charles Lucas (avec traduction anglaise d'Oxenford), et le 24 mars 1836, par H. Forbes, à la Società Armonica. Le 19 juillet 1837, à Drury Lane, au profit du monument de Beethoven à Bonn, Moscheles la dirigea à son tour. Il la reprit, le 23 mai de la même année, à Hanover Square Rooms, avec adjonction d'une partie d'orgue dans le finale, qu'il avait lui-même écrite pour la circonstance. C'est ainsi que la Philharmonic exécuta ce finale, le 3 mai 1841; ce jour-là, Dragonetti jouait seul sur sa contre-basse, le motif fameux du début[1].

Lorsque la New Philharmonic fut fondée, Berlioz fut appelé à diriger la *Choral Symphony*, en 1852, et Spohr, en 1853, à Exeter Hall. On chantait alors une traduction de l'*Ode à la Joie* écrite par G. Linley. Enfin, la première audition au Crystal Palace date du 22 avril 1865; la *IX*e y avait été exécutée vingt-cinq fois jusqu'en 1896.

Reprise presque chaque année au Gewandhaus de Leipzig, Mendelssohn l'y dirigea pour la première fois le 11 février 1836[2].

A Dresde, Wagner, devant la faire entendre, le dimanche des Rameaux 1846, au concert donné annuellement au profit des veuves et des orphelins de la chapelle royale, rédigea à cette occasion son pro-

1 Grove, p. 391 et suiv. A New-York, la première audition par la Philharmonic eut lieu le 20 mai 1846.

2 Voir dans les écrits de Schumann différentes observations sur la direction de Mendelssohn.

gramme fameux, dans lequel il commente la *IX*e *Symphonie* avec des vers de *Faust*.

La *IX*e, dit-il, était alors pour ainsi dire inconnue à Dresde. Mitterwurzer tenait la partie de basse[1]. Vingt-six ans plus tard, le 22 mai 1872, lors de la cérémonie de la pose de la première pierre de Bayreuth, ce fut encore la Symphonie avec chœurs que Wagner dirigea. On peut dire que l'œuvre de Beethoven fut son évangile artistique. Etant jeune, il en avait copié et réduit la partition pour piano. Et, pour la première fois, l'exécution du Conservatoire lui en avait révélé les beautés[2].

On sait que Wagner avait modernisé l'instrumentation du chef-d'œuvre de Beethoven, comme il avait fait pour certaines parties de l'*Iphigénie en Tauride* de Gluck. Les modifications qu'il proposait et les raisons qu'il en donnait étaient les suivantes :

1° Modification dans les signes, afin de donner plus de relief à l'élément mélodique. Ainsi, les chefs d'orchestre ne seront pas dans l'obligation d'imaginer une interprétation personnelle.

2e Adjonction aux bois, des cors et des trompettes à pistons, dans la mélodie du scherzo, cette modification rendant mieux le caractère de ce mouvement.

3° Transposition à l'octave aiguë ou grave de plusieurs passages des flûtes et des violons, dans le scherzo; modification rendue possible par la plus grande virtuosité des artistes modernes et par les perfectionnements apportés à la facture instrumentale.

1 R. WAGNER, *Ges. Schriften*, II, p. 50-64. On trouvera une traduction de ce programme dans le bel ouvrage d'Ed. SCHURÉ, *le Drame musical*, I, p. 229-234.

2 R. WAGNER, *Ueber das Dirigieren* (*Ges. Schriften*, VIII, p. 270-271).

4° Modifications facilitant le chant dans les parties de ténor, de soprano et d'alto.

Beaucoup de musiciens s'insurgèrent contre ces propositions de Wagner, et Gounod, qui se trouvait alors à Londres, adressa, en 1874, au journal *le Siècle*, une lettre dans laquelle il disait entre autres choses :

Je ne connais pas la symphonie avec chœur de Beethoven « selon Wagner »; je ne la connais que selon « Beethoven », et j'affirme que cela me suffit. J'ai souvent entendu et lu cette œuvre gigantesque, et dans l'un et l'autre cas, je n'ai jamais ressenti le besoin d'une correction. Du reste, je ne puis admettre en principe, fût-on un Wagner, fût-on un autre Beethoven (ce que nous reverrons aussi peu qu'un autre Dante ou un autre Michel-Ange), qu'on s'arroge le droit de corriger les maîtres. On ne redessine ni ne repeint les Raphaël ou les Léonard de Vinci... Quoi qu'il en soit, ne touchons pas aux œuvres des grands maîtres, concluait Gounod : c'est une audace dangereuse et une irrévérence, et on ne saurait s'arrêter sur cette pente glissante. Ne portons pas la main sur ces choses immortelles, dont les lignes si nobles, la structure si sévère et la grandeur si majestueuse doivent émerveiller sans fard la postérité. Et souvenons-nous qu'il vaut mieux laisser à un grand maître ses imperfections, s'il en a, que de lui imposer les nôtres [1].

Vers le temps où Gounod adressait cette protestation contre Wagner, Pasdeloup donnait (le vendredi saint 1874) trois mouvements de la *IXe Symphonie*. Il en avait dirigé la première audition intégrale au

[1] Cette lettre, provoquée par un article de *The Orchestra*, intitulé : *Rescoring Beethoven*, fut adressée à Oscar Comettant, le 6 mai, de Tavistock House, reproduite dans *le Ménestrel* et *la Gazette musicale*, et traduite dans les *Signale* de mai 1874.

2e concert supplémentaire, le dimanche 19 avril 1863. Les soli étaient chantés par Mmes Viardot et Simon; MM. Capoul et Bussine.

L'Association artistique, sous la direction de M. Colonne, a donné 23 auditions au Châtelet de la *Symphonie avec chœurs*, du 14 mars 1875 au 17 décembre 1905. Dans la même salle du Châtelet, la London Symphony et les chœurs de Leeds l'ont fait applaudir du public parisien, le 12 janvier 1906.

Aux Concerts Lamoureux-Chevillard, 31 auditions de la *IXe* ont été données depuis le 22 janvier 1882 jusqu'au 25 mars 1906.

Ainsi que les autres œuvres symphoniques de Beethoven, la *IXe* ne pénétra qu'assez lentement dans l'Allemagne du Nord. A Hanovre, par exemple, la première audition n'eut lieu que le 9 avril 1836, sous la direction de Bohrer. On y trouva, paraît-il, beaucoup de bonnes choses et aussi beaucoup de bizarreries, et l'impression finale ne fut rien moins qu'excellente. Par contre, elle remporta, à Hanovre comme partout, les suffrages de la foule[1].

Vers la même époque, le 7 mars 1836, eut lieu la première audition en Russie, à Saint-Pétersbourg, par la Société philharmonique, l'exécution en fut médiocre, dit Lenz[2]. Damcke l'y entendit longtemps

[1] G. Fischer, *Opern und Concerte im Hoftheater zu Hannover bis 1866*, p. 157. Joachim l'y dirigea, le 19 décembre 1857 (*Id.*, *ib.*, p. 318).

[2] Elle n'avait encore été reprise qu'une seule fois au moment où Lenz écrivait (1856). Mais Romberg l'avait dirigée chez le comte Wielhorsky avec chœurs italiens, en 1844. En 1853, la Société des Concerts la faisait chanter en russe.

plus tard et, dans un de ses feuilletons, il en donnait ainsi son appréciation :

La *IX*e *Symphonie* est une immense forêt vierge;... c'est la volonté de Dieu qui l'a créée, et non pas celle de l'homme. L'intrépide voyageur qui veut y pénétrer aura bien des obstacles à surmonter. Mais il verra aussi bien des merveilles. Voici d'abord un arbre gigantesque dont les branches, penchées vers le sol, ont pris racine et forment une forêt autour de leur père commun. C'est le premier allegro, basé sur un thème de quatre mesures, dont chacune devient thème à son tour, et se développe largement. Plus loin, les rayons du soleil jettent à travers l'épais feuillage un jour doucement tamisé. Mille oiseaux aux couleurs fantastiques se balancent dans les branches et font retenir l'air de leur chant, tous les habitants de la forêt se livrent à des joyeux ébats. Cet endroit délicieux, qui nous repose des fatigues précédentes, c'est le scherzo. Remarquons en passant, que le motif du trio ressemble à se méprendre à une ronde des paysans russes. Ensuite nous pénétrons sous une voûte solennelle formée par les ruines des arbres séculaires qui s'entrelacent étroitement. Des fleurs merveilleuses et inconnues exhalent un parfum délicieux qui se répand, comme un encens, dans l'atmosphère de ce temple de la nature. C'est l'adagio. Enfin nous arrivons devant un taillis épais; impénétrable en apparence, — le finale. La Société des concerts a su s'y frayer un chemin, en coupant en deux le récitatif du baryton qui marque l'entrée des voix humaines dans la masse instrumentale, en arrachant par-ci un endroit trop difficile pour les chœurs, par-là un autre déclaré impraticable pour les solistes. Le chasseur qui connaît et aime chaque arbre, chaque fleur de la forêt, déplore ce qu'il appelle une dévastation, mais c'est ainsi que l'homme a pu passer à travers des merveilles de la nature. Les traces du maître de la création ne sont-elles pas toujours marquées par quelques destructions[1].

[1] Feuilleton de la *Gazette de Saint-Pétersbourg*, 16 (28) avril 1853.

A Moscou, la *Symphonie avec chœurs* ne parut que le 1er mars 1863.

En Belgique, la première exécution ne semble pas avoir eu lieu avant le 27 avril 1874, à Bruxelles.

Hans de Bülow étant en Italie, en 1870, en fit, le premier, entendre des fragments à Milan (probablement les trois premières parties). Il devait longtemps plus tard, tant était grande son admiration pour le chef-d'œuvre de Beethoven, en donner deux auditions dans le même concert, le 6 mars 1889, à la Philharmonique de Berlin.

La première audition intégrale en Italie est due à la *Società del Quartetto* de Milan (18 avril 1878); deux autres auditions suivirent immédiatement, les 22 et 26; les deux premières dans la salle du Conservatoire, la troisième, au théâtre Carcano. Faccio dirigeait l'orchestre. MMmes Invernizzi et Vaneri, MM. Aresi, Bentocchi et Taneggia chantèrent les soli. Filippo Filippi s'écriait après cette solennité :

> Gloire, triomphe!
> La *Sinfonia corale* de Beethoven a secoué, électrisé, et chacun de ses mouvements a suscité l'enthousiasme. C'était un public affolé, mais attentif, profondément impressionné par les beautés du chef-d'œuvre. Le maestro Faccio a fait preuve d'une intelligence d'interprétation extraordinaire et d'une exemplaire passion artistique[1].

Une première reprise eut lieu les 6 et 8 décembre 1885.

D'autres exécutions suivirent bientôt. En 1879, la

[1] Article de *la Perseveranza*, cité par Colombani, p. 331.

Società orchestrale romana, dirigée par Ettore Pinelli, faisait entendre deux fois, à la salle Dante, la *Sinfonia Corale* (18 et 22 mars). Quatre auditions se succédèrent, les 18 mars 1881, 25 avril, 2 mai 1885 (celles-ci chantées par une seule voix de femme et *trois* chanteurs), et le 27 mars 1894. Les trois premiers mouvements seuls furent repris le 8 janvier 1898, et le scherzo seul, les 22 et 27 mai 1881[1].

A Bologne, la *IX*e a été plusieurs fois entendue sous la direction de Mancinelli et de Martucci.

La Société philharmonique de Buda-Pesth, fondée en 1853, joua d'abord le scherzo seul, le 2 décembre 1855. Il devait se passer près de dix ans avant que, le 25 mars 1865, elle donnât l'ouvrage en entier. Depuis lors, jusqu'en 1903, douze reprises ont eu lieu : Hans Richter dirigea les 8e, 12e et 13e auditions (3 janvier 1883, 8 avril 1895 et 27 mars 1899)[2].

En Espagne, la *IX*e a été entendue à l'occasion des cycles beethovéniens donnés depuis vingt ou vingt-cinq ans, tant à Madrid qu'à Barcelone : sous la direction de Mariano Vazquez (1878) et de Mancinelli (1885), au théâtre du Principe Alfonso, à Madrid; en 1897 au Liceo de Barcelone, dirigée par M. Antonio Nicolau, et plusieurs fois depuis cette époque, sous le même chef d'orchestre, avec le concours de l'Orfeo Català, aux Novedades et au Liceo.

Malgré ses grandes dimensions et ses difficultés

[1] E. Pinelli, *I venticinque Anni della Società orchestrale romana*.

[2] Coloman d'Isoz, *Hist. de la Soc. philharm. de Buda-Pesth*.

matérielles d'exécution, la *Symphonie avec chœurs* de Beethoven a conquis peu à peu le monde musical tout entier, et presque toutes les grandes sociétés philharmoniques du monde l'exécutent chaque année au moins une fois.

Elle a provoqué bien des commentaires, bien des étonnements, soulevé bien des discussions; mais aujourd'hui, elle ne rencontre plus que des admirateurs, car on y voit surtout une œuvre profondément humaine qui, tout en ayant une importance très particulière dans la vie de son créateur, nous semble un des grands chefs-d'œuvre de la musique moderne, et nous apparaît encore comme une expression de la pensée moderne, dont elle contient, autant qu'œuvre d'art peut le faire, les aspirations de bonheur et de fraternité universelle.

Œuvres composées par Beethoven entre les VIIIe et IXe Symphonies.

1812. Equale pour 4 trombones, Linz, 2 novembre 1812 (Haslinger, Vienne, juin 1821). Arrangé à 4 voix par Seyfried, et chanté comme *Miserere* et *Amplius* aux funérailles de Beethoven.

Canon à 4 : *Ta, ta... Mälzel (Musikalisch-kritisches Repertorium* de Hieschbach, 1844). Voir l'étude sur la *VIIIe Symphonie.*

Sonate pour piano et violon, op. 96 (Steiner, Vienne, juillet 1816).

1812 et suiv. (107) Chants irlandais, écossais, gallois et de différents pays (Thomson, Edinburgh, 1814, 1815, 1831 et 1841).

1813 Marche triomphale (pour orchestre) de *Tarpéïa,* drame de Kuffner.

Canon à 3 : *Kurz ist der Scherzo*, pour M. Naue. Vienne, 23 novembre 1813 *(Neue Zeitschrift für Musik).*

Der Bardengeist (?).
La Victoire de Wellington ou la Bataille de Vittoria, op. 91 (Steiner, Vienne, mars 1816). Dédié au prince régent d'Angleterre, plus tard Georges III.
Six Allemandes, pour piano et violon (L. Maisch, Vienne, juillet 1814).

1814. *Germania, Germanie*, chœur pour la pièce de Treitschke, *Gute Nachricht (Bonne Nouvelle)* (Hoftheater-Musikverlag, Vienne, juin 1814, arr. p. piano).
Sonate pour piano, op. 90 (Steiner, Vienne, juin 1815) Dédiée au comte Moritz von Lichnowsky.
Chant élégiaque pour 4 voix et instr. à cordes, op. 118, à la mémoire d'Eléonora Pasqualati (T. Haslinger, Vienne, juillet 1826). Dédié à « son ami » le baron Pasqualati.
Ouverture [*Namensfeier*], op. 115 (Steiner, et comp., Vienne, 1825). Dédiée au prince Radziwill.
Ouverture de *Fidelio* (n° 4), en *mi majeur*.
Mélodrame avec accompagnement d'harmonica, pour *Eléonore Prohaska*, drame de Duncker (Grove, *Dictionary*, art. *Harmonica)*.

1814. *Der glorreiche Augenblick (Le Moment glorieux)*, cantate pour 4 voix et orch., op. 136 (T. Haslinger, Vienne, 1825). Dédiée au prince Radziwill.
Russie et de Prusse.
Cantate campestre, pour le Dr Bertolini.
Merkenstein, duo avec accomp. de piano, op. 100 (Steiner, Vienne, décembre 1816). Dédié au comte von Dietrichstein.
Ihr weisen Gründer, chœur inachevé.
Abschiedgesang (Chant d'adieu), pour le conseiller municipal Tucher.
Polonaise pour piano, op. 89 (P. Mechetti, Vienne, mars 1815). Dédiée à l'impératrice de Russie.

1814-1815. *Des Kriegers Abschied* (l'*Adieu du guerrier)*, lied pour voix seule avec accomp. de piano.
3 duos pour clarinette et basson.

1815. *Es ist vollbracht (Tout est consommé)*, chœur pour la pièce de Treitschke, *Die Ehrenpforte (les Portes d'honneur)* (Steiner, Vienne, 24 juillet 1825, arr. pour piano).
Das Geheimniss (le Secret), lied pour voix seule avec acc. de piano.
2 Sonates pour piano et violoncelle, op. 102 : la 1re, sans dédicace (Simrock, Bonn et Cologne, 1817), la seconde, dédiée à la comtesse Erdödy (Artaria, Vienne, janvier 1819).

Sehnsucht, lied pour voix seule avec acc. de piano.
Meeresstille und glückliche Fahrt (Calme de la mer et heureux voyage), paroles de Gœthe, pour chœur et orchestre, op. 112 (Steiner et comp., Vienne, 28 février).
An die Hoffnung (A l'Espérance), lied pour voix seule et piano.
Canon à 3 : *Kurz ist der Schmerz*, Vienne, 3 mars 1815 (Spohr, *Selbstbiographie*, II).
Räthsel-Canon (Canon énigmatique) : *Lerne Schweigen*, par. de Herder, pour Neate, 16 janvier 1816 (*Allg. musik. Zeit.*, Leipzig(?), — Vienne, d'après Grove, — 6 mars 1817).

1815-1816. Sonate pour piano (Hammer-Klavier), op. 101 (Artaria, Vienne, février 1817). Dédiée à la baronne Dorothée Ertmann.

1816. *An die [ent] fernte Geliebte (A la bien-aimée absente, — ou lointaine)*, cycle de (six) lieder pour voix seule avec acc. de piano, op. 97 (Steiner, Vienne, décembre 1816). Dédié au prince Joseph von Lobkowitz.
Canon à 3 : *Rede, rede, rede*, pour Neate, Vienne, 24 janvier 1816 (B. & H.).
Der Mann von Wort, lied pour voix seule avec acc. de piano.
Marche pour musique militaire, en *ré majeur* (Cappi et Czerny, Vienne, avril 1827).
Ruf vom Berge (Appel de la montagne), lied pour voix seule avec accomp. de piano.

1817. *So und so (Ainsi et ainsi)*, lied pour voix seule avec acc. de piano.
Chant des Moines, pour trois voix d'hommes, paroles de Schiller *(Guillaume Tell)*.
Fugue pour quatuor à cordes, op. 137 (T. Haslinger, Vienne, 1817).
Résignation, lied pour voix seule avec acc. de piano.

1818. *Dernière pensée musicale*, pour piano (*Schlesinger'sche Musikzeitung*, 8 décembre 1824).
O Hoffnung (O Espérance), chœur pour l'archiduc Rodolphe (Steiner, *Musikalisches Museum*, 1819, et Nohl, *Neue Briefe Beeth.*, p. 168).
Ziemlich lebhaft (assez vivement), pour piano, 14 août 1818 *(Berliner Musikzeit.*, 8 décembre 1824).
Grande Sonate pour piano (Hammer-Klavier), op. 106 (Artaria, Vienne, septembre 1819). Dédiée à l'archi duc Rodolphe.

1819. 6 thèmes variés pour piano seul ou avec acc. de flûte ou de violon *ad libitum*, op. 105.
10 thèmes (nationaux) variés pour piano seul ou avec

acc. de flûte ou de violon *ad libitum*, op. 107 (N. Simrock, Bonn et Cologne, 1820).

Cantate *Glaube und hoffe (Crois et espère)*, pour l'arrivée de Schlesinger à Berlin, 21 septembre 1819 (Publié par Marx, *Beethoven*, II).

Auf Freunde, singt dem Gott der Ehe, lied pour voix seule avec acc. de piano, pour Giannatasio del Rio.

Canon à 3 : *Glück, Glück, zum neuen Jahre*, pour la comtesse Erdödy.

1820. *Abendlied unterm gestirnten Himmel (Sérénade sous le ciel étoilé)*, lied pour voix seule avec acc. de piano.

Nouvelles Bagatelles, faciles et agréables pour piano, op. 119 (Nos 7-11, *Starke's Wien. Pianoforte Schule*, 1821 ; nos 1-11, Schlesinger, Paris, fin 1823 ; no 12, Diabelli, Vienne, 1828).

Sonate pour piano (Hammer-Klavier), op. 109 (Schlesinger, Berlin, novembre 1821). Dédiée à Maximilienne Brentano.

Canon à 4 : *Alles Gute! Alles Schöne!* 1er janvier 1820 (B. & H.).

1821. Sonate pour piano (Hammer-Klavier), op. 110 (Schlesinger, Berlin et Paris, août 1822).

Canon à 3 : *O Tobias!* pour Tobias Haslinger, Baden, 10 septembre 1821 (*Allg. musik. Z it.*, Leipzig, op. 763, p. 727).

1822. Sonate pour piano, op. 111 (*id.*, *ib.*, avril 1813). Dédiée par l'auditeur à l'archiduc Rodolphe.

Ouverture pour *Die Weihe des Hauses* (l'Inauguration du Théâtre de Josephstadt, à Vienne), op. 124 (Schott et fils, 1825). Dédiée au prince Galitzin.

Allegretto pour orchestre *Gratulationsmenuett (Menuet de reconnaissance)*.

Der Kuss (le Baiser), ariette, paroles de Weisse, pour voix seule avec acc. de piano, op. 128 (Schott et fils, Mayence, vers 1825).

Missa solemnis, en *ré*, op. 123 (Schott et fils, Mayence, avril 1827). Dédiée à l'archiduc Rodolphe.

1823(?). Canon à 6 : *Edel sei der Mensch* (Gœthe) *(Zeit. für Kunst*, Vienne, 21 juin 1823).

1823-1824. *IXe Symphonie*, avec chœur final sur l'*Ode à la Joie* de Schiller, op. 125 (Schott et fils, 1826). Dédiée au roi de Prusse.

CHAPITRE X

Xe SYMPHONIE

Huit jours avant sa mort, Beethoven écrivait à son ami Moscheles, à Londres, en lui accusant réception des 100 livres que lui avait envoyées la Philharmonic :

Je vous prie, cher Moscheles, d'être l'organe par lequel je fais parvenir à la Société Philharmonique mon plus profond remerciement pour son intérêt particulier et son secours. Dites à ces dignes hommes que, quand Dieu m'aura rendu la santé, je m'efforcerai de réaliser par des œuvres mes sentiments de reconnaissance et que je m'en remets au choix de la Société pour écrire ce qu'elle voudra. Toute une symphonie esquissée est dans mon pupitre, ainsi qu'une ouverture et aussi autre chose. Au sujet du concert que la Société Philharmonique a décidé de donner à mon bénéfice, je prie la Société de ne pas abandonner ce projet[1].

Pour cette symphonie, conçue en même temps que la *IX*[e] on a retrouvé, à défaut de l'esquisse entière annoncée par Beethoven, quelques mesures destinées au *presto* et au *trio* du scherzo, au finale et à un *andante*. En outre, dans un carnet d'esquisses, parmi des brouillons concernant la *IX*[e], la *Symphonie allemande*, Nottebohm a relevé ce court « programme » de l'*adagio* de la *X*[e] :

Adagio Cantique.
Chant religieux pour une Symphonie dans les anciens

[1] Chantavoine, *Corresp. de Beeth.*, p. 291-292, lettre du 18 mars 1827, écrite par Schindler.

modes *(Herr Gott dich loben wir Alleluja)* soit d'une façon indépendante, soit comme introduction à une fugue. Cette Symphonie pourrait être caractérisée par l'entrée des voix dans le finale ou déjà dans l'adagio. Les violons de l'orchestre, etc. à décupler pour les derniers mouvements, les voix à faire entrer une à une. Ou bien répéter en quelque sorte l'adagio dans les derniers mouvements. Dans l'adagio le texte sera un mythe grec [ou] un cantique ecclésiastique. Dans l'allegro, fête à Bacchus[1].

[1] Nottebohm, *Zw. Beethoveniana*, p. 165. Ce programme date de 1818, c'est-à-dire de l'époque de la conception de la *IX*e *Symphonie*.

Carl Holz, parlant plus tard à Otto Jahn de cette dernière Symphonie, lui dit que l'introduction était un mouvement vif en *mi bémol majeur*, suivi d'un important *allegro* en *ut mineur*. L'ensemble était arrêté dans l'esprit de Beethoven, qui l'avait joué au piano à Carl Holz.

Très probablement, dans les nombreux carnets d'esquisses musicales des dernières années de sa vie, trouverait-on des idées pour la symphonie projetée. Beethoven, on l'a vu par l'étude des neuf Symphonies, portait longtemps dans sa tête et notait sans cesse ses idées musicales. Il se peut donc que ceux qui étudient, à l'exemple de Nottebohm, les esquisses parfois illisibles de Beethoven, y retrouvent des idées destinées à la Symphonie que la mort seule l'empêcha d'achever.

De continuelles souffrances, en effet, rendirent Beethoven incapable de mettre à l'exécution les projets annoncés dans la lettre à Moscheles, et d'autres encore : il voulait écrire de la musique pour la *Mélusine* de Grillparzer, pour le *Faust* de Gœthe, une ouverture sur le nom de *Bach*, enfin un oratorio biblique, *Saül et David*, dans lequel on eût sans doute retrouvé l'influence de Haendel, dont il ne cessait de feuilleter les œuvres.

Après le retour de Gneixendorf (2 ou 3 décembre 1826), Beethoven fut atteint de pleurésie. Le docteur Wawruch, envoyé par le garçon du café où Karl continuait sa partie de billard[1], trouva Beethoven le visage en feu, crachant le sang, la respiration difficile. Après une crise de cinq jours, la robuste constitution du malade triompha et, le septième jour, il pouvait se lever, marcher, lire et écrire. Mais le jour suivant, la fièvre se déclarait. Beethoven souffrait d'une attaque d'hydropisie. Le chirurgien Seibert, appelé en consultation par Wawruch, pratiqua, le 18 décembre, une première ponction sur le patient. Cette opération n'ayant pas produit un effet suffisant, une autre suivit bientôt, le 8 janvier 1827, puis une troisième, le 2 février, et une quatrième le 27 du même mois.

Cependant, Beethoven formait des projets artistiques. Il se proposait de donner un concert le 7 avril et d'y faire entendre son ouverture sur le nom de *Bach*...

Vers la fin de février, la situation semblait désespérée. Hummel, oubliant ses brouilles anciennes, ac-

[1] Voir plus haut, p. 387, note 2.

courut à Vienne avec sa femme. Le 6 mars, il trouva Beethoven dans l'impossibilité de parler, et ne put s'empêcher de fondre en pleurs à sa vue.

« *Hummel* est ici, et m'a rendu déjà plusieurs fois visite », écrit Beethoven à Moscheles, le 14 mars. Hiller, qui se trouvait en même temps auprès de Beethoven, dans les derniers jours, décrit le malade, revêtu d'une « longue robe de chambre grise », chaussé de « grandes bottes montant jusqu'aux genoux », allongé près de sa fenêtre, ne pouvant prononcer une parole, la sueur perlant sur son front. Comme son foulard ne se trouvait pas sous sa main, la femme de Hummel prit son fin mouchoir de batiste et le lui passa sur le visage. Jamais je n'oublierai, ajoute Hiller, le regard de gratitude avec lequel son œil reconnaissant la remercia.

Cela se passait le 23 mars. Quelques jours auparavant, était arrivé le royal cadeau de la Philharmonic de Londres (17 mars). Le 23 encore, Beethoven eut encore la force d'écrire ce codicille au testament qui faisait de son neveu son héritier universel :

Mon cousin *(sic)* Carl doit être unique héritier. Le capital de ma succession doit pourtant revenir à ses héritiers *naturels* ou *testamentaires*.

Vienne, le 23 mars 1827.

Ludwig VAN BEETHOVEN.

— Maintenant, dit-il après avoir posé la plume, je n'écrirai plus.

Le lendemain, il perdait connaissance, et le 26 mars, à cinq heures cinquante du soir, Beethoven rendait le dernier soupir. Il faisait un violent orage sur la ville[1].

Hüttenbrenner et la femme de Johann van Beethoven étaient dans la chambre mortuaire. Dans la pièce à côté se tenaient Johann lui-même et le peintre Teltscher. Breuning et Schindler, qui avaient été au cimetière s'enquérir d'un emplacement pour la tombe de leur ami, arrivèrent peu après.

Le 29, à trois heures de l'après-midi, eut lieu la cérémonie funèbre. « On se réunira à la demeure du défunt, Schwarzspanierhaus nº 200 au Glacis devant le Schottenthor », portait le billet de faire part.

Schubert, Schuppanzigh, Czerny, Mayseder, Lablache et Grillparzer tenaient les cordons du poêle. En allant à l'église de la Trinité des Frères mineurs, Alsergasse, le *Miserere* fut chanté, et l'on exécuta un des *Equale* pour quatre trombones composés à Linz en 1812. Le corps, à la sortie de l'église, fut mis sur un char à quatre chevaux et porté ainsi au cimetière de Währing. Une grande partie de la population viennoise prit part au cortège. Sur la tombe, Grillparzer prononça un discours.

Quelques jours plus tard, le 5 avril, le *Requiem* de Mozart fut chanté, à l'Augustinerkirche, et le 26, le *Kirchenmusikverein* et la *Gesellschaft der Musikfreunde* donnèrent une audition, dans la même église, du *Requiem* de Cherubini. Le 3 mai enfin, une « musikalisch-deklamatorische Akademie » célébra d'une

[1] On trouvera, traduits en français, des documents originaux sur les derniers jours de Beethoven, dans la *Revue musicale* de Fétis, juin 1827, p. 498-507 : lettres de Beethoven, de Schindler, à Moscheles, etc.

manière plus profane la mémoire de Ludwig van Beethoven.

Œuvres de Beethoven postérieures à la IXe Symphonie

1823. Cantate pour l'anniversaire du prince Lobkowitz, 12 avril 1823 (Publiée par NOHL, *Beethoven's Briefe*, p. 221).
Gesangsstück, avec texte italien, composé pour Soliva.

1824. Canon à 4 : *Schwenke dich ohne Schwänke*, pour Schwenke, de Hambourg, Vienne, 17 nov. 1824 (*Cäcilia*, avril 1825).

1825. (15e) Quatuor à cordes, op. 132 (Schlesinger, Berlin, septembre 1827). Dédié au prince Galitzin.
Fugue pour quatuor à cordes, op. 133 (M. Artaria, Vienne, 10 mai 1827). Dédiée à l'archiduc Rodolphe. Arrangée pour piano à 4 mains, op. 134 *(id.)*.
Canon à 2 : *Hoffmann! Hoffmann, sei ja kein Hofmann* (*Cäcilia*, avril 1825).
Canon à 3 : *Kühl, nicht lau*, Baden, 3 sept. 1825 (cité par Seyfried, *Beethoven's Studien*, 1832).
Canon e in 8va : « Souvenir pour M. S. M. de Boyer par Louis van Beethoven », Baden, 3 août 1825 (*Neue Briefe Beeth.*, p. 274).
Canon pour Smart : *Ars longa, vita brevis*, Baden, 6 sept. 1825.

1825(?). Canon à 3 : *Signor Abate*, à l'abbé Stadler (B. & H.).
Canon à 3 : *Ewig Dein*, pour le baron Pasqualati (*Allg. mus. Zeit.*, 1863, p. 856).
Canon à 3 : *Ich bitt' dich*, pour Hauschka (B. & H.).
Canon libre : *Glück zum neuen Jahre* (Gœthe) (*Lieder von Gœthe und Mattheson*, J. Riedl's Kunsthandlung, Vienne et Pesth, mai 1816).
Räthsel-Canon : *Si non portas*, pour M. Schlesinger, Vienne, 26 sept. 1825 (MARX, *Beeth.*, Append.).

1825-1826 (13e) Quatuor à cordes, op. 130 (Artaria, Vienne, 7 mai 1827). Dédié au prince Galitzin.

1826. (14e) Quatuor à cordes, op. 131 (Schott et fils, Mayence, avril 1827). Dédié au baron von Stutterheim.
(16e) Quatuor à cordes, op. 135 (Schlesinger, Berlin, septembre 1827). Dédié à son ami Johann Wolfmayer.
Quintette inachevé, commandé par Diabelli. L'*andante maestoso* fut publié sous le titre : *Beethoven's letzter musikalische Gedanke* [*Dernière pensée de Beethoven*] (Diabelli, Vienne, 1840).

TABLEAU SYNOPTIQUE des premières auditions des symphonies dans les principales villes musicales du monde.

N°	TON	VIENNE	LEIPZIG	PARIS				FESTIVAL du BAS-RHIN	LONDRES Philharm.	ITALIE	ROME Sta Orchest.	PÉTERS-BOURG	MOSCOU	MADRID
				Conservatoire	Pasdeloup	Colonne	Lamoureux							
I	Ut maj.	2.IV.00	21.XI.01	22.II.07 9.V.30	17.XI.61	9.IV.73	3.XI.1901	»	1813 (?)	»	10.III.88	(?)	7.XII.63	1864
II	Ré maj.	5.V.03	29.IV.04	10.III.11 25.IV.30	19.I.62	29.X.76	12.III.82	1819	1813 (?)	Venise 1816 Florence 1858	4.II.85	17.III.34	12.IV 63	1878
III	Mi ♭ maj. (Héroïque).	7.IV.05	29.I.07	5.V.11 9.III.28	9.II.62	7.XI.75	8.I.82	1820	21.II.14	Rome XII. 1866 Turin V. 1872	11.IV.76	15.III.33	23.III.61	1878
IV	Si ♭ maj.	15.III.07	16.XII.10	21.II.30	2.III.62	11.I.74	5.II.88	1822	1817 (?)	»	30.III 78	27.III.46	23.III.60	1878
V	Ut min.	22.XII.08	9.II.09	13.IV.28	3.XI.61	14.XI 73	4.XII.81	1821	15.IV.16	»	9 XI.77	23.III.59	22.III.61	1872
VI	Fa maj. (Pastorale)	22.XII.08	26.III.09	15.III.29	27.X.61	23.XI.73	6.XI.81	1833	(27.V.11) 14.IV.17 (?)	»	21.XII.80	1.III.33	(?)	1871
VII	La maj.	8 XII.13	12.XII.16	1.III.29	15 XII.61	9.XI.73	23.X.81	1823	9.VI.17	»	13 IV.80	6.III.40	28.XII.60	IV.1866
VIII	Fa maj.	27.II.19	11.I.18	19.II.32	1.XII.61	24.II.78	22.X.82	1835	29.V.26	»	4 III.76	24.II.49	7.IV.61	1878
IX	Ré min. (avec chœur)	7.V.24	6.III.26	27.III.31	19.IV.63	14.III.75	22.I.82	23.V.25	21.III.25	Milan 1870 18.IV.78	18.III.79	7.III.36	1.III.63	1878

TABLE DES MATIERES

Préface i

Avant-Propos v

CHAPITRE I

Première Symphonie, en ut majeur, *op.* 21 (1800).

I. Sa composition. — Esquisses pour une Symphonie en *ut mineur* (1795). — Publication de la *Première Symphonie*. 1

II. Analyse de la Partition. 5

III. Les premières auditions à Vienne (2 avril 1800) ; à Leipzig.—La critique.—Premières auditions à Londres ; à Paris : au Conservatoire et à l'Opéra. — Premières critiques. — Premières auditions en Italie, en Hongrie, en Espagne, en Russie. — Opinions de Berlioz, d'Oulibicheff et de Colombani. 15

Œuvres de Beethoven antérieures à la *Première Symphonie* 25

CHAPITRE II

IIe Symphonie, en ré majeur, *op.* 32 (1802).

I. La surdité de Beethoven. — Lettres intimes ; le « Testament » de Heiligenstadt. — Giulietta Guicciardi ; amour déçu. — Opinion de G. Grove sur la *IIe Symphonie*. 30

II. Analyse de la Partition. 44

III. Publication de la *IIe Symphonie*. — Répétition générale et première audition. — La critique à Vienne et à Leipzig. — Autres auditions chez le prince Lichnowsky et chez le baron von Würth. — Première audition à Paris, au Conservatoire et à l'Opéra. — Opinions de Berlioz, de J. d'Ortigue. — Première audition à Londres. — Spohr la dirige à Venise (1816) ; autres auditions en Italie, en Espagne, en Russie, etc. 56

Œuvres composées par Beethoven entre les *Ire* et *IIe Symphonies*. 67

CHAPITRE III

IIIe Symphonie (Eroica), en mi bémol majeur, *op.* 55 (1800).

I. La « nouvelle voie ». — Beethoven « politique de sentiment » ; son culte pour Bonaparte. — Bernadotte et Kreutzer à Vienne, en 1798. — Composition de la *Symphonie héroïque* ; le manuscrit ; sa dédicace à Bonaparte. — L'édition originale 70

II. Analyse de la Partition. 86

III. Les premières auditions chez le prince Lobkowitz, en août-septembre 1804, à Vienne et à Raudnitz. — Autre audition chez le banquier von Würth, en décembre. — Première critique. — Première audition publique à Vienne (7 avril 1805). — Premières auditions à Leipzig et à Berlin. — Opinions de Dionys Weber et de Karl-Maria von Weber. — Premières auditions à Hanovre, à Cassel, etc. ; à Londres : opinion de William Ayrton. — Les Symphonies de Beethoven à Paris : première audition au Conservatoire, en 1811 ; Habeneck ; fondation de la Société des Concerts (1828). — Opinions de Castil-Blaze, de Berlioz, de Fétis, de Wagner. — Premières auditions à Buda-Pesth, en Russie, en Italie : Sgambati et Liszt; en Espagne 109

Œuvres composées par Beethoven entre les *II*e et *III*e *Symphonies* 132

CHAPITRE IV

IVe Symphonie, en si bémol majeur
op. 60 (1800).

I. Beethoven et le comte Oppersdorf. — *Fidelio;* l'entrée des Français à Vienne. — Beethoven et la comtesse Thérèse de Brunswick : trois lettres d'amour (juillet 1806); projet de mariage; rupture. — Le manuscrit de la *IV*e *Symphonie*. 134

II. Analyse de la Partition. 144

III. Première exécution chez le prince Lobkowitz (mars 1807); premières critiques. — Les concerts d'amateurs. — Opinion de Karl-Maria von Weber. — Premières auditions à Leipzig, à Mannheim, à Cassel, à Düsseldorf, à Londres, au Conservatoire de Paris : opinions de Castil-Blaze, de Berlioz. — Autres auditions à Buda-Pesth, en Russie : opinions de Damcke, d'Oulibicheff. 161

Œuvres composées par Beethoven entre les *IV*e et *V*e *Symphonies* 174

CHAPITRE V

Ve Symphonie, en ut mineur, *op.* 67 (1807).

I. Beethoven cherche à « se faire une position » : il propose ses services au Hoftheater de Vienne; puis accepte les fonctions de kapellmeister du roi de Westphalie. — Projets de départ de Vienne (janvier 1808). — L'archiduc Rodolphe, les princes Lobkowitz et Kinsky le retiennent à Vienne. — Composition de l'*Ut mineur* (1806-1807). — « *Ainsi le Destin frappe à la porte.* » — Régularité de cette composition. — Le manuscrit; l'édition originale 175

II. Analyse de la Partition 186

III. Le concert du 22 décembre 1808 et ses répétitions. — Incident. — Le critique de l'*Allgemeine musikalische Zeitung* réserve son opinion. — Première audition à Leipzig. — Analyse de Hoffmann. — Première audition à Breslau. — Reprise à Vienne et à Leipzig. — Premières auditions à Mannheim, à Cologne. — Les deux mesures du scherzo : opinions de Schindler, de Fétis, de Berlioz, de Jahn, de Nottebohm. — Liszt dirige l'*Ut mineur* aux fêtes de Bonn (1845). — Spohr. — Premières auditions à Londres, à Paris : opinions de Fétis, de Lesueur, de Berlioz, de Castil-Blaze ; à Rome, en Espagne, en Russie, à Buda-Pesth. 204

CHAPITRE VI

VIe Symphonie (Pastorale), en fa majeur *op.* 68 (1806).

I. Amour de Beethoven pour la nature. — « J'aime mieux un arbre qu'un homme. » — La musique à programme. — Les différents programmes de la *VIe Symphonie.* — *Le Portrait musical de la Nature*, de Knecht. — Esquisses de la *VIe Symphonie.* — Le *Beethoven-Thal.* — Beethoven et les paysans autrichiens. — Chants populaires slaves 226

II. Analyse de la Partition 245

III. Le concert du 22 décembre 1808. — Publication de la partition; critique de Hoffmann. — Premières auditions à Londres; la *Pastorale* au théâtre; tableaux vivants, ballet. — A Paris : critiques de Castil-Blaze, de Berlioz, de Lamennais (d'Ortigue). — Premières auditions en Russie, en Espagne, en Italie. — R. Wagner. — M. Camille Bellaigue 254

Œuvres composées par Beethoven entre la *IVe* et les *Ve* et *VIe Symphonies*. 270

CHAPITRE VII

VIIe Symphonie, en la majeur, *op.* 92 (1811).

I. Beethoven et Thérèse de Brunswick; la rupture. — Bettina Brentano. — Theresa Malfatti. — Projets de voyage en Italie, à Paris. — Beethoven à Töplitz. — Amalie Sebald. — Beethoven et Gœthe; lettre à Bettina. — Les esquisses de la *VIIe Symphonie*. — Sa composition (13 mai 1812). 278

II. Analyse de la Partition 295

III. Le concert du 8 décembre 1813. — La *Bataille de Vittoria* et la *Symphonie* en *la.* — Maelzel. — Deuxième audition. — Les répétitions. — Les concerts de février et décembre 1814; le Congrès de Vienne; le *Moment glorieux*, la *Bataille de Vittoria.* — Publication de la partition et de six arrangements, revus par Beethoven. — Opinions de l'*Allgemeine musikalische Zeitung*, de F. Wieck; de Weber; d'André d'Offenbach. — Premières auditions à Londres : W. Ayrton; à Paris : l'*allegretto* intercalé dans la *IIe Symphonie*, aux Concerts de l'Opéra : Castil-Blaze, d'Ortigue, Berlioz. — Le « programme » de Lenz. — Autres interprétations; Wagner : l'*Apothéose de la Danse.* — Schindler et Spohr. — Premières auditions en Espagne, en Russie et en Italie. 310

CHAPITRE VIII

VIIIe Symphonie, en fa majeur, *op.* 93 (1812).

I. Beethoven à Töplitz en 1818. — Le Postillon de Carlsbad. — Esquisses pour la *VIIe Symphonie;* le canon à Maelzel. — Beethoven et son frère Johann, pharmacien à Linz. — Retour à Vienne, par Linz. — Édition de la *VIIIe Symphonie* 336

II. Analyse de la Partition 347

III. Le violoniste Rode à Vienne. — Les *Chants écossais*. — Mauvaise santé de Beethoven. — Sa générosité. — Il est nommé bourgeois d'honneur de Vienne. — Le concert du 27 février 1814; exécution des *VII*e et *VIII*e *Symphonies*. — Première audition à Leipzig. — La « petite » Symphonie. — Premières auditions à Londres; à Paris : Berlioz. — Le « programme » de la *VIII*e *Symphonie;* Lenz, la « Trilogie militaire »; Oulibicheff. — Wagner. — Auditions à Buda-Pesth, à Rome, en Russie, en Espagne 361

Œuvres composées par Beethoven entre la *Symphonie pastorale* et les *VII*e et *VIII*e *Symphonies* 373

CHAPITRE IX

IXe Symphonie, avec chœurs, en ré mineur
op. 125 (1823).

La *IX*e *Symphonie* avec chœurs. — Beethoven en 1814. — Le Congrès de Vienne. — Mort de Kinsky, de Lichnowsky, de Lobkowitz (1814-1816). — Reprise de *Fidelio*. — Procès avec Maelzel. — Projets de voyage en Angleterre. — Beethoven et son frère Karl; Beethoven tuteur de son neveu Karl. — Procès avec sa belle-sœur, la « Reine de la Nuit ». — Beethoven à Mödling et à Baden. — Suicide de Karl, manqué (août 1826). — Voyage chez Johann van Beethoven, à Gneixendorf (octobre-novembre). — Retour à Vienne; dernière maladie. — La « troisième manière ». — Dernières Sonates, derniers Quatuors, la Messe en *ré*, la Symphonie avec chœurs. — Projets de deux symphonies sur la demande de la Philharmonic de Londres. — *Symphonie anglaise* et *Symphonie allemande;* le lied *A la Joie* noté dès 1798. — Composition de la *IX*e (1823-1824). — Copie adressée à la Philharmonic; la première édition; autre copie et le manuscrit autographe adressés à Berlin; dédicace au roi de Prusse 376

II. Analyse de la Partition 404

Le Lied *A la Joie* 432

III. Première audition projetée d'abord à Vienne, puis à Berlin. — Adresse à Beethoven pour le décider à ne pas en priver les Viennois. — Le concert du 7 mai 1824; enthousiasme du public; applaudissements sans fin. — Le récit d'une contemporaine, rapporté par M. Weingartner. — Compte rendu de l'*Allgemeine musikalische Zeitung.* — Résultat matériel 120 florins de bénéfice. — Le dîner du Prater; colère de Beethoven contre Schindler. — Seconde audition, le 23 mai. — Premières auditions en Allemagne : à Francfort, au Festival du Bas-Rhin; à Leipzig; à Londres : opinion de William Ayrton; à Berlin : un article de la *Musikalische Zeitung.* — Première audition à Paris : Fétis, Berlioz, Urhan. — Autres auditions à Londres. — Wagner. — Gounod contre Wagner. — Premières auditions en Russie : Damcke; en Italie : Hans de Bülow; en Espagne. . 335

Œuvres composées par Beethoven entre les *VIII*e et *IX*e *Symphonies*. 417

CHAPITRE X

La Xe Symphonie.

Les derniers jours de Beethoven. — Derniers projets : esquisse d'une *X*e *Symphonie*. — Hummel et Beethoven. — *Comœdia finita est*. — Le 20 mars 1827. — Honneurs funèbres rendus à Beethoven par le peuple de Vienne. 477

Tableau synoptique des premières auditions des Symphonies dans les principales villes musicales du monde.. 482

Errata.. 490

ERRATA

Page 94, ex. (10) : Lire à l'armature, *3 bémols* au lieu de 2.
— 95, — (1 bis) : supprimer les *3 bémols* à l'armature.
— 104, — (19) : aux 2e et 3e mesures, lire *fa dièze* au lieu de *fa naturel*.
— 105, — (20) : à l'armature, lire 2/4 au lieu de 3/4.
— 147, — (4) : à la 6e mesure, 1re portée, 1er temps, ajouter un *la*.
— 148, — (6) : à la 3e portée, ajouter un *fa* au 3e temps.
— 148, — (7) : à la dernière mesure, lire *ut*, *ut*, au lieu de *la*, *la*.
— 157, — (17) : à la basse, 1re mesure, lire *sol bémol* au lieu de *sol bécarre*.
— 193-194, ex. (11 *a*, 12 et 13) : ajouter un *ré bémol* à l'armature.
— 196, ex. (6) : à la basse, 1re mesure, lire *ut-mi* au lieu de *la-ut*.
— 248, — (9) : mettre à l'armature un *bémol* au lieu d'un *bécarre*.
— 260, — (32) : rétablir la gamme d'*ut majeur* en entier
— 262, — (36) : mettre à l'armature une clef de *sol* au lieu de *fa*, et ajouter un *si bémol*.
— 263, — (38) : lire les deux derniers accords en clef de *sol*, et les séparer par une barre de mesure.

Page 349, ex. (4) : lire les quatre dernières notes en clef de *sol*.

— 406, — 2e mesure, entre *fa* 3e note et *ré*, ajouter une barre de mesure.

— 421, — (21) : à l'armature, lire 3/4 au lieu de 2/4.

— 424, — (24) : à l'avant-dernière mesure, lire, *mi*, *ut dièze*, *ré*, au lieu de *fa*, *ut dièze*, *mi*.

— 431, — (33) : à l'armature, lire C barré au lieu de C.

Malgré plusieurs revisions, quelques fautes moins importantes se sont glissées dans les textes musicaux. Le lecteur les rétablira facilement soit de lui-même, soit à l'aide de la partition.

Paris. — Imp. PAUL DUPONT, 4, rue du Bouloi (Cl.). 555.6.09